销售巨人

大订单销售训练手册（理论篇+实践篇）

【美】尼尔·雷克汉姆 著　石晓军 译

SPIN® selling

全新升级版

中华工商联合出版社　McGraw Hill Education

图书在版编目（CIP）数据

销售巨人：大订单销售训练手册/（美）尼尔·雷克汉姆著；石晓军译. —北京：中华工商联合出版社，2010.5

ISBN 978-7-80249-309-4

Ⅰ. ①销… Ⅱ. ①雷…②石… Ⅲ. ①销售-方法 Ⅳ. ①F713.3

中国版本图书馆CIP数据核字（2010）第090814号

销售巨人：大订单销售训练手册

SPIN® Selling & SPIN® Selling Fieldbook

著　　者：【美】尼尔·雷克汉姆（Neil Rackham）

译　　者：石晓军

责任编辑：李怀科　于建廷

营销企划：杨海峰

责任审读：寿乐英

责任印制：迈致红

装帧设计：水玉银文化

出版发行：中华工商联合出版社有限责任公司

印　　刷：北京毅峰迅捷印刷有限公司

版　　次：2010年7月第1版

印　　次：2017年5月第2次印刷

开　　本：710mm×1020mm　1/16

字　　数：310千字

印　　张：25

书　　号：ISBN 978-7-80249-309-4/F·144

定　　价：59.00元

服务热线：010-58301130

销售热线：010-58302813

地址邮编：北京市西城区西环广场A座19-20层，100044

http://www.chgslcbs.cn

E-mail：cicap1202@sina.com（营销中心）

E-mail：gslzbs@sina.com（总编室）

这又是一本关于成功销售的书，它与已经出版的众多销售方面的书籍有什么不同呢？主要有两点：

1. SPIN®侧重于大订单销售

几乎所有的销售模式和方法都是从销售低值产品和一个电话就可以搞定的小订单销售中开发出来的。E.K.Strong 在 20 世纪 20 年代进行了一项关于小订单销售的先驱性研究，在其中引入了许多新的销售观念，例如：特征和利益、收场白技巧、异议处理技巧、开放型问题和封闭型问题等。90 多年来，这些概念被复制、采纳、重新提炼，而这一切都假设它们应该适用于任何规模的订单销售。甚至有几位作者想给规模大一点儿的订单提供一些建议，也只是在那些老的销售模式上略加翻新而已。这太遗憾了，因为传统的销售战略不能在飞速发展且环境日趋复杂的现代大订单中发挥什么太多的作用。

我相信这是第一本以全新视角去审视大订单销售的图书，也是你成功必备之书。众所周知，许多在小订单销售中帮助你的东西，随着订单规模不断扩大，会对你的成功造成损害。大订单销售需要一系列推陈出新、与众不同的技巧，这正是本书所写的。

2. SPIN®是以研究为基础

本书销售技能领域中最大研究项目的结果，也是第一次公开出版。我在哈斯韦特公司的小组分析了35000多个销售实例，历时12年，最后提供给你的是销售成功方面毋庸置疑的事实，而这也就是你要读到的一切。关于如何销售有许多观点，但它们真正的缺陷是不以仔细研究过的事实为基础。我对这本书中描写的内容进行研究的原因是：我不满意那些观点，我需要证据。现在经过耗资100万美元的研究后，我能给你一个会让你在大订单销售中更成功的书面证据。

本书献给那些严谨的销售人员，他们把销售看作是一种高水准的职业。在研究中，我们与来自全球20多家优秀企业的顶尖销售人才合作过。通过观察他们在大订单销售中的行为，我们发现了什么使他们那么成功，这就是本书的主旨。

但是，如何让你相信我们提炼的这种方法能够帮助你更有效地进行销售呢？我相信能有效地帮助你，这种信心建立在一些真实研究的基础上，而不仅仅是我的希望。第一次提出本书所介绍的销售方法时，我不能确信它是否能推动更有效的成功销售，一方面，我们的许多发现可能都有争议，并且与大多数令人兴奋的销售培训相冲突；另一方面，我们不能肯定这些成功专业销售人士使用的方法是否会让大部分人感到很难学。

因此，在准备出版本书之前我们不断测试这些观点的使用价值，历时

7年。在那段时间里我们用这些销售方法培训了几千名销售人员，并不断进行试验，旨在找到最好方法把成功销售的理论知识转换成简单而又实际的实战操作，以便这些方法可以帮助任何人在大订单销售中更有效地销售。我们测量培训过的第一批1000个销售人员的业绩变化，并与来自同一公司的参照组相比较。结果表明，经过培训的销售人员在销售额上比参照组提高了17%。于是，我们确信本书给出的是一个能够提升销售业绩的好方法。SPIN®已经帮助了几千人在大订单销售中更成功地销售，相信它也能给你同样的帮助。

23个国家10000多个销售人员大方地同意让研究人员与他们一起到各地进行工作，观察他们在销售会谈中的实际行为，真的，非常感谢！这本书就是与他们有关的，也代表了我们对他们深深的谢意。我还要谢谢1000多位销售经理，他们是我们在全球执行研究计划中必不可少的一部分，并且帮助我们提炼了在本书中所提出的观点。最后，还有100多人与我们的研究紧密相关，而且对观点的提炼也做出了很大的贡献。我不能把他们一一列举出来，但需要特别提到的是彼得•霍尼（Peter Honey）和罗斯•维森（Rose Evison），他们与我们一起开发了最初的行为分析方法，这也正是我们在研究中一直使用的方法。以这个方法为基础，我们得到了一些最初的测量工具，使用我们以前所未有的科学的、量化的方法来看销售会谈。早期阶段，罗杰•萨格登（Roger Sugden）是哈斯韦特公司研究小组中第一个使用这些方法的人。

就SPIN®销售模式的开发过程来说，应感谢西蒙•贝利（Simon

Bailey）和琳达·玛诗（Linda Marsh），他们在最初的研究领域帮我们证实SPIN®式的有效性。哈斯韦特公司的其他同事包括迪克·拉夫（Dick Ruff）和约翰·威尔逊（John Wilson），以他们做培训讲师的经验帮助我们洞察如何表达本书中所提观点的价值。同样我要感谢琼•科斯蒂奇（Joan Costich），他帮助修改手稿；感谢伊莱恩·阿尔斯沃思（Elaine Ailsworth）帮助制作图表。

哈斯韦特公司以外的人也对本书有重大的贡献，其中包括剑桥公司的今井正明（Masaaki Imai），他采纳了我们的SPIN®销售模式并应用于日本销售市场；麦肯锡公司的扬·范·登贝尔赫（Jan van den Berg）帮助我用更少的文字来表达这些概念。

尼尔·雷克汉姆

SPIN®一书的成功令我大为震惊。写本书的时候我还有一点点担心，怕它不能为大家接受。最初的一些事情似乎也印证了我的担心并不是多余的。我最早的出版商，也就是让我写这本书的那个人，在接到手稿时取消了我们之间的合同。“它与人们普遍接受的销售观念相冲突”，这就是解释。其他出版商也是如此，因为他们也认为 SPIN®销售模式与传统的销售智慧相抵触。

最后，麦格劳一希尔教育出版集团（McGraw-Hill）同意印刷，幸运的是书销售得极好。更令我满意的是，它不是那种仅仅风靡一时就销声匿迹的书，每一年它都能拥有比上一年更多的读者。SPIN®模式已渐渐为大公司接受，事实上，财富全球百强企业中已有半数企业使用它来培训它们的销售人员了。大学和商业学校也教授它，SPIN®模式的基础研究也成为关于评估方法学的教科书所广泛引证的事例。

我说这一切并不是自夸，说来也怪，我只是在指出一种正在膨胀的不满。尽管我们的工作已经影响了许多大型的优秀公司，但我还是经常提醒我自己，并不是大部分销售人员都在大公司工作。许多销售人员，无论他们销售产品还是服务，都是在为小公司做事。我的公司哈斯韦特每天都能收到来自个体业主、个人职业者或一两个人的合伙销售公司的信、电话和

E-mail。这些人都读过 SPIN®一书，也都确信书中提到的观点是正确的，但是，他们现在需要的是如何把概念应用于实践的进一步帮助和建议。他们没有这方面的数字或其他资源，以证明参加哈斯韦特公司的培训课程是正确的，但他们的确需要实践工具来帮助他们继续下去，而不只是停留在读过我的书这一步上。

我与这里面的许多人交谈过，如来自新墨西哥的建筑师、圣地亚哥的软件开发人员、西弗吉尼亚的锯木厂厂主。我尽力帮助他们，回答他们提出的问题，但是当我放下电话时我知道，他们需要的不仅仅是几句建议而已。慢慢地，SPIN®实践手册自然而然地形成了，它包括工具、练习和实践忠告。它会帮助人们努力把好的概念转化成可以产生经济价值的销售，对那些没有办法参加我们培训课程的小公司销售人员尤其有效果。唯一的问题就是找时间把它整理出来。

我的同事莱尼·古林（Leni Gurin）自愿在我这些年来写过的成千上万页文稿、文章和计划中查找，从中摘选有用的材料，来帮助人们用 SPIN®模式更好地销售。加上几个新的章节，她把这些材料合成并且扩展成为了一本有实践价值、循序渐进的执行手册。SPIN®实践手册就是最终的结晶。

尼尔·雷克汉姆

SPIN®
Selling
目录

下篇 实践篇

上篇 理论篇

第1章

销售行为和成功销售

在芝加哥奥黑尔国际机场我如约见到了某公司的营销副总裁，随后便驾车前往芝加哥。寒暄之后，他便开门见山：“我请你做这次调查是因为目前我们的销售业绩下滑了 30%，我想你应该知道，我们是世界 100 强企业之一，在员工招聘和培训方面都下了不少工夫，可是结果却不尽如人意，我打算请你们和我们的销售代表一起工作一段时间，看看问题到底出在哪儿。”

这是一个绝好的机会！近几年来，我的公司一直从事行为分析系统的开发工作，这就要求我们认真观察销售人员的每一个工作细节，分析研究他们所用的哪一种销售方式是最成功的。我欣然接受了这个可以尝试新工作方法的机会。之后，我们的研究小组和该公司的一些部门经理启动了这项工作，观察销售人员在整个销售过程中是如何工作的。

之后的两个月中，研究工作进展顺利，并有了初步结果。我们准备去见那位营销副总裁，并把这一切告诉他。在会议室里当我站起来对副总裁及其销售主管开始发言时，我就已经预料到了他们不会喜欢接下来我所要说的一切。我决定先把最简单的部分说出来：“我们一共观察了 93 个销售过程，而与我们一起工作的这些销售人员中，一部分是你们公司里最优秀的，另一部分是比较（我用了一个很柔和的词）优秀的。”

“是的，”他不耐烦地说，“直接说吧，你到底发现了什么？”

我小心翼翼地建议：“让我们先来讨论一下在成功销售过程中应该做些什么，然后比较分析这两类销售人员之间又有什么不同。我们发现……”

“我猜一下，”他打断我的话。“你与我们最好的员工一起工作时，我猜想他们的销售过程与其他人一定不同，而且每一次他们都会有一个完美的结局，对不对？”

我犹豫了一下，“并不很确切，在您所说的不同中，我想您在暗示，他们用了一些无懈可击的销售技巧吧！但是我认为这不是很确切。事实上，据我们的研究记录，在失败的销售过程中，销售技巧的应用远远多于在成功销售过程中的应用。”

“我认为这太不可思议了！”他反驳道，“你还发现了什么？”没等我回答，他又有了新的见解：“我想，顾客异议的处理应该与卓越销售技巧的应用同等重要，”他又肯定地说，“也许，我们那些最优秀的销售人员在应付棘手的问题上更出色。”

这时我意识到接下来的会谈将更难进行，“很遗憾，您所说的这一点仍然不确切，”我答道，“我们发现在成功销售过程中几乎没有遇到什么棘手的事，如果说到对于棘手问题的处理技巧，我认为那些很优秀的销售人员并不比那些平凡的员工做得更好。”

很明显，我一直在否认副总裁所说的一切。在场的一个销售主管试图尽最大努力使会议步入正轨，“你为什么不讲一讲你们的详细研究结果呢？”他建议道，“我认为那对我们会更有益。”

对于这个提议，副总裁喜形于色。“是的，”他说，“更详细的技巧的确很重要。每当有人邀请我去做销售培训时，我总是强调在销售中提出好的问题是何等重要，比如许多很容易回答的封闭型问题，也就是那些能用很多方法回答的问题。我对那些新员工讲要避开那些很深奥的开放型问题，并且专注于问更多、更简单的封闭型问题。我猜想，你一定发现我们那些优秀销售人员正是这样去做的。”

我陷入了困境，冒着很大的风险答道：“您所说的更好、更详细的销售技巧很重要，这很正确。但是，在观察销售过程中我们发现，就提问而言，是简单的封闭型问题还是复杂的开放型问题并不重要。事实上，优秀销售人员与那些很差的销售人员在如何运用封闭型问题和开放型问题上并没有任何不同。”

副总裁愤怒了，“真的吗？”他很怀疑地问道，“收场白技巧、异议处理技巧和提问技巧是销售的三大关键，而你竟然说它们都无关紧要？”他环视四周问道：“难道他说的是真的吗？”

接下来是令人尴尬的沉默。

最后，他属下的一位经理小心翼翼地开了口：“众所周知，我们的销售培训就是强调提问技巧，通过提问技巧去解决销售异议，通过提问技巧去促进成交。如果他所说的是对的，我必须强调一下，只是‘如果’是对的，那么，我们一直努力在推行的销售培训就是白白耗费时间和金钱。

副总裁考虑了一会儿说："不错，收场白技巧、异议处理技巧和提问技巧正是我们销售培训的重点。并不只是我们，许多大公司也是这样，IBM、GTE、AT&T和施乐等都是如此。"

"霍尼韦尔公司和埃克森石油公司也是如此。"一位经理补充道。

"我过去在柯达公司，这三点也是他们做培训时最注重的。"另一位经理也补充道。

副总裁转向我，"我不想怀疑你的研究能力，并且对于你的努力，我深表感谢。然而，我认为你应该明白，你的结论与我们的经验以及其他一些大公司的经验大相径庭，所以我不得不认为你的结论是错误的。"

就这样，会议结束了。

作为一个年轻而又不出名的研究人员，我没有能力挑战一家著名公司多年来销售培训的智慧结晶。在返程的飞机上，我重振旗鼓。老实说，我不得不承认我所有的证据加在一起也没有达到可以让人信服的程度。如果站在副总裁的立场上，我也不会信的。

自从那个让人不愉快的会议结束后，我和我的同事们收集了更多、更强有力的证据。我们用了10年的时间对35000个销售过程进行分析，研究了116个可以对销售行为产生影响的因素和27个销售效率很高的公司。我们所做的一切囊括了有史以来对成功销售的所有研究。目前，我们的系统研究已经花费了上百万美元，我想我可以给副总裁一些有说服力的证据了。我想对他说：

●他的销售培训对小订单是很有益的，但我们发现，他的员工所用的传统销售方法随着订单金额的扩大便不再适用了，这就是从事大订单销售的高级销售人员不再依赖传统销售方法的原因。

●现在我们发现，在大订单销售中，有许多成功的销售技巧，而那时我们却知之不多，以至于根本不能用令人信服的方式表达出来。但现在我们可以说，他们公司优秀销售人员所采用的销售方法和销售技巧可以称为SPIN®销售模式，正是这种方式而不是其他方式使他们获得成功。

除此之外，我们还要告诉他，这些结论对于他曾列举的以传统方式培训的那些公司同样适用。那时，虽然我们对这种销售方式一无所知，但许多公司已明显察觉到传统销售技巧的核心内容已经不再适用了。在那次会议上被列举出来的公司中，有三分之一在过去的5年中来到了哈斯韦特公司，请我们为他们重新设定培训内容

传统销售模式

研究过程中难免会有一些新情况出现，而这些新情况有时会令研究人员备受困扰，以至于有时更希望这些新情况根本就不存在。同样，我也有过这种经历。过去，我对传统的销售理论非常满意。开始调查时，我们的目标是要证明传统的销售培训方式是多么有效，并且对成功销售产生积极的影响。但当我们想利用这些传统方式来提高大订单销售的效率时，却遭遇到一连串的失败。直到那时我们才开始踏上了漫长的研究之路，以至于最后有了这本书所介绍的成功销售模式。研究伊始，我为传统的销售方式能面对挑战而感到喜悦。过去，我被告知（或许你也是这样被告知的），销售过程包括如下这些简单步骤：

1. 初步接触。传统销售理论告诉我们开启交易的最有效方法：找到能与买方个人利益发生关系的途径，并使他知道从这笔交易中他可以获利不少。正如第7章所述，这种开始交易的方法对于小订单会很有效，但对于大订单销售是否有效还不能确定。

2. 销售提问。在过去的90年中接受过销售培训的每一个人几乎都被告知提问技巧的重要性，这些传统的提问技巧在小订单中会起作用，但在大订单销售中却收效甚微。稍后，在这章中我会把一种更有效的提问技巧引介给你。我们是通过对几千个成功销售事例的分析，以及对全球最优秀

的销售人员实际操作过程进行仔细观察之后才如获至宝地总结出了这个行之有效的提问方法。

3. 利益宣讲。即使你不太认可，传统销售培训也会让你相信：介绍产品有什么特点或能为顾客提供什么价值。这种方法在小订单中会大获全胜，但在大订单销售中却惨遭失败。第5章将会介绍一种新的告知对方可获利多少的方法，这种方法在大订单销售中非常成功。

4. 异议处理。你可能已经知道了在成功销售中如何处理异议是至关重要的一种技巧，并且你也知晓标准的异议处理方法。例如，先弄清异议产生的原因，然后用一种可以想到的方式对原来的说法变更一下。这些处理异议的方法在小订单销售中是有用的，但在大订单销售中却收效甚微。优秀销售人员关注的是防患于未然，而不是亡羊补牢。对于他们究竟是如何未雨绸缪的，在第6章中会给你一个详尽的解释，这势必会使来自顾客的抱怨倍减，有事半功倍的效果。

5. 收场白技巧。在小订单销售中，收场白技巧会大显身手，但是在大订单销售中，如果你不改弦更张，那么只会痛失机会。许许多多平时很有益的收场白技巧在大订单中恰恰是不起作用的。在第2章中我们会介绍促成销售成交的最佳方法。

总而言之，我们以前学过的传统销售模式、方法和技巧最好是用在小订单销售中，这会让你如虎添翼。那么，什么是小生意或小订单呢？通常一个电话就可以敲定或者交易金额很少的销售就是小生意，或者称之为小订单。不幸的是，这些历史可以追溯到20世纪20年代，被无数次使用过而且被认为是真理的销售技巧，在今天复杂的大订单销售中却已无任何价值可言了。问题并不是这些技巧已经过时了，如果它们没有一点价值可言的话，人们也不会在90年后仍然使用它们。这些技巧仅仅是对简单小订单有帮助，这是它们的不足，也是我写这本书的原因。而许多作者和培训讲师有一种不正确的想法，那就是对于小订单销售起作用的技巧理所当然地能在大订单销售中发挥它的效力。同样不幸的是人们还认为这些传统销售技巧对那些非常重要的订单也有作用。但在这本书中我将让你知道，当你的生意像滚雪球一样迅速增大时，如果你还坚持应用小订单销售的技巧，那么你的成功就会受到威胁。我会与你一起分享我们的研究成果，我深信它会为你排除通向成功之路的一切障碍，与你一起到达胜利的彼岸！

大订单销售和小订单销售的比较

大订单销售和小订单销售的特点异同

我写这本书是希望能给那些与我有相似之处的人们一些帮助，即这些人都在做大订单销售，不满传统销售模式的有效性，正在找寻更先进更有效的销售模式。

大多数与我一起合作过的销售人员，都抱怨传统的销售培训方式似乎认为他所做的只是卖二手车那样机械简单的生意，而不需要什么更有价值的知识，所以给他们的都是许多索然无味的东西。更糟糕的是，这种培训方式就像对待任由操作、摆布、剥削的傻子一样来对待客户。非常令人遗憾的是，在许多大公司中，仍然把这种方式奉为培训佳法，更有甚者，把它们视为解决大订单销售困难的秘诀。

我已用了太多的篇幅来界定什么样的生意才是大订单销售，而没有说明界定工作完成之后，你应怎样成功地进行销售。我不想因为解释过多而令你厌烦，我相信无论用什么名词解释大订单销售，如批量订单、大额订单、大宗订单、大订单、大业务等，只要遇到了，你都会知道这是很重要的订单销售，不用我多罗嗦。

那么，我应该做的主要事情就是：以顾客心理为贯穿始终的线索来分析一下大订单销售的特点。顾客意识和行为的不断变化，使得大订单销售的含义也与以往有所不同。下面让我们一起看一看不同之处在哪，以及这些变化是如何影响销售进程的。

通常一笔小订单仅凭一个电话就可以搞定，而一单大订单也许要经历一段很长的时间，而且要打上无数个电话。我有一个同学，从事飞机制造

SPIN® Tips

大订单销售与小订单销售完全不同。大订单销售需要经历更长的时间，因此，客户的心理会在这段时间内发生变化；另外，大订单销售的参与者众多，可决策者并不是每次都出现。

业，曾经有3年连一单生意都没有做成。从表面上看，我似乎是想告诉大家，大订单销售本身一定需要花费很长的时间。但是，事实却并非一定如此。需要多次电话商洽的生意与只用一个电话就可以搞定的生意有着根本的不同，不同点在于前者需要很长一段时间，在这一段时间中客户心理会发生这样那样的变化，而后者所需时间很短，在这期间客户的心理不会发生什么变化；另一个重要的不同是在一笔交易额较低的小订单销售中，成交决策是由买方本人亲自做出，而在需要多次电话商洽的大订单中，要经过多次商讨，但并不是每一次商洽决策者本人都会亲自参加，所以一些很重要的讨论和洽谈都是在决策者本人缺席的情况下进行的。

假设我是一个很出色的演说家，那么，雄辩的口才会让你不得不信服我的产品。这样，在只需一个电话就可以搞定的小订单销售中我便会游刃有余。原因很简单，电话那端的客户会被我的话语打动而对我的产品信任有加，订单自然也就手到擒来了。但如果销售周期很长，即使我用尽了浑身解数也没有得到订单，我该怎么办呢？我离开的第二天，我说过的话客户又能记住多少？在听过我流利而又优雅的介绍后，客户能不能把所有的内容转述给他的老板呢？

带着这些问题，我们对一个经营办公用品的小公司进行了调研，结论是卖方在产品说明中陈述的关键点，一个星期后客户记得的不超过半数。更糟的是，客户在看完产品说明后，往往会兴致勃勃地谈及很多事情，但是这些热情在一星期后已所剩无几了。

好的产品说明的确会对客户产生影响，但这只是暂时的，几天后就被客户抛之脑后了，所以，如果你用一个电话就能立刻搞定的话，那你没有理由不利用对客户暂时的影响而进一步使他的热情高涨，抓住好时机，迅速做成这笔生意。但如果你不能使客户当机立断做出决定，不幸便会降临到你头上。因为一个星期后客户已经根本记不起你说过的所有内容了，而且原有的对你产品的热情也已消失得无影无踪。

> **SPIN® Tips**
>
> 不适当的强力推销在小订单销售中可能有所作为，而在复杂的大订单销售中却只能让事情越来越糟。

我们的另一个重大发现是（第6章中会有详细的叙述）：在一个电话就可以搞定的小订单销售中，你可以通过努力劝说，平息客户所有的异议而成功地把产品卖掉。但在复杂的大订单销售中，这些招数是不会让你获得成功的。为什么呢？也许你做买方的经历会让你知道答案。我还记得几个月之前，我曾去过一家汽车展示厅。在那儿，我遇到了一个销售人员，他机械性地提了几个形式化的问题后，便迫不及待地展开了猛烈的推销攻势，用到了所有的传统销售技巧。而我并没有决定购买，只是想看一看，可以想象他做的这一切只能让我厌烦。费尽九牛二虎之力我才得以逃脱，我发誓再也不去那家汽车展示厅了。我相信你也有过这样的遭遇。不会有人再愿意去受那份罪了。同样，在你做生意时，如果你让一个潜在客户感受到了那种压力，那他或她一定不会想再见到你，这种推销方式在当时当地就可以签合同的生意中似乎很适用，如若不然，过分推销只能适得其反，降低成功率。结果是你的客户不愿再和你沟通，而你永远也不会找到错误之处。结论已经很清楚地呈现在我们面前了，不适当的强力推销在小订单销售中可能会有所作为，而在复杂的大订单销售中却只能让事情越来越糟。

大订单销售和小订单销售的技巧异同

我们已经知道，大订单销售中需要客户做出的都是很重要的决定，这样，客户的心理会随着生意的不断推进而发生变化。在很小的订单销售中客户对利益或利润不是很在意，可随着订单金额的不断增加，即使不是卓越的销售人员也会让客户察觉到其可预知的利益在逐渐增多。在大订单销售中，也许这是最重要的技巧了。对此我们已经有了深入的研究，

> **SPIN® Tips**
>
> 大订单销售的重要技巧就是让客户完全理解其购买决策可能带来的价值。

本书中有几章的内容会让你通晓如何使客户感觉到你带给他的利益在与日俱增。

几年前我们开始了一项研究，但因为当事人的销售队伍重组而没能进行到底。这是件令人遗憾的事，因为那是随着生意不断扩大销售额也不断增加的一项研究。从事贵重商品销售的客户问我们，如果他们招聘那些只销售过廉价商品的新员工是否可以。在项目研究之中，我们找到了一个有趣的答案：不能从小订单销售成功过渡到大订单销售的销售人员，正是那些不能让客户感知他们的可预知利益在不断增加的人。

记得是在布法罗机场，我遇到了那个并不成功的销售经理，这之后我和他一起去谈了几笔生意。他坐在长凳上，公文包是打开的，周围堆满了产品资料，这些都是近几个月来与一家纸处理厂生意往来的资料。他很痛苦地解释说，熟知产品会让他更成功，于是他一有时间，就专门研究这些产品的细节。随后他又说：“我的上一份工作是销售耐用消费品，而那些产品知识与这些截然不同。”他说得没错，他原来掌握的那些产品知识对现在这份工作来说的确是一个很大的障碍。一个小时后，我注意到他在向一个办公室主管推销一种大型复印机，最后他败下阵来。一想到要花上万美元买下这部机器，这位主管就很惶恐不安，不过这完全可以理解。销售经理用尽浑身解数来大谈特谈产品的细节，期待这位办公室主管惶惶不安的心情平静下来，同时，又把他刚刚学会的产品知识一一向那位主管说明。但这一切都是徒劳的！这位办公室主管一点也不情愿购买，原因是他并不完全了解付出这么大的代价后他能得到多少回报。毕竟，目前他的复印机还可以勉强正常运行，尽管那台旧机器确实是有些问题，而且复印质量不是很好，但花费五位数字来解决这些问题值得吗？绝对不值得。客户没有察觉购买此产品给他带来的价值究竟有多少，销售经理娴熟的产品知识介绍也不能改变这点。

他怎么才能做成这笔生意呢？本书后述章节会详尽阐述如遇到上面

这个事例中的情况，你应该如何让客户知道产品的巨大价值。但是当年发生在布法罗机场的这个事例的确很有意义，因为从中我们可以看到，在小订单销售中能大显身手的技巧在大订单销售中却只会成为你的绊脚石。

大订单销售和小订单销售的关系准则异同

大多数大订单销售都需要与客户维系良好的关系，主要原因是重要的购买行为发生后还相应会有一些售后服务的支持，也就是在买方和卖方完成交易后还有一次或更多次的接触；另一个原因是大订单销售有很大一部分源于已有的客户。与之形成鲜明对比的是，小订单销售做的是一锤子买卖，交易完成后与客户便不再有任何关系。

维系关系的时间长短会怎样影响客户的决策心理呢？也许，阐释它的最简便方法就是看一个实例。现在我是一个公司的总经理，日常生活中我作买方的时候比作卖方的时候要多。几星期前，我作为买方，有一个很好的机会来印证在大订单销售中维系关系是如何影响买方做出决策的。在同一天，我卷入了两笔生意。第一笔是小订单，我要为我个人的办公室配置一台新的悬空式投影仪，因此我让当地的一个供应商派一名销售代表来我这儿。站在我面前的那个家伙实在是不怎么讨人喜欢，我想他充其量只配在小巷子里卖淫秽光盘。“今天是你的幸运日，”他开口说道，“我敢说你一定等不及听我介绍这笔生意的细节了吧！”事实上，我等不及的却是要把他从我的办公室中赶出去。但有一点我不得不承认，他给出的价格的确很优惠，我需要一台投影仪，但我却不想再见到他。我打断了他滔滔不绝的介绍，签了订单后，我直截了当地下了逐客令。而这一切仅仅用了5分钟。在他看来，这应该是非常成功的一单销售。从某种意义上来说，作为买方的我也应当算是成功的，因为我以很低的价格买了一台新的投影仪，并且整个交易过程只用了短短的5分钟。

那天迟些时候，我又卷入了另一笔很大的生意。我们一直打算全部更换公司预算系统的硬件、软件。无疑这种置换相当于添置几台计算机、一套完整的预算软件以及 6 个月的磨合时间，粗略估计至少要 70000 美元。这时我又想起了上午那个销售悬空投影仪的销售代表，而此时我的想法似乎又有了些变化，我在为他的行为找一些合理的解释。他应该是一个很正常的人，只是肤浅了一点儿，或者说是有点儿急于求成了。尽管我如此对自己解释，但随着交易谈判的不断深入，我还是越来越犹豫不决。在悬空投影仪的生意中，价格的确很公道，而且现在我又确实需要一套新系统，但即便是这样，我仍然是不愿再继续谈下去。“让我们再考虑考虑，之后再给您答复。”我对他说。后来，当我静下心来仔细分析发生过的事时，意识到我在这件事上的举棋不定主要是因为与其说我买的是产品，倒不如说我是进入了一种关系。购买悬空式投影仪只是一笔简单的交易，我不喜欢与卖方打交道，就可以在买卖结束后不再见他。而这一次如果我决策计算机系统这笔大订单，就必须与他们有几个月的往来。我是否愿意这样做？现在我还拿不定主意。

这件事对我们有什么启示呢？适用于小订单销售的规则在大订单销售中不一定适用。小订单销售中卖方和商品是两个相互独立的部分，你可以把它们割裂开来，分得很清。在小订单销售中即使我讨厌销售代表，但我却非常满意他的商品，那我仍然可以购买。而大订单销售中，销售代表与商品的关系密切，很难割裂开来。尽管我对这套计算机系统很有兴趣，但我却无法单独选择这套系统而不与销售代表保持来往。通常大订单销售使你不得不与销售代表建立长时间的往来关系，于是另一种不同的销售方式应运而生。在以后的章节中会给您介绍这种销售方式的不同之处以及怎样运用它与销售代表建立关系。

SPIN® Tips

在买方看来，商品和销售人员在大订单销售中是密不可分的一个整体，在小订单销售中却可以割裂开来。

如果你并不讨厌类似于与我一起工作过的大商人，与他们合作，总有一天你会感觉你只是这个大企业中并不重要的一部分，你很难看到你的工作会对整个企业有什么大的影响。所以随着生意越做越大，只有你明白并接受你只是客户做决定时要考虑到的一个因素这个事实，你才会觉得舒服一点。在大订单销售中，商品和销售代表在客户看来是一个密不可分的整体。

大订单销售和小订单销售的决策失误风险异同

在小订单销售中，很多失误客户都能接受，因为这些失误只会造成微乎其微的损失。以我自己为例，我有一个小橱柜，里面装满了各种各样的小工具，而它们并不如我买时想象的那样有用，有的甚至根本就没法用。现在，橱柜最顶层放的是两个电话机自动拨号盘、一个漂亮的煮咖啡机、一个每小时都会以令人难以相信的电子音乐报时的小闹钟和一些其他的杂物。我经常安慰自己说并不是只有我一个人时不时会买一些没用的东西，其他人也应该是这样的。致使我做出这些不适当购买决定的原因只有一个，没有其他任何人会知道我犯了一个错误。如果这些错误决定是在生意中出现的，我会在预算中用一种适当的方法把它掩盖起来，即使是我这种最精明的预算监控人也休想发现。

但在大订单销售中却有很大的不同。如果我错买了一辆车，我根本不可能把它放在橱柜顶层而不让我妻子知道。当我在寻找一套新系统时，在我的公司里，至少有 10 个人会参与进来。当它被安装好后，每一个人都要使用。因此，一旦这套系统不能运行，公司上上下下每一个人都会知道我做了一个错误的决定。在大订单销售中，重大决策需要很多人一起来做，同时，一个错误的决策也会更加明显。

随着订单的规模不断扩大，客户也会变得越来越谨慎。交易金额的增加是使人更谨慎的一个重要因素，但更重要的因素也许是怕在公众面前出丑。以前，曾有一个伦敦的客户很高兴地买了一项价值 40000 美元的研究成果，而这项研究成果投入市场才半天。这项决定只涉及他自己的预算而与其他人毫

SPIN® Tips

随着订单数额的增加，客户也会变得谨慎起来。交易金额的增加是使人更谨慎的一个重要因素，但更重要的原因也许是怕在他人面前出丑——如果购买决策出现失误的话。

无关系，所以即使是此项研究成果不能使用，他也只会自吞苦果而对其他人守口如瓶。另一方面，为了让他再加1500美元买另一个附加的科研成果，我却与他进行了长期而又艰难的谈判，因为这一次会有他的许多同事参与进来。

销售四步

销售会谈的四个阶段

在客户心理方面，大订单销售与小订单销售截然不同。可想而知，这就要用迥然不同的销售技巧。而这些销售心理方面的不同，又很有可能诱导进一步的争论：大订单销售订单各方面都是独一无二的，都与小订单销售相距甚远。事实并不是这样的，我们之所以研究这些不同，比较它们的差异，只是想让人们知道并改变传统的观点，即订单无论大小都可以用完全一致的销售技巧，最简单的销售模式似乎对所有规模的订单都适用。几乎所有你能想到的生意，从最简单最小到最复杂规模最大的生意，都严格遵循以下几个步骤（如图 1-1）：

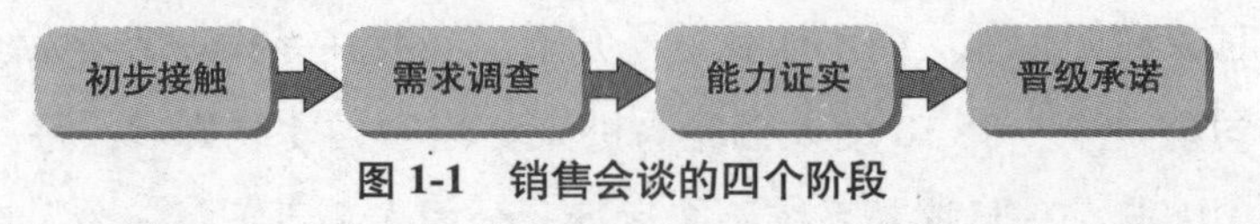

图 1-1　销售会谈的四个阶段

1. 初步接触：这是在正式交易开始前的热身阶段，包括自我介绍和怎样开始谈话的方法。初步接触听起来很简单，但许多人都认为它非常重要。我听到许多很成功的销售代表谈起：在交谈开始后的 2 分钟内，客户就会形成一个重要的初步印象，而这对以后各个阶段会产生重大影响。初步印象到底有多重要？它都包括些什么？这些问题的答案你可以在第 7 章中找到，而且我们会把第一印象对成功有多大影响这一研究成果与你分享。

2. 需求调查：几乎每一笔生意都要通过提问的方式做一些调查，这样可以帮助你对客户及他的企业有更多的了解，但是这些调查并不是单纯的数据收集。在所有销售技巧中，调查可谓是重中之重，在大订单销售中更是如此。在附录 A 中你会看到对一些销售交易的研究，揭示了这样一个道理：大订单销售中每个人都可以通过提升需求调查技巧而使总销售额增加 20%。

> **SPIN® Tips**
>
> 就客户心理而言，大订单销售和小订单销售大相径庭。

3. 能力证实：在大多数订单销售中你有必要向客户证明你是值得他们付出的。很多生意中我们向客户销售的都是一种解决问题的方法。在能力证实阶段你必须让客户知道你是多么有能力，能提供给他们解决目前存在问题的最好方法。证实你能力的方法有很多，比如：正式规范的介绍，实际使用商品，揭示你能带给他的潜在利润。但无论你采取哪种方法，你都要让客户知道与你合作他会获利。能力证实的方法多种多样，在第 5 章中我们会一一论述，同时，读完第 5 章你还能知道在小订单销售中用的一些能力证实方法会随着订单金额的扩大而不再发挥作用。

4. 晋级承诺：成功销售应该以从客户那儿得到承诺和接受而宣告结束。小订单销售中的成交通常表现为实际购买，但在大订单销售最后成交之前，你还要过五关斩六将，需要客户一系列的承诺和认可。例如：为了让客户认可你的产品而举办一个产品演示会，或者使职位更高的决策者认可你的产品。不过在每一个阶段都不能算是成交，大订单销售中包括许多中间步骤，我们称之为“晋级”，每一个晋级都会使你离成功更进一步。不幸的是，传统的销售技巧培训都认为这些是没用的，或是会使你失去成功的机会。

应该说，每一笔订单都会经历如上所说的销售会谈的四个阶段。虽然这非常简单，但我和我的同事们都认为它非常有价值，因为它可以把整个交易过程分解开来，这样更便于对每一个阶段单独进行研究。销售会谈的四个阶段是贯穿本书的线索，并且为解释我们的研究成果勾勒出一个大体的框架。

当然，每一步的重要性因生意的性质而异。记得在肯塔基我曾见过一位南部银行家正在游说一个客户接受他们的信托财产服务，而那个客户看起来很像桑德斯上校 Colonel Sander 的孪生兄弟。在这个事例中，初步接触占了整个交易过程的 80%。双方都已做好了正式会谈的准备，但在开始之前，要有一个寒暄的过程，这是美国南部乡村做生意的一个规矩。寒暄的内容有很多，比如：你住在哪？在这儿你都认识谁？你叔叔是否还养马等。经过一个小时谨慎、礼节性的交谈，客户才会切入正题。

与之形成鲜明对比的，是我第一次到纽约制衣业发达地区与一个客户谈的一笔生意。办公室中一把椅子也没有，我猜想这就是在暗示来访者停留的时间不要过长，在买方的办公桌后的墙上贴着一条醒目的标语："爽快地说出你的意图后马上出去。"在这笔生意中，初步接触只包括："你好，我想听主要的内容，请简洁一点！"

有时需求调查可能占整个订单销售的全过程。例如，如果你从事的是营销咨询服务，在知道你与客户之间是否有建立生意关系的基础之前，你需要找出客户的许多需求点。有一次，我一整天看一个管理顾问的交易过程，可以说在这一整天中他只有 15 分钟没有做调查工作。就像从一个极端走到另一个极端一样，我也看到过一笔生意调查阶段只由一个问题构成，交易的剩余部分是一个精心安排的产品演示会。

因此，四步销售过程取决于生意的类型、目的以及在整个过程中它占什么位置，但大多数订单销售，即使是一些很简单的小订单销售，大都会经历这四个阶段。

销售会谈各个阶段的重要性

销售会谈的四个阶段当中，哪个环节更重要呢？如果你从销售培训、销售方面的书籍或有经验的销售经理给出的答案去判断，那么晋级承诺这个阶段一定是四个阶段中最重要的。记得罗切斯特（Rochester）这位销售经理曾经给我写了一封信，在信中他告诉我为什么他认为晋级承诺阶段是最关键的。他写道："如果这最后一道防线你不能攻破，你仍然不能搞定这笔生意。我敢说大多数销售人员都吃过善始不能善终的亏。如果要问我最希望我的员工在哪方面有所改进，我想那应该是，在最后一个阶段要做得更好

> **SPIN® Tips**
> 在成功销售中，提问比较多。

一些。最后一个阶段能做到尽善尽美，那么你一定可以顺顺利利地与客户签约。”我相信大部分有实践经验的销售主管都会同意他的观点。

不过，我提出关于这四个相关阶段哪一个更重要这个问题是因为其答案与订单规模有关，小订单销售中有证据可以证明上面提到的那位经理所说的是正确的。那些善于做好最后一阶段工作的人，在小订单销售中的确很成功，但在大订单销售中结论却大不相同。大订单销售中需求调查是如何操作的这一点至关重要。我们从成千上万的销售事例中可以看出，所有数据的收集都是依靠需求调查。

让我们再考虑一下需求调查为什么如此重要。我说过几乎每一笔生意都包括需求调查，发现客户的需求会使你的销售效率更高，当然，调查时你必须提问。在 20 世纪 60 年代末期我们所做的每一项关于销售方面的研究都得到了同样的结论：成功销售中提问比较多。这样做的结果是订单和晋级承诺。而在那些不成功的生意中只有很少的问题被问到，结果是：暂时中断或没成交。

提问和成功销售

毫无疑问，提问和成功的说服力比其他任何口头形式的行为都有力度，不仅仅在销售过程中如此，在谈判、管理、访问、分组讨论等的研究中也同样适用。哈斯韦特公司任命的几个研究小组和其他公司的研究小组都得出了完全一致的结论。很明显的统计结果是：提问的价值、问题间的相互影响与成功销售有很大联系。提问越多，问题间的相互影响对成功销售的作用也就越大。当然，一些类型的问题比其他类型的问题更有价值。

通常，在销售中提问可以划分为两种类型：封闭型问题和开放型问题。

◎封闭型问题可以用一个字来回答，通常的回答就是“是”或“否”。典型的例子如“你已经决定了吗？”“你经商有 5 年多了吗？”。在一些培训课程中这种提问方式可称之为直接询问。

◎开放型问题的回答都需要一个比较长的答案。典型的例子是“可以谈谈你的生意吗？”或“为什么它对你那么重要？”。开放型问题有时可称为间接询问。这并不是一个新概念，E.K.Strong 在 1925 年时就已经写了一本关于销售中封闭型提问与开放型提问的书，而在这之前已经有证据证明封闭型与开放型问题的不同了。过去的 90 年中许多专家都接受了这个观点并总结出了如下几点：

●开放型问题比封闭型问题更有力，因为它可以使客户开口说话，而且有时可以有意想不到的收获。

●封闭型问题的力度较小。尽管它对某种类型的客户来说有一定的效果，比如那些很爱唠叨总是说个不停的客户。

●尽管封闭型问题的力度很小，但当你面对某种类型的生意时，也许不得不用它们，例如时间很紧迫时。不过，有的专家不太同意这一点。

●开放型问题在取得大订单的过程中起着很重要的作用，在小订单中开放型问题的应用也会很成功。

●通常，销售培训的目的都是帮助人们提出更多的开放型问题。

从表面上看，这些结论似乎很合理也很符合逻辑，但他们的论据是否充分呢？目前，据我们所知，还没有人科学地调查过封闭型提问和开放型提问的使用对销售成功是否有影响，在研究领域这似乎还是一块空白。

我们做了几项调查之后惊奇地发现，开放型提问的使用与销售成功之间并没有任何可知的关系。在一个制造企业，我们追踪调查了 120 个交易过程，最终发现，使用封闭型提问频率很高的销售过程很有可能取得进展和订单。在对一个高科技公司的研究中，我们发现在高层与普通执行人员中对于封闭型和开放型提问的应用没有什么区别。在这个非常成功的公司中工作的一些最好的销售人员，在整个交易过程中没有任何开放型的提问，他们的每一个提问都可以用一个字来回答，与之截然相反的是几位高层人员却只问开放型问题，还有一些人把两种问题混在一起用。而这一切

SPIN® Tips

开放型提问、封闭型提问的使用与销售成功并没有必然的联系。

表明，在销售成功与这两种提问的应用之间并没有明显的关系。我们又进行了另外一项研究，想看看成功销售人士是否更倾向于用开放型提问开始会谈，随着讨论的深入而转向使用封闭型提问。最后我们发现一些成功的销售人员用的的确是这种方式，但是我们也发现在相当数量的生意中也有许多人以封闭型提问开始，随着销售进程深入而转向用开放型提问，他们也一样很成功。换句话说，我们所有的研究没有一个能证明在大订单销售中传统的封闭型与开放型提问区分有多大意义。

许多大公司培训员工时在区分这两种提问方面下足了工夫，至少是在大订单销售中，可这对提高销售没有任何帮助。据保守估计，全球的大公司每年在培训员工那些不相干的提问技巧上就要花掉10亿美元。更不可思议的是，直到我们做这项小小的研究之前，还没有任何人进行过客观的调查去揭示那些关于封闭型与开放型提问的培训是否正确。

SPIN® Tips

在订单销售中，区分封闭型提问和开放型提问几乎没有什么意义。

SPIN®提问技巧

我们决定以后研究的重点是开发一种新的提问方式来替代旧的那种区分，因为旧的方式已经不再令人满意了。从对销售交易过程的观察可知，很明显，成功的销售人员从来不漫无目的地提问那些无关紧要的问题。在成功销售中有一种与众不同的方法，如果我们可以把这种与众不向的方法全部记录下来，就可以总结出一套更好的方法思考如何开展需求调查，而不用去区别封闭型提问与开放型提问了。

在接下来的章节中，我们发现在成功销售中所有问题都遵循一种被我们称之为“SPIN®”的提问顺序。SPIN®的提问顺序是：

1. 背景问题：销售之初，成功销售人士倾向于问一些关于现实和背景的问题。典型的背景问题如“你们用这些设备有多久啦？”或“您能和我谈谈你们公司的发展计划吗？”。尽管背景问题对于收集信息大有益处，但成功销售人士不敢过多地使用，因为用得过多会让买方感到厌烦和恼怒。

2. 难点问题：一旦关于买方状况的信息已经足够多了，成功销售人士会转向第二类问题，即难点问题。例如：他们会问“这项操作是否很难执行？”或“你担心那些老机器的质量吗？”，类似这些问题我们称之为难点问题，即发现问题、难点和不满，然后用卖方的产品和服务帮助客户解决这些问题。经验不足的销售人员往往没有多少难点问题可以发问。

3. 暗示问题：在小订单销售中，销售人员只要提出背景问题和难点问题就有可能获得成功。在大订单销售中这还远远不够，成功销售人士也需要问第三种类型的问题。第三种类型的问题更复杂更高深，被称为暗示问题。典型例子如下：“这个问题对你们的远期利益有什么影响？”或“被拒绝的服务对客户的满意程度有什么影响吗？”。暗示问题是站在客户的立场上问与他有关的问题，然后研究这些问题的影响和后果。从中不难看出，利用暗示问题可以一箭双雕地让客户明白问题的严重性和迫切性。暗示问题在大订单销售中尤为重要，甚至一些经验丰富的销售高手也很难问得很贴切、很到位。在这本书中我们将对暗示问题给予更多的关注。

4. 需求—效益问题：最后，我们发现在需求调查阶段，成功销售人士还会涉猎第四种类型的问题。这就是需求—效益问题，典型例子有“如果把它的运行速度提高10%对您是否有利呢？”或“如果我们可以将其运行质量提高，那会给你怎样的帮助呢？”。需求—效益问题的用途很多，在第4章中你可以有所了解。而现在，也许你应该知道的最重要的一点就是，它们能让客户告诉你，你提供的这些解决问题的办法让他获利多少。因此，需求—效益问题与成功销售有很密切的联系。在我们的研究过程中，有一个很普遍的现象：在每笔订单中，出色的销售人员较之普通的销售人员所问的需求—效益问题要多10倍。

背景问题、难点问题、暗示问题和需求—效益问题这四类问题形成了强有力的一个问题序列，在需求调查阶段它们会被成功销售人士恰到好处地应用。但我必须强调一点：它们不是一个僵化的流程。例如：出色的销售人员不一定在开始提问难点问题之前先提问背景问题。不过，一般情况下背景问题在这个序列中都是最先问到的，然后其他问题再相继提出。

SPIN® Tips

小订单销售中，开场白技巧、收场白技巧和异议处理技巧至关重要，而在大订单销售中，需求调查最为关键，因此，提问技巧就成为攸关销售成功与否的核心。

在这本书中我将密切关注 SPIN®提问技巧，并且向你解释在大订单销售中如何成功地运用以收到事半功倍的效果。很多素材来源于哈斯韦特公司的调查研究，但更多素材来自我的两个同事迪克·拉夫和约翰·威尔逊的培训实践经验，这些经验形成了一套固定的程序。拉夫和威尔逊曾帮全球 500 强企业中的几万个大订单销售人员提高了他们的销售技巧，增加了他们的销售业绩。这种方法之所以很有效，是因为它们来源于观察许许多多成功销售人士的实际操作。我们由衷地希望与你周围许许多多的人一样，你也会发现 SPIN®是一个非常有实际意义而且是你通向成功之路必不可少的工具。

第2章

晋级承诺和收场白技巧

哈斯韦特公司的研究表明，大订单销售成功取决于需求调查阶段是如何处理的。实际上，并不是每个人都赞同这个结论，许多专家都认为销售成功的关键一步是晋级承诺。当我们开始研究时，不知道应从哪里入手，于是我向许多专家征求意见，这些人包括作家、培训讲师、资深销售经理等，他们都建议我应该从晋级承诺或结束阶段开始研究，除此之外他们还谈到结束阶段中包含很多通向成功的重要因素，因此从这个阶段入手开始研究才是最合理的。这些专家的观点是那么一致，甚至没有人提出其他什么观点。我被深深地打动了，并且留下了很深的印象。于是，我们研究的第一步就是针对结束阶段，发现收场白技巧在大订单销售中的确非常重要。

如其他所有的研究人员一样，我开始大量查阅各种书籍资料，旨在寻找一些有用的线索来指导我们的调查。我在图书馆里泡了几个星期，查找关于销售结束阶段的资料，费力地阅读了 300 多本参考书，每本书都至少用一章的篇幅来介绍销售结束阶段的一些技巧与经验，比如“完美地结束任何生意的 101 条妙计”，作者很谦虚地写道：“只需阅读 3 个小时，你便可以了解我用毕生的经验总结出的成功结束方法。”

我对这些极感兴趣。我读过的关于收场白的技巧很多，其中包括销售人员都熟知的标准传统技巧。例如：

●假设型的收场白。例如，假设生意已经做成，销售人员在客户同意购买之前问道：“您希望货物发到什么地方？”

●选择型的收场白。例如，在客户做出购买决定之前，销售人员问道：“你看是星期二发货好，还是星期四更好一些？”

●不客气型的收场白。例如，销售人员说：“如果你不能马上决定，我不得不把它介绍给另一个急于购买的客户了。”

●最后通牒型的收场白。例如，销售人员说：“如果现在你不买，下星期价格会上涨的。”

●空白订单型的收场白。例如，即使客户没有露出决定购买的意思，销售人员却在订单上填写了客户的资料。

除了这些常见的方式之外，我还查阅了百科全书，找到了更多奇特的收场白，毫不夸张地说，我的这些研究记载了成百上千条收场白。在我做摘录的这几年中，我相信又有许多层出不穷的收场白出现。上个月我读了一本航空杂志，上面提到了香蕉式的收场白，就在同一天，在我废弃的邮件中夹着一封邀请函，大体意思是邀请我去参加一个关于半开放型的收场白学习班，而这种方式也是我闻所未闻的。在所有销售技巧当中，收场白技巧是最受欢迎的。无论是从出版物字数的多少来看，还是从受教育时间的长短来看，抑或是从新销售人员看的培训录像的时间长短等来看，收场白技巧都是最受偏爱的。一位主编曾告诉过我，如果在标题中没有"收场白"这个词，他就不会出版这本书。在对销售主管的调查中，当问及他们最希望下属哪方面的能力有所提高时，"收场白"能力的提高成了首选。所有这一切似乎恰恰印证了一句销售谚语，"ABC 在销售中就是'永远是收场白（最重要）'的缩写"。这一章中我要问：

- 在这些收场白的技巧中，实用的有多少？
- 在大订单销售中，如价格或买方的精明程度等因素对收场白的成功应用有怎样的影响？

收场白及现有研究成果

尽管，有很多专家拥有大量令人信服的关于收场白的资料，但不幸的是，很少有人给收场白下过定义。克里（Crissy）和卡普兰（Kaplan）在20 世纪 60 年代写了许多关于收场白的文章，在这些文章中，他们称收场白为"供销售人员用来引导顾客购买或接受问题的策略"。作为一个研究人员我认为这个定义太泛泛了。在哈斯韦特公司我们需要一个更准确的方法来给收场白行为下一个定义，因此，我们的定义是：

收场白是销售人员使用的一种行为方式，旨在暗示和恳求一个购买承诺，以便于买方在下一个陈述中接受或拒绝这个承诺。

结束阶段对销售来说是一个硕果累累的时期。在我回顾哈斯韦特公司的研究之前，让我们先介绍一下其他专家的观点。“收场白之父”道格拉斯·爱德华兹（J.Douglas Edwards）提到，一般说来，成功销售人员在他尝试5次的基础上才会说出收场白，并且收场白的技巧应用得越多，他们就会越成功。

阿兰·斯库梅克（Alan Schoonmaker）对于成功收场白的阐述更为详细。他也声称，通过研究证明，成功销售人员会做更多的总结，并且使用更多种类的收场白。同爱德华兹一样，斯库梅克也偏爱数字5，他说：“如果你争取订单的次数还没有超过5次时就放弃了，那么你就没有完成你的工作。”我更关注斯库梅克的观点，因为当时我正在为IBM公司开发一个适用于大订单销售的培训课程，而当时他正在为IBM的对手做一个同样的课程。

P. 隆德（P. lund）在他的书《引人注目的销售》中建议，只要可能，销售人员就应该尽量运用收场白技巧，“即使离可以签合同还远得很”。另一位受欢迎的作家毛泽（Mauser），比起隆德来显得更保守一点，他建议销售人员应该有大量的可以自由应用的收场白技巧，以便如果一种方法失败了，可以立刻换另一种，“直到最终有一种可以达到目的为止”。

我可以继续分析下去，但我认为这一切已经证明了我的论点是成立的。众多作品中关于销售的一致观点似乎是这样的：

- 收场白技巧与销售成功紧密相连；
- 销售人员应该掌握多种收场白技巧；
- 在整个订单销售过程中应该经常使用收场白。

收场白的威力

我开始研究收场白是在20世纪60年代，那时我只是一个大学的研究员。我对销售的唯一了解就是：在销售过程中钱从一个人手里转移到另一个人手里并且交易双方相互影响，因此，我认为应该可以找到愿意提供资金的大公司，用这笔资金我可以发现使资金更快周转的方法。事实证明我的想法是对的，大型跨国公司对这项研究很感兴趣，当然我如愿以偿地得到了这笔资金。

销售人员偏爱收场白技巧

我下一步的打算是尽可能多地接触销售人员。我大部分时间都在各个大型跨国公司的子公司、会议室里旁听或参加不很正式的宴会，去听人们谈论销售。令我惊讶和激动的是，时不时他们的谈话就会转向收场白技巧，“那天我听到了一句好的收场白”，“你试过盖涅特式的收场白吗？”或“你知道老的‘是我的钢笔还是你的钢笔’的法则吗？对了，上个星期……”。我深信，不管销售人员在业余时间里是否讨论收场白技巧，它在所有销售技巧中也是最有价值的。至此，收场白当然以获胜者的姿态出现了。

不只是这些，那时我还忙于评估成功销售人员的培训课程及培训流程。我对参与者进行提问，又发现了许多有意义的结论，这进一步使我相信在所有的销售技巧中，收场白技巧是最重要的。每一位参与者都可以列举出最少四条不同的收场白技巧，却只能说出一种开场白和处理异议的形式。这些被问者中有少一半的人，只会一种调查客户需求的形式，那就是“提问”。这些人对收场白技巧的了解似乎多于对其他销售技巧了解的总和。

一件关于收场白的真事

其他人的交谈对我的观点一定会有影响，但这些都不如个人现实生活经历更有说服力。最终正是现实生活的经历使我深信不疑：收场白是所有销售技巧中最重要的。在我辞去大学教师的安逸工作后就创建了哈斯韦特公司。现在我已经意识到了，对我而言，销售并不仅仅是一种学术上的研究，还必须使我的这些研究成果作为一项服务方式销售出去，否则我就会饿死，也就是说对销售的研究已经成为我生存的需要了，因此，我组织了一项销售培训课程，而且特别注意收场白技巧的应用。

加入该项目后的下一周，我与一个潜在的客户约定见面，其实我是为了把一个研究项目卖给他，已经与他商谈几个月了。我决心试一下选择型的收场白，我永远也不会忘记那个结果。“你是希望这个项目九月份开始，还是希望它在十一月份开始？”我有点焦急地问道。“让我们在九月份开始吧！”我的客户回答道。就这样，我做成了我的第一笔大订单。我实在是太高兴了，我说了那些有神奇效力的收场白，带给我的是一份订单。我甚至都怀疑被称为“收场白之父”的爱德华兹对于收场白热衷的程度是否比那一刻的我更高。在我第一次成功后的一年多时间里，我如法炮制，对每一个客户都使用这种方法。现在我意识到，也许是我那时的恶劣表现使我和我自己的公司在那年里失去了很多生意。不过那时我是收场白技巧的绝对信服者，毕竟，我个人的经历就是使用选择型收场白让我有了第一笔大订单，我见识了收场白的巨大作用。

SPIN® Tips

在大订单销售中，收场白技巧会让你失去更多订单。

我在回顾对收场白的热情与渴望的同时，还有一种局促不安的感觉。因为我现在知道在大订单销售的成功过程中，收场白技巧是既无效又危险的，我敢说这种方法使你失去的生意远远多于使你得到的生意。但究竟是什么力量让我背叛了曾经让我成功过而且又如此重要的方法呢？本章剩余部分将详细介绍我的一系列研究，正是这些研究使我最终相信传统的收场白技巧在大订单销售中根本站不住脚。

收场白的基础研究

带着极大的希望，我们在哈斯韦特公司开始了研究工作，希望可以在销售人员使用收场白的次数与生意是否成功之间找到紧密有力的联系。我满怀信心地期待着在每一笔生意中使用收场白的次数为 5 次，这正是爱德华兹和斯库梅克所推崇而且被证明是正确无误的。

出乎意料的结论

在一家经营办公设备的大型公司里，我们揭开了第一次研究的帷幕。

按我的推理，能找到收场白运用与成功销售之间有关系的一个途径就是与销售人员一起去各地进行销售，观察一下在整个交易过程中他们会使用多少次收场白。如果那些写过收场白文章的作者是正确的，那么我们应该发现使用收场白次数多的销售人员应该比不经常使用收场白的销售人员更成功。

我们开始行动，观察了 190 笔销售过程。从中我们看到，频繁使用收场白的生意有 30 笔，而与之形成对比的是，收场白使用频率极低的生意也有 30 笔。如图 2-1 所示，结果大大出乎我们的意料：频繁使用收场白的 30 笔生意中只有 11 笔成功了，而收场白使用频率很低的 30 笔生意中却有 21 笔签约了。

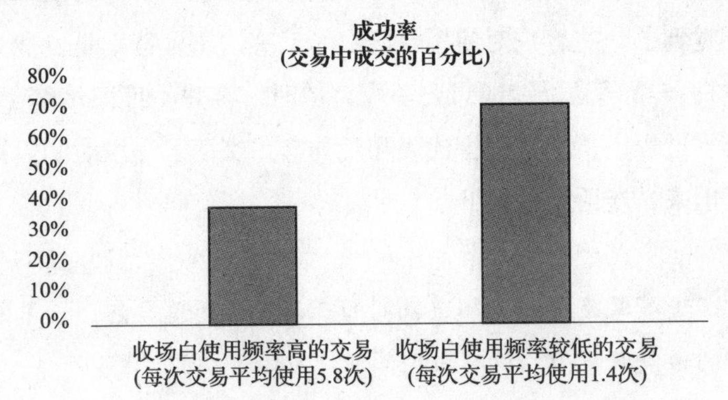

图 2-1　频繁使用收场白与很少使用收场白成功率的对比

这个发现对于经常被引证的“完美”数字 5，即每次交易中至少有 5 个收场白来说并不是一个好消息。但是我并没有气馁：一项小小的研究当然不能动摇我对收场白的忠诚，也许是我们的研究方法不对头。对于研究结果我们做了进一步的检测，发现它的确有一些不足。也许有很偶然的情况，例如在收场白使用很少的生意中，正好遇上那种本来就很想购买这种商品的顾客，因此销售人员不需要使用收场白；同理，在那些收场白使用很频繁的生意中，也许遇到的是很固执的顾客，当然成交的可能性就很小了。其次，尽管统计图表的作用无懈可击，但是我们的样本却太少了，而且我们没有办法排除特殊情况的干扰。

显而易见，仅以这项研究为基础，我们不能得出收场白技巧是无效的这个结论。在写信向我的客户陈述我们的发现时，我写道："我们还没有成功地证明收场白运用与成功销售之间的确有联系。"不过，溯及以往，我们也不能说这项研究对销售培训学校推崇的"早用收场白，尽力用收场白，多用收场白"来说是一种有轰动效应的研究结果。

不安的感觉

研究并不是堆积数字，通过对 190 笔生意的观察，我开始有了一种无法言语的不安感觉。如果我不自欺欺人的话（虽然在那时我并没有承认这一点），我第一次对收场白有所怀疑可以追溯到这个研究时期。例如，我明显地感觉到了一些客户对使用收场白的反感情绪，特别是专业买主，当使用收场白技巧只是单纯地想要争取订单时，客户的反感情绪更加明显。在一次交易过程中，卖方销售代表和我与客户交谈了一段时间后被愤怒的客户赶了出来，谈话过程如下：

卖方：鲁滨逊先生，您知道我们的产品显然很适合您，如果您可以在这儿签字的话（假设型的收场白）。

买方：请等一会儿。我还不是很明白……我还没有最终决定。

卖方：可是先生，我们已经证明给您看了，我们的产品可以提高您办公室的工作效率，并且能省去很多麻烦，还有，就是价格很优惠。如果您可以决定的话，你……（假设型的收场白）

买方：目前我还不想买，这周我也不会做出决定的。

卖方：但我刚才已经对您解释过了，这种型号的需求量很大。现在您可以买到，但如果您等到下个星期再买，也许已经没货了，要再等几个月（最后通牒型的收场白）。

买方：即使有这种风险我也愿意承担。

卖方：您是打算先用一个月的时间进行试安装还是打算马上购买（选择型的收场白）？

买方：我打算把你们从我的办公室中赶出去，告诉我你们是愿意自己出去还是愿意我叫保安来？

之后，当销售代表懊恼地和我提起这件事时，他还认为买方使用选择型收场白方式把我也赶出来似乎不太合适。类似于这种情况，我们遇到了很多次，这已足够使那颗怀疑收场白的作用尤其是在大订单销售中的作用的种子深深植入我心中了。

收场白技巧运用的态度倾向和销售业绩的关系

就在这时，我有了一个从完全不同的角度观察收场白的机会，一家大型化学制品公司的销售主管带着问题来找我们。“我很担心，”他说，“担心我的销售人员，他们在使用收场白方面的态度很淡薄，没有闯劲。我知道他们会用收场白，因为他们接受过培训，但在实际工作中他们应用得很少，这只是他们的态度问题，你可以帮我吗？”

这是一个绝不能错过的好机会。我和同事们一致同意设计一种收场白的使用与态度的比例方式，以此来比较销售人员的态度与销售业绩之间的关系，希望最终设计出一种态度测试的方法，用于筛选新的求职者。那些在我们的收场白的使用与态度的测试中可以得高分的人，会有很大的销售潜力。当然，销售主管和我也希望发现那些赞成使用收场白的销售人员能有较高的销售业绩。

为了能够了解 38 名主要销售人员的态度，我和同事们用 15 个关于收场白的陈述来衡量他们的水平，主要方法是要求他们写明对我们陈述的观点是否同意。我们使用的这种方法通常被称为利克特比例法。如果你是那种喜欢自我测试的人，你可以到本书附录 B 中去找这份测试题，同时有怎样计算测试结果的方法。如果现在你记录下你的分数，就会对目前你对收场白持怎样的态度有一个真实了解，最好是在并没有看这章的剩余部分、没有受到任何影响之前去做这个测试。

当我们在化学制品公司使用这种方法进行测试时，我们发现 38 个销售人员中有 21 人得分多于 50 分。50 分是我们用来区分对收场白使用是否满意的分界线，高于 50 分就是满意，反之，低于 50 分则是不满意。之后我们又与他们的销售业绩相比较，看一看对收场白的使用表示满意的人在实际中的销售业绩是否更高。结果令我们大吃一惊，如图 2-2 所示。正如你看到的，那些满意收场白应用的销售人员都没有完成任务。我们对于收场白的选择测试的希望破灭了。更糟的是，销售主管并不相信这个结果，并威胁我说，除非可以提供更多的证据，否则就杀了我。

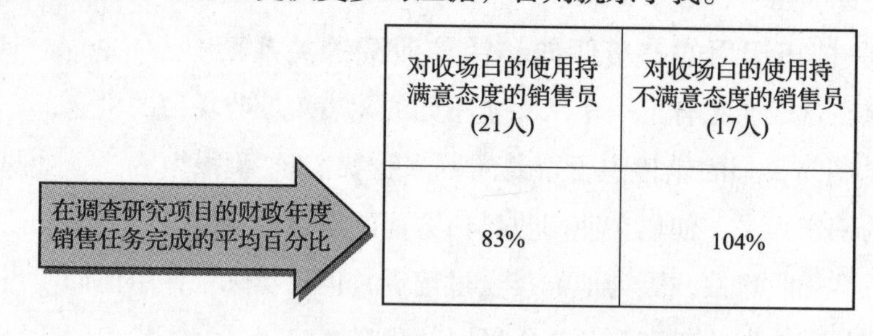

图 2-2　收场白运用的态度倾向和销售业绩的关系

你可以想象得到，我是如何尽力为我的发现辩护的。我辩解道，有可能那些销售业绩不是很好的人在接受测试时心里很紧张，结果他们隐瞒了真实想法，并且以管理需要的方式来填写。这样，出现了一个很糟的结果就是：对于收场白应用的积极态度是假的。但是这听起来不足以让人信服，即使是我自己也不信，我开始怀疑收场白应用的有效性和效果了。

在我们进行这项研究的同时，世界各地许多研究小组都在研究态度与行为之间的关系。在他们的结论中，特别是马丁·菲什拜因（Martin Fishbein）的研究成果，都指出不能用态度的相对程度去预言行为的准确性。例如，菲什拜因揭示你在收场白态度倾向测试中得到高分，但并不意味着在实际销售过程中你会比那些满意度低的人更好地应用收场白技巧。我们在其他领域的研究还证实，态度与行为之间联系的密切程度远远低于我们原来想象的那样，因此，我们离可以真正直接观察销售行为的方法越来越近了。我们情愿把态度和调查表研究抛在脑后，而相信测试人们行为方式的最好途径就是在实践中观察他们。希望我们新开发的行为分析方法可以支持我们这样做，并且可以提供更多的关于收场白有效性的可靠证据。

尽管我们找到一些重要的理由来结束对化学品经营公司的研究，但我仍然忧心忡忡。我们已经收集的那一点点揭示收场白有效性的证据，有些是非常令人困惑的，所以我们需要更多、更深入的研究数据。

培训的影响

当一家高科技公司来请我们评估一项收场白培训课程的价值时，我们知道可以实现我们的梦想，显然更深入地研究收场白的机会到来了。这家高科技公司让我们回答两个问题：

■ 在接受培训之后，销售人员是否比没有受过培训前使用收场白技巧的频率更高？

■ 收场白使用的增加和成功销售之间有联系吗？

我们很高兴有另一个机会可以测试收场白技巧对成功销售的贡献。在培训开始之前，我们和一组共 47 个销售人员一起做了 86 笔生意。我们想找出他们使用收场白的频率。

培训结束后，我们又与这些销售人员一起工作了一段时间，这次是想看看他们使用收场白的次数是否有所增加；如果是，那么收场白技巧运用的增加对销售人员的销售业绩又起到了什么样的影响。研究结果又一次证实了收场白与成功销售没有联系。培训后，销售人员用了更多的收场白技巧，因此，给人一种感觉是，培训是有效的。然而，因为成功交易的数量有所下降，所以培训的最终结果是使销售业绩有所下降（如图 2-3）。

到此为止，对出现的这种结果我们不再那么惊讶了。去发现收场白与销售失败之间的联系已经开始慢慢地成为我们的一个习惯了。另一方面，那些与我们一起工作的销售人员当然没有料到，结果会是这样的。他们吃惊不小，并且为这种失败的结果提出了几个颇有创造性的解释。我们不得不接受了一种他们认为是最有可能的解释。他们分辩道，任何新的技巧使用之初都会有不方便不适应的感觉。培训前，销售人员用他们自己熟悉的方法，培训后，他们试图使用新方法，这样在与客户商谈中不可避免地会出现不自然、不熟练的感觉，因此，完全有可能导致销售业绩暂时下降。

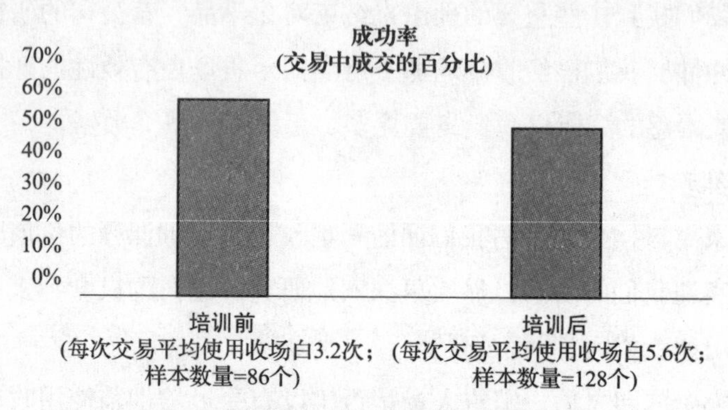

图 2-3　收场白培训对成功销售的影响

这些花言巧语的可能性足以证实，在收场白的有效性上我们仍然没有结论性的证据。但是，至少我们可以测试出暂时的不自然、不适应可以导致销售业绩的下降。6 个月后如果我们再一次和这些销售人员一起工作，又会怎么样呢？那时新的技术与技巧将成为他们熟知的销售技巧的一部分。我们可以测试他们是否还在用收场白技巧；如果在用，那就看看对销售成功有什么影响。所有的事，都按我们希望的那样按部就班地安排好了，这将是收场白有效性的第一个结论性的研究，我们拭目以待。

一个月以前，就在这项研究即将开始时，这家高科技巧公司宣布了销售部人员必须进行重大改组变动，所有这些变化使研究没有必要再进行下去了，又一个重要的研究中止了。这时我们发现自己正在四下环顾，试图寻找一家新的公司，能给我们机会继续研究收场白的机会。

一线希望

当我正在寻找能资助收场白新研究项目的客户时，偶然听到一个大的培训公司声称他们收场白的培训可以使销售业绩提高 30%。而在我们刚刚完成的研究中，我们发现收场白技巧的应用使销售业绩有所下降。究竟这个公司是如何获得成功的呢？难道他们使用的收场白技巧比我们一直在研究的那些更有效？我设法弄到一份他们的培训大纲，惊奇地发现它并没有什么推陈出新的内容。事实上，它用的“先进方法”一点不比我们一直在考察的那种更先进。

因此我与这家公司取得联系，请求他们可以出示给我如他们声称的收场白应用可以提高 30% 销售的证据。碰巧该公司的所谓研究资料中有一封信是一个很满意的客户写来的，信中说培训后销售业绩有了 30% 的增长。这并不是很难让人理解的数字，但这是一个很重要的线索。这些颇感满意的客户经营的企业规模都很小，例如，声称销售业绩提高了 30% 的客户经营的就是一个销售杂志并送货上门的公司。这些深深地触动了我，所有哈斯韦特公司关于收场白的研究都是针对比较大的公司。是不是有这样一种可能性：当销售订单生意规模小时收场白技巧就能起作用，但销售订单生意规模扩大时就会失去其效力呢？

我越是仔细琢磨这个观点，就越觉得它非常令人满意。我有非常充分的理论证据使我相信这有可能是真的。收场白使用是一种给客户施加压力的手段，对于压力可以促使人做出决定这一点心理学家已经有了很深入的了解。简单看来，压力对心理的影响似乎可以使我的那个观点成立。如果我让你做一个很小的决定，然后我给你压力，比与你进行一番争论还要见效。压力对做小的决定有积极的影响，但对大的决定的影响却不尽相同。决定越是重要，通常人们对压力就越有消极的抵制心理。

得出的这个结论听起来像是一个重大发现，可惜它不完全是。从古至今，那些要诱惑别人做出决定的人都知道压力的影响与决定的重要程度有消极的联系。满怀希望的年轻人用选择型的收场白，例如“你喜欢坐这边还是喜欢坐那边？”经常都会成功，因为他

SPIN® Tips

决策越重要人们对压力就越有消极的抵制心理。

因此，决策越大收场白技巧的有效性越差。

要别人做的是一个小决定。然而，传统的选择型收场白，例如“是我的地盘还是你的？”命中率就低得多了，因为这要算是一个很大的决定了。

如果我的结论是正确的，那么决定越大，收场白技巧的有效性就越差。但我们如何来证实这个结论呢？我们有没有一种方法来检测一下收场白的有效性与决定大小之间的关系呢？我不知道怎样建立一种其他的有效方式来验证这个观点是否正确，尽管如此，我也不打算用不真实的实验室方法来验证。出乎意料的是，有一天我们得到了一个白白送上门来的机会。

收场白的实证比较研究

一家先进的摄影连锁店刚刚决定要对其销售人员进行收场白方面的培训。这个决定引起了争论，并不是所有资深管理人员都喜欢这个主意。其中的一个经理参加过一个研习班，认为收场白培训的有效性很值得怀疑，他对培训是持反对态度的。因此他秘密地让我们做这次研究，来看一看新的培训是否有效。

当客户让你做一个项目的目的是想验证他们原来的观念是否正确时，你会认为这不是一个很理想的项目，通常我们会避开这种类型的委派。但是，关于收场白研究的每一个机会都是那么珍贵，所以我不能放弃。真正吸引我们的是这个店让他的销售人员轮流担任各种角色的政策。比如，有一天一个销售人员在销售便宜货品的柜台工作，例如卖胶卷、录像带、附件等，第二天同一个人会移到销售贵重货品的柜台工作，例如卖价格昂贵的照相机、高保真设备、录像机等；我们有了极好的方法来调查收场白的使用对决定大小的影响。当连锁店培训员工时，我们可以观察一天的培训对员工销售廉价货品会产生怎样的影响，而第二天再观察当他们销售贵重物品时又会有什么不同，同一个人接受同一个培训而销售价值不同的商品，这样的观察结果应该是很完美的。

收场白与决定大小

用我们以前研究得出的方法观察培训开始前销售人员的工作情况，我们主要测量三方面：

■ 交易时间：每一笔生意或企图做但未成功的生意需要多少时间？
■ 收场白使用的次数：在整个交易过程中销售人员使用收场白的次数？
■ 成交的百分比：最终能成交的百分比是多少？

首先，让我们看看当这个销售人员卖廉价货品时的结果（如图 2-4）。在接受培训之前，每笔生意的平均交易时间是两分钟多一点，平均使用收场白 13 个，成交率是 72%。收场白培训的影响又怎样呢？你可以看出，培训后交易时间缩短了，收场白使用增多了，成交率也上升了。如果我是一个生意繁忙的店主，我想我会很满意这个结果。交易时间的缩短意味着可以服务更多的客户和雇用更少的员工。而且，尽管成交率从原来的 72% 上升到 76%，上升幅度并没有让人大吃一惊，但它的发展态势是好的。不仅交易的速度快了，而且成功的几率也更大了。

	平均交易时间	每次交易使用收场白的数量	成交率
培训前收场白的使用情况（观察了 83 个交易过程）	2 分 11 秒	1.3	72%
培训后收场白的使用情况（观察了 95 个交易过程）	1 分 47 秒	1.9	76%

图 2-4 收场白和低值产品销售

我们也被这个结果深深地打动了，毕竟它是在我们整个研究过程中第一次发现收场白使用的正面效应呀！但真正的测试还没有到来。收场白培训对贵重商品的销售也有同样的作用和效果吗？

我们又继续观察同一个人在同一个培训后的表现，唯一的不同就是现在他又去销售贵重货品了。我们发现培训后，交易时间缩短了并且收场白的使用明显增加了（如图 2-5），但是成交率又怎样呢？培训前，我们看到的成功率是 42%。这与卖廉价商品的成交率相比是低了很多，但它已经非常令人惊讶了！通常人们走进摄影店买胶卷时不会说“我回去再考虑考虑”，但对于销售贵重货品这些是经常发生的。然而，真正使我们感兴趣的数字是培训后的成交率。我们发现使廉价商品的成交率上升的收场白培训却使贵重货品的成交率从 42% 下降到 33%。

	平均交易时间	每次交易使用收场白的数量	成交率
培训前收场白的使用情况（观察了 91 个交易过程）	12 分 35 秒	2.7	42%
培训后收场白的使用情况（观察了 91 个交易过程）	8 分 40 秒	4.5	33%

图 2-5　收场白和高值产品销售

两个结论

我们怎样解释这个结论呢？第一个发现是：无论在价钱高还是在价钱低的商品交易中，培训后平均的交易时间缩短了，收场白的使用增加了。因此我们可以得出以下结论：

通过迫使客户做决定，收场白技巧加速了销售交易的进程。

这是一个很重要的发现。如果你的生意是低值零售业或销售送货上门的低值产品，如果有许多客户在等候你的服务或一条很长很长的街道两边有很多家在等待你送货上门，那么交易过程越短，你能服务的客户就越多。显然，这是收场白技巧应用的一大用途。

但是，在大订单销售中并不如此。相对而言，大订单销售需要你与客户相处尽量长的时间，而不是越短越好。在许多经营大订单的销售公司中，听到的最多的遗憾是销售人员没有与最终决策者相处足够长的时间。在大订单销售中我从来没听到哪个人说“我怎么才能把与决策人相处的时间缩短一些？”，而且，许多大公司都曾来哈斯韦特公司讨教如何增加与客户交易的时间。我的观点很简单：在小订单销

SPIN® Tips

小订单销售中，要通过收场白技巧施压使交易时间缩短，而在大订单销售中，却万万不能这样做。

售中通常要使交易的时间缩短；在大订单销售中，交易时间很短几乎没有优点，不过缺点却不少。

SPIN® Tips

收场白技巧可以增加小订单销售时的成功几率，却会降低大订单销售的成功可能性。

第二个我们可以从研究中得出的结论是关于收场白与所售货品价格之间的关系：

收场白技巧可以增加低值产品成交的几率，但却会降低高值商品和服务的成交几率。

正如我们所想，这个结论并不只是源于我们的调查研究，而且还源于一般的心理学规则：小订单销售比大订单销售更容易受压力的影响。在我们的研究中，所谓贵重货物的平均价格是109美元，与多数营销公司的平均决策大小程度相比，以及对这本书的读者来说，这价值实在是太小了。如果收场白技巧在价值109美元的生意中都已无计可施了，那么如果交易价格上升到几百美元、几千美元和几万美元时，它似乎就更无效了。也许你会提出异议，在大订单的预算中拿出一万美元要做的决定可能与一个人花109美元所做的决定一样大。你说得没错，没有人能真正明白一个决定的复杂程度，但一般规则还是有用的。收场白技巧如同各种形式的压力一样，随着决策规模的增加，其效果却是越来越差。

收场白与客户的精明程度

从我们的研究中已经得出很明显的结论：收场白随着决策规模的增加而逐渐无效。但这只是因为价格因素吗？我很想知道是否还有其他因素。

大体上，大的购买决策是由更精明的客户（例如专业采购代理商和资深的决策人）做出的。这些人每周都要接触几十个销售人员，并且他们自己也很可能接受过销售培训。有没有可能收场白技巧只对经验不足的买方有效，而对于那些精明的买方没有什么作用甚至起反作用呢？

当我与英国石油公司采购部的人员一起工作时，我第一次意识到以上的推论有可能是正确的。我就坐在谈判桌的一边，现场观察他们的买卖过程。石油公司的一个采购员似乎对使用收场白有敌意，他告诉我说："我讨厌的并不是收场白本身，而是那些目中无人的假设。通过使用这些把戏，我被他们操纵着傻乎乎地做出了购买决定。无论什么时候有人对我用一个标准的收场白，都会使我们之间的相互尊敬减少。收场白技巧破坏了良好的商业关系，我会用我自己的方法来对付它，你早晚会看到的。"

第二天，我看到了一个销售人员企图让这位采购员购买的整个交易过程以及这位采购员的实际反击行动。那位销售人员经销自动贩卖机，并且提供塑料杯。在交易过程中采用了一个假设型的收场白，"先生，你也承认我们的杯子比现在的供应商更便宜，那么下个月我们发第一批货 2 万个杯子，你看可以吗？"买方一言不发，他打开桌子上的抽屉，慢慢掏出一个盒子，盒子里装的是 3×5 吋的索引卡片。他很随便地打开了盒子挑出一张印有"假设型收场白"的卡片，把它正面朝上，放在桌子上。"这是你的第一次机会，"他说，"我一般会给别人两次机会。如果你再对我用收场白技巧，那我们的生意就到此为止。为了让你知道这是为什么，看看这张卡片吧。"他把它推到桌子另一端，一直推到销售人员面前，在每一张卡上都印有一条著名的收场白技巧。那个销售人员大惊失色，自那以后在整个会谈过程中再也没用过收场白。

对收场白有着极端憎恨的采购员是个例外吗？我不这样认为，大多数专业采购员对收场白技巧都不满意。曾经有一次，我培训来自三个大公司的专业采购员，培训内容是提高谈判能力。我把一份调查表发给这些人中的 54 个人，调查内容包括下面这个问题：

如果你发现一个销售人员在销售过程中对你使用收场白技巧，这会对你购买的可能性产生什么影响？

答案是：

购买的可能性更大	2 人
不会有什么不同	18 人
购买的可能性更小	37 人

没有人比我更了解这种类型的调查数据并不能给实际行动以可靠的指导。尽管这种证据有很多不足，但收场白的确不受专业采购员喜欢却是个事实。我读过的许多书和培训资料都声称：精明的采购员对收场白的使用反应很积极，因为这可以证明与之交手的是一个专业人士。这完全是一派胡言，没有任何证据可以证明这个断言。现有的调查研究为数不多，但结果全都说明买方越是精明对使用收场白技巧就越反感。

SPIN® Tips

买方越专业，越精明，对收场白技巧就越反感。

收场白与售后服务的满意程度

在第1章中我曾指出过，大订单与小订单之间很明显一个区别就是：大订单通常包括售后与客户保持联系的一些形式，签约并不等于你的工作已经全部完成了。那么这里就存在一个重要的问题，即收场白对售后服务有什么影响。不幸的是我们一直没有研究大订单中它们之间关系的机会。然而，我们曾经帮一家零售企业做过一个消费品的研究，后来这个研究结果证实收场白对任何规模的销售都有一个干扰作用。

这家零售连锁店的培训主管参加过一个由哈斯韦特公司举办的研讨班，研讨班的内容是关于行动尺度，之后他便很热衷于在某些方面的研究上一显身手。他让我帮他选一个合适的题目。“关于收场白研究你认为怎么样？”我建议道。他公司里的一些销售人员接受过收场白技能的培训，因此，他决定研究客户购买后的满意程度与收场白培训是否有联系。

在购买行为发生后的3~5天中，他和他的同事跟踪采访了145名顾客，并请他们做了一个评估，调查结果是以10为基本单位：

- 顾客对已经购买货物的满意程度。
- 将来如果他们还要买相同的东西，会从同一个商店购买的可能性。

如图2-6所示，接受过收场白培训的销售人员在这两个问题上得到的客户满意的比率都比较低。这意味着什么呢？最可能的解释是，销售人员在销售过程中企图通过收场白的使用给客户一定压力推动购买决策。大部分人并不满意别人给他们压力迫使他们做出决定，而比较满意自己自愿地做出选择。这就暗示我们在大订单中使用收场白要考虑更多的因素，在将来能称之为成功的销售中，客户的售后满意度可能会是一个很重要的考虑因素。

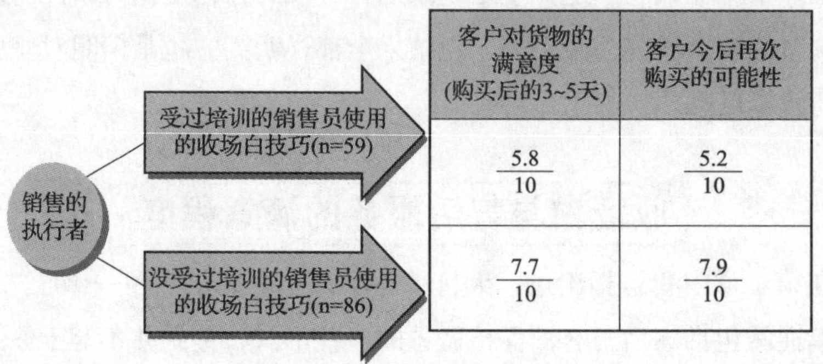

图 2-6　收场白和客户满意度之间的关系

这次研究中的一些现象并不尽完美。例如，在整个交易过程中，他们并没有亲自收集任何行为数据。另一个可能的不足就是商店对年轻销售人员的培训比对那些有经验的销售人员的培训要多，所以有可能这项研究中顾客不满意的购买是来自那些缺乏经验的年轻销售人员。尽管该项研究存在许多不足，但成绩还是应该给予肯定的，因为它是到目前为止，为数不多的几个收集销售培训与售后满意度数据的研究之一。在有更多更详细的研究得出结论之前，我建议你还是注意它的警告。

收场白技巧的研究结论

我收集完所有关于收场白与有效性的数据后的好几年中，我都不愿与其他人一起分享我的成果。如同本书前述部分中我提到的那样，不但绝大多数专家认为收场白是销售技巧中最重要的一部分，而且它几乎是许多销售人员制胜的法宝。而我的结论却与之完全相反。因此在几个场合中，当我当众提及我的发现时，受到了冷遇。曾经有一次在洛杉矶我被一位气愤的销售培训讲师赶出了会场，因为他不喜欢我提出的研究结论。历史上曾有过许多研究者的想法起初不为世人接受的故事，因此我并不为被拒绝而焦虑。我关心的是，如果我是正确的，那就意味着为数众多的其他人都是错误的，这似乎是不可能的。有经验的销售人员、他们的经理、他们的培训讲师和写怎样有效销售的专家，他们花费了那么多的时间和精力总结出来的技能在大订单销售中不但不起作用而且还违反了一些规律，这可能吗？收场白为什么会有如此大的力量？

什么使销售人员成为强迫性收场白的使用者

我是在与加利福尼亚州的经营管理顾问罗杰·哈里森（Roger Harrison）一起开一个研讨会时找到答案的。研讨会中的一部分是他主持的，这部分的主题是无效的行为方式和它们会导致的结果。他说一些时候人们继续去做那些不会有任何结果的事，但在做的整个过程中却认为他们所做的事是很有意义的。“这就像迷信收场白的销售人员一样”，我立刻想到。哈里森继续解释产生这种现象的原因有二：要么是他们疯了，要么是在他们的工作、生活环境中有一种东西在奖励并鼓舞着他们使用这种无效的行为方式。

我越想就越觉得这正是我一直在寻找的问题答案。我回忆起我自己对收场白充满激情的那些日子，我是怎样沉溺于成为一个收场白的忠实支持者的！这全部要追溯到我第一次紧张地使用选择型收场白：“你是希望这个项目九月份开始，还是更希望它在十一月份开始？”回答是“让我们九月份开始吧。”我的客户对于我使用收场白的奖励是这笔生意成交了。就因为我使用了选择型收场白，结果我得到了这笔订单。

当我不再迷恋收场白技巧时，我已从16个研究过程中得知收场白技巧之所以可以被人们如此狂热地应用，是被能直接签订单所奖励或者说是不断地被鼓舞。从某种程度上来说，是使用收场白促成了那份订单的签订。当然，从现在我所知的可以看出，是我充分发掘了客户的需求，适合了他的胃口才做成了那笔生意，而与收场白的使用没有任何关系。无论有没有收场白技巧的使用，我都会得到那个订单。

最终，我明白了为什么在销售中收场白受到了如此的重视，就是因为它是所有销售行为中可以最迅速得到回报的行为。问顾客一个很合适的问题去发掘他的需求，这不会让你立刻得到签约的回报，但使用一些具有神奇效力的收场白抓住决策时的那一刻，有时你会得到一种奖赏，“是的，我决定要买它了。”

领悟到这些以后，我对我们的研究结果和以前的各种结论都感到心满意足。我们的研究是正确的，而世界上大多数其他人与我们不一致、不统一。这的确很有可能。鉴于我们研究结果的实战性和科学性，许多人也逐渐开始认同我们了。**收场白技巧在大订单中是无效的，甚至是有害的。**当我们对其他人谈起收场白技巧时，我很高兴地发现原来遇到的那些敌对情况已不复存在了，尽管以前我曾经被人们认为是收场白不共戴天的仇人。爱德华兹是“收场白之父”，有时我竟被称为是他的克星，但这并不公平。在低价物品销售中，对于不是很精明的、没有必要长期维系的客户，收场白可以非常有效地发挥作用，显然，我并没有批评它在这种情况下的价值和效能。但我又在设想，如果你是这本书的读者，你在从事大订单销售工作或在经营大订单，与你接触的都是经验老道精明能干的专业采购人员，并且你要与客户建立长期的关系，如果是这样，收场白技巧会降低你工作的效率，并且还会使你成功的机会大大减少。

究竟该不该用收场白技巧呢

收场白技巧在某些情况下是无效的，在某种程度上你可能会坐等生意自行结束，是不是我所说的就像是不要主动去结束销售会谈呢？显而易见，并非如此。许多销售经理听到手下一些缺乏经验的销售人员到了晋级承诺这一阶段，但要结束时却失败了，这时这些经理内心都感到无比的痛苦。他们听见过如下的这些对话：

新销售人员：对于这件产品您还想了解些什么吗？

客户：谢谢，不用了。我认为你已经回答了所有我要知道的问题。

新销售人员：这很好，您肯定没有什么我忘记介绍的了吧！

客户：没有了。

新销售人员：好的（令人讨厌的中断）……也许我没提到它要用双倍的电压。

客户：我还有一个会，我已经迟到了。

新销售人员：（不顾一切地说）还有一本西班牙语的指导手册……如果您需要。

客户：这位先生，我必须马上走了。

新销售人员：噢，您确信我已经回答了您所有的问题吗？

这是怎么回事？经验不足的销售人员害怕面对销售的结束阶段，结果客户不耐烦了。

这在现实生活中也时有发生，在专业服务过程中更明显。我曾与芝加哥国家第一银行合作过，使用哈斯韦特的方式培训职业公务员。大卫·采伦（David Zehren）是银行的员工，对于我们提出的收场白技巧在工业品销售中使用过多这一观点他深表赞同，同时他又指出银行存在的问题恰恰相反。他解释道：“我们的问题不在于收场白技巧的过多使用，如果说我们有问题，那也应该是其他方面的问题。因为不清楚下一步要干什么，客户自己都感到很恼火，可见，客户期待有所改善。”

无独有偶，采伦不是第一个提出这个问题的人。我们也曾与八个大的财务公司合作过，他们的培训人员也有同样的感触。如果在许多工业和资本货物的生意中收场白应用过多是一个大问题的话，那么在服务行业取而代之的问题是收场白技巧应用的缺乏。我

> **SPIN® Tips**
>
> 工业品销售中，收场白技巧运用得太多了，而在服务销售领域，收场白技巧的应用却很不够。

们的大多数客户完全认同生意中最重要的工作是发掘服务对象的需求，在这些专业服务行业中需要他们的服务人员在与客户进行晋级承诺这个阶段有更出色的表现。

在过去的许多年中，销售培训太过于重视收场白技能的培养，但如果我们开始教人们永不再用收场白的话，那也无异于让一个人从一个极端走到另一个极端，这也同样是非常令人难过的事情。

有足够的数据支持这个结论：完全不用收场白的确是一件很危险的事。我们与美国航空公司的鲍勃•博伊尔斯（Bob Boyles）一起进行了一项研究，旨在发现是否不用收场白比收场白应用过多更无效。博伊尔斯和他的同事用我们的行为分析方法进行试验，以便可以检查他们销售代表的销售技巧。

在销售过程中根本没有使用收场白技巧的成功率是 22%，相反，用一次收场白的成功率为 61%（如图 2-7）。值得注意的是，成功率最低的生意是那些使用收场白超过两次的生意，成功率在 20% 以下。因此，从这项研究结果中似乎可以看出，尽管收场白的使用有许多不足，但从始至终一个收场白也不用的生意也并不是最成功的。

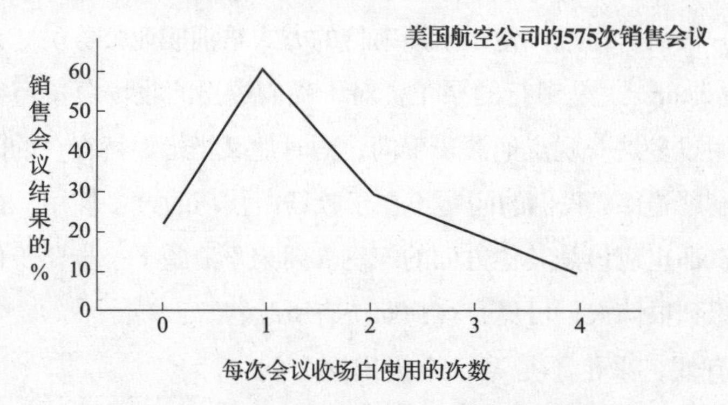

图 2-7 收场白使用次数与销售成功率的比较

何去何从

美国航空公司的调查主要是小订单销售，尽管我们不能确定在与之相比的大订单销售研究中是否有相同的结论出现。为了让生意能够成功，销售人员需要接受客户某种类型的晋级承诺，但是，你怎么可以不冒使用收场白的风险而从客户那儿得到承诺呢？

到目前为止，在这章中我所写的一切都是关于你的行为如何不能达到晋级承诺过程的目的。我已经说过了，传统收场白技巧在以下情况中是无效的或存在副作用：

- 订单规模很大，包括贵重货物的销售；
- 客户很精明，例如一个专业采购员；
- 与客户有长期售后服务关系。

所以，我说的一切表明，收场白技巧并不是在大订单销售中获得客户晋级承诺的最好方法。但你应该怎么做？显然，坐以待毙是无效的，订单不会从天而降。

销售拜访目标的分解

成功收场白的第一步是设立正确的目标。获得晋级承诺的起点是要了解成功销售中客户承诺的标准应该是什么。如果本书是关于小订单销售的，那么，很有必要解释销售成功的真正含义和详细定义。在一笔简单的生意中，成功的承诺就是一份订单。如果你没有得到订单，那你就是失败的。

因此，在小订单销售中收场白可以有两个结果：一种是订单，即你做成了这笔生意；另一种是没做成，即客户拒绝了你。但随着订单规模的不断扩大，事情就没有那么简单了。在大订单销售中，相比较而言，很少有生意是简单到以订单有没有成交为结局的。前述内容中，我曾提到过，我一个在航空制造业工作的朋友三年中都没有做成一笔生意，同时，他也没有遭遇过明显坦白的可以称之为没成交的拒绝，他所有的生意都是介于两者之间，它们向着最终目标（即一个需要几年时间的订单）缓慢而谨慎地行进。

在大多数大订单销售中，不足10%会简单地以订单有没有成交而结束，我们也很难判断一笔生意是否已经很成功地结束了。例如，假设你正在向我推销一种可以辅助进行库存管理的计算机软件。在会谈即将结束时，我对你说："我相信你们的库存系统软件正是我们所需要的，但是我不能单独做出如此重要的决定，因此我希望你下星期再来一趟和我们的生产总监谈谈。"很明显生意已经有了进展，但是既没有签订单也没有失败，而是介于两者之间。因为它又引出了一个预定的会谈，也许我们可以说这次会谈已经成功地结束了。

但是，我们能说有下次销售会谈预定的生意都是成功的吗？假设，当你解释完库存软件系统可以带来的效益后，我说："我不敢肯定，也许我们可以再约个时间仔细谈一谈，几个月后你再给我打电话确定一下下次会谈的时间好吗？"很有可能我认为这个预定会谈的目的是要摆脱你。当你下个月给我打电话时，不会再找到我，而那个所谓预定好了的会谈将永远也无法兑现了。仅仅达成一个将来再洽谈的协议并不是衡量你是否成功的合适标准。

大订单销售和小订单销售的拜访目标分解

收场白成功的评价标准是什么？什么样的结果或结局可以让我们评判一次销售会谈是成功还是失败呢？什么样的结果或结局可以让我们评判一笔生意成功了而另一笔生意失败了呢？在哈斯韦特公司早年从事研究时，我们选择了一种比较中庸的评判准则。我们说，如果一笔生意达到了它既定的目标，那么它就成功了。很快我们发现人们有合理解释不想发生事件的非凡能力，通过这些解释就很难评判是否已经达到了既定的目标，所以，那种中庸的评判准则也就不起作用了。

在纽约，我一直与一位销售代表一起从事销售工作。我们与一个客户的生意进行得是那么糟糕，以至于最后销售代表惹怒了客户，我们被赶了出来。我们出来后站在马路上时，从刚才的经历中走出来，恢复了平静。我把所有的细节都记入我的研究资料中，在回答"这笔生意是不是达到了最初的目标"这个问题时我写道："没达到。"这可能使那个销售代表感到很不安。

"但是我的确是达到目的了，"他分辩道，"因为那家伙看起来不是很讲信用，那我就要冒一定的风险，所以我决定不与他做这笔生意了。我宁愿通过巧妙的安排激怒他，让他把我赶出来也不愿意直接告诉他。用这种方式结束销售谈判，我可以不用很尴尬地向他解释我不与他做生意是因为他的信用不好。”

在我们的早期研究中，一次又一次地有销售人员向我这样解释。无论在销售过程中或生意中发生什么事，那都是他们未雨绸缪早已事先安排好的。既定的谈判目标可以很容易地被加以合理解释来迎合事情的变化。显然，我们需要一个更好的评判收场白成功的标准来替代这个简单的问题——“达到目标吗？”

我们的下一次行动比原来有所改进，我们让销售人员事先把他们的目标告诉我们，然后评估是否成功地达到了这个既定目标。用这种方法，我们可以防止销售人员把他们的失败又用合理的解释掩盖了。但这也不是最好办法。我记得一个销售人员事先告诉我她那笔生意的目标是“勘察客户企业组织结构的细节”。刚开始，客户出人意料地宣布，因为他公司的一个评估项目已经完成，他决定与那个销售人员签合同，我和她轻而易举地成功了。一小时后所有的文书工作都做完了，一笔35000美元的业务成交了，但她却没得到任何一点关于企业结构的信息。在这笔生意中她既定的目标没有达到，但仅仅因为最初的目标没达到，你很难说这是笔不成功的生意。

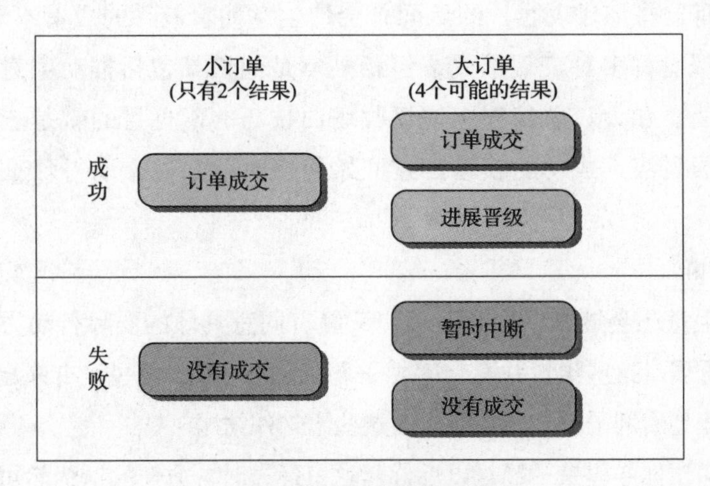

图 2-8 销售拜访目标的分解

我们仍然需要有一种更好的衡量收场白是否成功的方法。

最终我们选择的方法涉及把各种生意中可能出现的结果分为四种情况（如图 2-8）。

订单成交

即客户很肯定的购买决定。“我们 99.9% 会买”并不是一个成交订单。每一个销售经理都不厌其烦地对那些新来的没有经验的销售人员讲解：客户准确无误地表达要购买的意向，常常是要签署某种类型的书面文件，那才是一个真正的订单成交。有必要说明的是，在大订单销售中真正以订单成交为结果的生意比大部分销售人员想象的要少。因此，当你想以订单成交的方式结束销售谈判时，机会并不是很多。

进展晋级

即发生在会谈之中或之后的一件事情，可以使生意继续朝着最终的结果发展。典型的进展晋级可以包括：

- 客户同意参加一个产品演示会；
- 有让你见更高一级决策者的余地；
- 同意试运行或检测你的产品；
- 部分接受原来根本不接受的预算。

所有这些都代表客户的认同，会使生意朝着最终的成功不断靠近。进展晋级有许多种表现形式，但相同点是他们都包括推动生意向前发展的行为。在大订单销售中使用收场白技巧的常见目的就是能取得一定的进展晋级，成功的收场白在开始使用时就知道会取得什么实质性的进展。

暂时中断

即生意还会继续下去，但客户又没有同意具体的实际行动方案来使生意有进展。这些生意并没有达成一个一致的协议，但也没有来自客户的“不”。典型的例子就是客户以下面这些语句作结尾：

- 谢谢你专程来一趟，以后你从这里经过时，方便的话仍然可以来看我们。

●绝好的一个提议，我们非常感兴趣。下次有时间我们再一起谈谈。

●我们非常喜欢看到这一切，如果我们想进一步了解具体情况，日后会与你联系的。

在这些情景中，买方没有同意任何一种具体的行动方案，也就是说，生意并没有实际进展的迹象。在我们的研究中，把以暂时中断为结局的生意划入不成功的生意中。也许你会认为这并不公平。毕竟，如果客户说一些肯定积极的话，如“我们很感兴趣”和“这是个很不错的提议”等类似的话时，还说生意是很不成功地结束了，这似乎有些太苛刻了。然而，与这些买主们一起合作了许多年后，我不再把一次努力的正面结果和承诺视为成功的标志了。太多次我看见客户在生意即将结束时使用这些肯定的言语，但目的都是用一种很礼貌的方式赶走一个他们并不想再见到的销售人员。在研究中，我们需要以行动来衡量收场白的成功而不是用言语来评估，这就是为什么我们把进展晋级划入成功而把暂时中断视为不成功。一笔生意是否成功结束应该用客户的行动而不是言语作评判。

SPIN® Tips

没有销售进展，没有客户的晋级承诺，就是销售不成功。

没有成交

最后一种可能性即客户主动而明确地表示拒绝接受。从某种程度上来说，没有成交的客户很清楚地表明没有任何可能再继续下去了。少数情况下，如果客户不同意在将来会有另一次会谈或者拒绝你见更高一级的决策者，这些也会是没有成交的表现。检测没有成交的标准就是客户主动地拒绝了你这笔生意的主要目标。没有成交的生意就应该归入不成功的生意中，这是无可争议的事。

为什么我对生意的不同结果如此注意呢？一个批评家会说：“那当然，只有进行研究的人才会对区分结果有兴趣，而这对于帮助销售人员达成更多的生意毫无用途。”恰恰相反，我们对高层销售人员的研究已经证明了他们很清楚地了解这些不同的结果，并且，正所谓“知己知彼，百战百胜”，他们用这些了解来帮助他们更有效地结束生意，把暂时中断变为进展晋级。不止于此，了解进展晋级的类型也是销售成功所必需的，高层销售人员还建立起可以使生意稳步发展的收场白目标。

让我们对照两个销售人员的行为来解释我们上面所说的这些，他们都是经销工业排抽水设备的。首先，看一看约翰，相对而言，他经验不足，只做过一年大订单销售。从对他访问的摘录中，你自己判断一下他是否能区分暂时中断和进展晋级的区别以及他是否明白这些区别与成功结束生意之间的联系。

记者：你进行这一次拜访的目的是什么？

约翰：哦，……给客户留下一个好印象。

记者：好印象？

约翰：是的，让客户对我们给予肯定。

记者：有没有其他的目的？

约翰：收集数据。

记者：数据？什么类型的数据？

约翰：有用的财务数据，当然仅仅是普通的数据。

记者：你有没有试着从客户那儿得到具体的行动答复？

约翰：没有，就像我原来说过的，现在只是建立起一种关系并且找一些数据。

记者：以你的评判准则，现在的会谈是否成功？

约翰：我认为相当成功。

记者：你为什么这样说？

约翰：例如，客户说他对我的提议很感兴趣。

记者：客户同意什么行动方案了吗？

约翰：还没有，但我认为他喜欢我的提议。

记者：那么接下来你与客户之间会怎样？

约翰：几个月之内我们会再见面，然后我们会谈一些更详细的事情。

记者：但回想你刚刚进行的这次拜访，客户并没有同意采取什么实际行动来推动生意的进一步发展，不是吗？

约翰：是的，但我相信我与客户之间已经建立起了良好的关系，这就是我认为它成功的原因。

约翰的反应说明他是一个典型的没有经验的销售人员。他认为因为他已经得到了一些来自客户的肯定，所以很成功地结束了这次拜访。但是，看一看我们区分拜访结果的标准，他的拜访结果是暂时中断，客户并没有同意任何具体的行动来推动生意的发展。就像许多新的销售人员，约翰的拜访目标是收集数据并建立关系，而不是直接取得进展。当我与约翰一起工作一段时间后，他的经理告诉我，“你知道约翰的问题出在哪吗？他结束拜访的能力很差。我希望可以有人教他一些好的收场白技巧。”我宁愿说约翰的问题是他不知道正在寻找的进展晋级是什么。这是拜访目标问题之一，除非他们更清楚地了解暂时中断与进展晋级之间的区别，否则收场白技巧根本帮不了他。

与约翰相对比，让我们听听公司高级销售人员之一的弗雷德会说什么：

记者：你这次拜访的目标是什么？

弗雷德：我想取得一些进展，因为我知道我们面对着很大的竞争，我必须及时行动。

记者：进展？

弗雷德：是的，你瞧，我觉得如果这次拜访值得做，那一定会有一些应该做的事可以以某种方式推动生意朝前发展。否则，你只是在浪费你和客户的时间。

记者：你能给我一个拜访目标的例子来说明这种“进展”吗？

弗雷德：当然可以，比如这一次我是想让他们的总工程师来我们厂与我们的技术人员进行一次项目可行性的讨论。这样既使生意又朝前进了一步，同时也意味着他们与我们讨论时就不会再有时间与我们的竞争对手接触了。

记者：这次拜访成功吗？

弗雷德：也成功也不成功。因为有突发事件发生，所以他们的总工程师没来。从这种意义上说我失败了。但是在这次会谈中我看到了可以进入另一个领域的机会，客户告诉我他们刚刚得到了在Jersey建一个新工厂的机会，正在组建一个项目组来编写具体细节，并且正在选择所需物品的供应商。因此我问他是否可以给项目组的水利工程师打一个电话，约他见面谈谈。

记者：他答应了吗？

弗雷德：是的，我们会在23日见面。

记者：这就是生意有进展了，是吗？

弗雷德：当然，这样从这个企业创立时我们便已加入了。在23日我会尽力让他们的水利工程师指定我们为水泵和专业排水管的供应商。

注意弗雷德的目标是如何得到一个具体的行动和进展，他评判这次拜访成功与否是以它是否推动了整个生意的进程为条件的。行动认定方法就是我们研究的成功销售人士的特征所在，他们要进展晋级而不是暂时中断。正是清楚地知道实际的进展晋级应包括什么，才使他们明白在这次拜访中应以什么为结局。经常以进展晋级而不是暂时中断为目标的人会被他们的经理冠以“好的收场白使用者”的美名，事实上，他们的成功来自他们怎样设定拜访目标而不是来自他们怎样结束。弗雷德就被他的主管上司看作是一个很厉害的收场白使用者，但是，在与他一同进行的几次拜访中，我并没看见他使用任何收场白技巧。

经常会有销售经理问我们，应该如何提高销售人员在大订单销售中更有效地使用收场白的能力。我能提供的最简单也是最有效的建议是：告诉销售人员暂时中断与进展晋级之间的不同，帮助他们不要仅仅满足于设定暂时中断为拜访的目标。

设定拜访目标

大订单销售中的每一次拜访都有好结果的秘诀是：无情地为你自己设定目标。不要仅仅满足于如“收集信息”和“建立良好关系”等泛泛的目标，当然，这些的确是很重要的目标，毕竟每一次拜访中都会提供收集信息和增进关系的机会。问题在于，仅仅有这种类型的目标并不够，它们会导致暂时中断而不是进展晋级，它们还有可能使你以达到错误的目标为结局。

在你的拜访计划中，应包括得到客户的具体行动，像“让他来参加一个展示会”、“订立与他的老板见面的时间”或者“得到可以去计划部的许可”。用这种方法你就可以像我们研究中的那些高效销售人员一样做一份计划，结果也会去寻找进展晋级而不是暂时中断。

获得晋级承诺的四个方法

但是，无论拜访目标定得有多好，你仍然要努力去争取客户的进展晋级或订单成交。对大订单销售的研究表明，高效销售人员会用相当简单和直接的方式获得客户的晋级承诺。我们发现成功的销售人员倾向于使用四步很明显的行动来帮助他们获得客户的承诺：

1. 很注重需求调查和能力证实。成功的销售人员把主要的注意力都放在需求调查和能力证实阶段，更值得注意的是，他们花费更多的时间在生意的需求调查阶段（如图 2-9）。不是很成功的销售人员对于需求调查阶段只是一带而过，结果，他们在发现、了解、开发客户需求等方面的工作都是一无所获。在大订单销售中，除非客户很明确地表示出需要你所提供的商品，否则你不会获得承诺。我们见过的效率最高的销售人员是那些在调查阶段就做了大量突出工作以建立客户需求的人。他们提问的结果就是，客户逐渐意识到他们迫切需要购买这些商品。对一个原本就想购买的客户你不必使用收场白技巧。因此，获得客户承诺的第一个成功战略是把你的注意力放在需求调查阶段。如果你能说服对方，你提供的商品就是他们所需要的，他们就会与你签约成交。

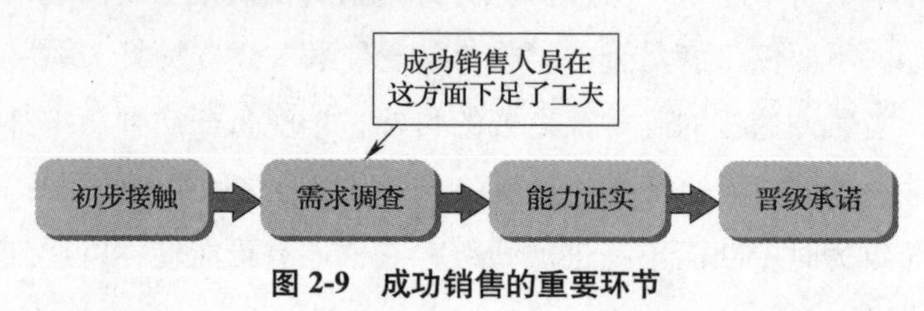

图 2-9　成功销售的重要环节

2. 检查关键点是否都已经包括了。在大订单销售中，产品与客户的需求似乎都是相当复杂的，因此，当要做出承诺时客户的心中会有混淆或怀疑的可能性。不太成功的销售人员会忽略客户还心存许多疑虑，滔滔不绝，直到最后结束，这就是他们经常被教导的销售方法。大多数销售培训课程确实会建议你把收场白作为一块挡箭牌，把尚存疑虑或悬而未决的问题挡在外面，但这不是成功销售人员的所做所为。我们发现那些能最有效地获得客户承诺的销售人员都是持之以恒地先采取初步行动，然后询问买方是否还有什么更深层次的问题或其他方面需要说明。

从我们的观察来看，以收场白的方式回答和躲避客户疑惑和关注的问题势必会引起反感，可以看看下面这个简洁的例子：

卖方：（用假设型收场白）……那么我会安排技术人员下周开一个产品演示会。

买方：（仍存一些尚未解决的疑虑）等一等，我还不能确定是否需要一个产品演示会。

卖方：（用选择型的收场白）如果在下下周是不是比下周好一些？

买方：（感觉有压力）不要这么急，你还没有解释清楚租赁协议是怎样执行的呢？

凭借收场白技巧，销售人员把客户的注意力都吸引到表面问题上来了，而逃避了更深层次、更实质的问题。但是，有必要用那么一种令人反感的方式来这样做吗？

成功销售人员在结束会谈之前会检查一下是否所有关键点都已经说到了。例如：

卖方：（检查是否所有的关键点都已说到）好吧，布朗先生，我认为所有的事情都已经涉及了。但在我们继续下一步之前，我是否可以检查一下还有没有我应该解释的问题呢？

买方：是的，你还没提到租赁协议的条件呢。

卖方：那让我来解释一下它……

在这个例子中，客户的疑虑被销售人员主动提到表面上了，这样得到的不是潜在客户反感的抗议，而是一个简单的提问。

3. 总结利益。大订单销售中一次会谈可能需要几个小时，所涉话题很宽泛，客户对于每一个讨论的问题并不一定都有很详细的了解。成功销售人员在接近承诺之前会通过总结讨论的关键点而理出一条清晰的思路。在小订单销售中总结似乎不是很必要，但在大订单销售中，在做决策之前，把所有关键点聚集在一起是一个非常有效的方法，因此要总结关键点，特别是利益点的总结。

4. 提议一个承诺。许多销售方面的书籍都指出最简单的结束方法就是要求签订单，结果，“成交邀约”在销售培训中成了最通用的一个短语，但从我们的研究来看，“成交邀约”不是成功销售人员所为。在销售的所有其他阶段，要求行为比给予行为要成功得多，这一点以后我们也会看到，但在这儿，在要求承诺时，成功销售人员不会要求，而是告知。使销售会谈有所斩获的最自然最有效的方法是向客户合理地建议下一步的内容，例如：

卖方：（检查关键点）还有什么我们没提到的吗？

买方：没有了，我认为所有的内容都涉及了。

卖方：（总结利益）是的，我们已经知道了新的系统可以加速订单处理进度，以及与您目前的系统相比它有多简便。我们也讨论了能帮您控制成本的方法。事实上，新系统替换旧系统还能带来一些其他的好处，特别是它能驱除困扰您已久的可靠性问题。

买方：是的，正如您总结的，以新替旧的确对我们很有利。

卖方：（提议一个承诺）我想下一步您和您的会计最好来看看这些系统的实际运行情况。

应该建议什么样的承诺？简单来说，成功销售人员提议的承诺有两个特征：

●这个承诺可使生意有所进展。作为承诺的结果，生意将以某种方式向前发展。

●提议的承诺是现实中客户最高限度可以给予的。成功销售人员从来不会提出超过客户可以承受的承诺要求。

最后，我对我的老朋友兼同事，瑞典籍顾问汉斯·斯滕内克（Hans Stennek）说几句关于收场白的话。当我的研究遭到大多数从事销售行业的人的反对时，汉斯非常支持我。“我从来不是收场白的信徒，”他告诉我，“因为我的目标不是结束生意而是开始一种关系。”我认为他说得再好不过了。

第3章 大订单中的客户需求调查

在第 2 章中，我提到过晋级承诺阶段的成功依赖于前几个阶段操作的好坏程度，我们在哈斯韦特公司的研究揭示了对整个生意的成功影响最大阶段是需求调查研究阶段（如图 3-1）。

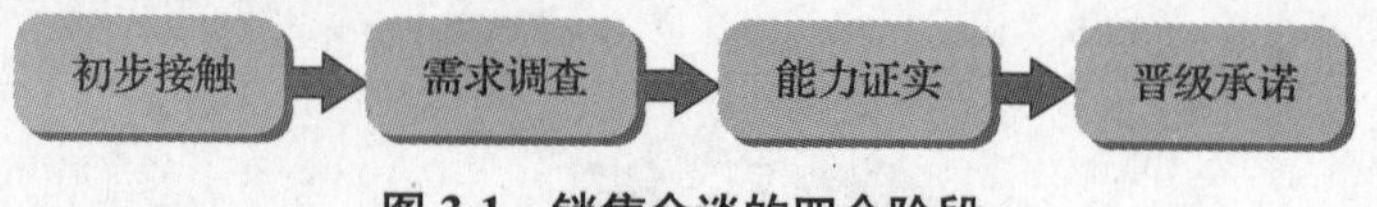

图 3-1　销售会谈的四个阶段

研究中我们发现，最有可能在需求调查阶段做很多有效工作的是那些高层销售人员。如果需求调查做得不够，销售人员在生意的后面几个阶段就会费时费力。很多次我们发现那些被销售经理描绘成“很差的收场白使用者”的销售人员，事实上是不擅长需求调查。当我们针对销售人员制订的一个管理计划实施后，他们的经理告诉我们：“在继承发扬弗雷德的收场白方面你做得太棒了。”或“安妮现在收场白的使用比原来强多了，你一定教了她许多绝招。”当我听到这些赞美之词后没有一点喜悦的感觉。事实上，我们并没有提到多少收场白方面的东西，我们培训的主要目标是教他们使用 SPIN®销售模式来发掘客户的需求，借以提高需求调查能力。这就把我们带入了这章的主题：客户需求。

随着生意规模的不断扩大，客户需求的发掘需要一种与小订单销售完全不同的模式。让我给你一个在小订单销售中如何发掘客户需求的例子。几个月前，我在亚特兰大机场转机，在机场一个商店中闲逛时，一个小工具袋吸引了我。那是一种多功能刀叉用具，有改锥、刀子和一些修理不规则设备的工具。它吸引人的原因是它被装在一个精致的小皮套中，价值是 15 美元。从看见它到把它买下的过程也没超过 2 秒钟。

相比之下，第一次买计算机系统时，从最开始讨论需求到最后决定购买用了一年多的时间。不能立即决定，而是需要很长一段时间才能做出决定，这是大订单的本性。大订单销售的进展总是很平缓，要求特殊的销售技巧来帮助发掘客户的需求，正是这些技巧反映出了大订单销售成功与小订单销售成功不同的关键所在。

大订单与小订单的不同客户需求

让我们更仔细地观察一下上述15美元的购买决策过程，看看它反映出小订单销售中的需求是什么？显然，最明显和最富戏剧性的不同就是需求开发的快速，但还有其他与大订单销售的不同也很值得一提。例如：

●这次需求只要我自己满意就行，不用与其他人商量，而在大订单中我却需要考虑很多其他人的意见。

●需求有很强的感情因素。本来并不需要这个小工具袋，到我还没弄明白究竟为什么买它之前，它还静静地陈列在货架上。如果我再仔细想想，可能也不会买它。一时刺激冲动性的决定，经常是无理性的，这在小订单中比在大订单销售中常见得多。在大订单销售中需求的感情因素的确也存在，但是它的作用就比较微妙和细小了。

●如果购买的东西并不是我所需要的，是一次错误的决策，那最坏的结果也不过是15美元的损失。相比之下，在大订单中一次错误的购买足以让我失业。

即使在小订单销售中，15美元的购买也算很小，但它也能反映出大小订单销售之间的主要差别。广义地讲，我们可以说，随着订单规模的扩大：

●需求的开发要花费比较长的时间。

●需求更有可能受到各种因素的影响以及其他人介入的影响，并不是一个人的意愿可以简单决定的。

●即使客户本人固有的个性是很感性化的，或很不理性的，但需求也更可能在很理性的基础上表现出来，而且需求通常要求有一个理性的评判标准。

●对决策者来说，购买决定不能适应需求会有很严重的结果。

在大订单销售中开发客户需求时，这些不同是不是足够要求我们区别对待而使用不同的技巧呢？我们的研究结果表明答案是肯定的。我们发现，在小订单销售中非常成功的提问技巧在大订单销售中却一败涂地。

为了能明白大订单销售中为什么提问技巧会有不同，我们需要首先弄清楚需求开发的过程。先从需求的定义开始吧！在我们的研究中我们定义需求为：

买方表达的一种需要或关注，以能让卖方满意的方式陈述出来。

很常见的是一些作者在定义时强调需求是一种需要和愿望，并认为需要是一个客观的需要。例如，他需要一辆车，因为除此之外没有其他的交通工具可以让他去上班。另外，这些作者认为愿望是含有个人情感的渴求，例如，你想要一辆劳斯莱斯汽车，但是这并不意味着你一定需要它。显然，我们提到需求时，是在很广义的范围里应用它，而且我们对需求的定义既包括买方表达的需要也包括愿望。

怎样挖掘客户需求

一个潜在买主，当他100%满足于状态时，并不觉得它有被替换的必要性。存在需求的第一迹象是什么呢？对现有物品100%的满意变成了99.9%，再也不说绝对满意了。因此，需求的第一迹象是有轻微的不满足或不满意。

例如，几个月以前，老实说我对正在使用的打印这本书的文字编辑器非常满意。我没有任何需求，如果你是文字编辑器的销售人员，那对我没有任何意义。

然而，当写到这里时，我意识到了它有几个不完美的地方：自动拼写检查功能用起来很麻烦，某个编辑功能有一点复杂。我的不满意并不大，但它确实存在。我仍然不是很想要一个新的文字编辑器，但不方便的、需要变化的种子正在萌芽，不满足的感觉已经成长并且很有可能膨胀变大，需求正在萌发。

接下来会有什么事情发生？最大的可能性是编辑器缺陷将会逐渐变得越来越清晰，最后变成了一件真正令人讨厌的事。我会觉得这是一个非常大的问题而不仅仅是一个小小的令人不满的瑕疵了。就凭这一点，如果有人再向我介绍新的文字编辑器，要我接受将会变得容易起来。

虽然我感觉到了问题的存在，但即使问题很严重也并不意味着我将要购买。开发需求的最后一步就是要把问题变成一个愿望、一种需要和一个要行动的企图（如图 3-2）。除非我有要替换旧设备的愿望，否则我就不会买新的文字编辑器。当我真的有这个愿望时，我就准备购买了。

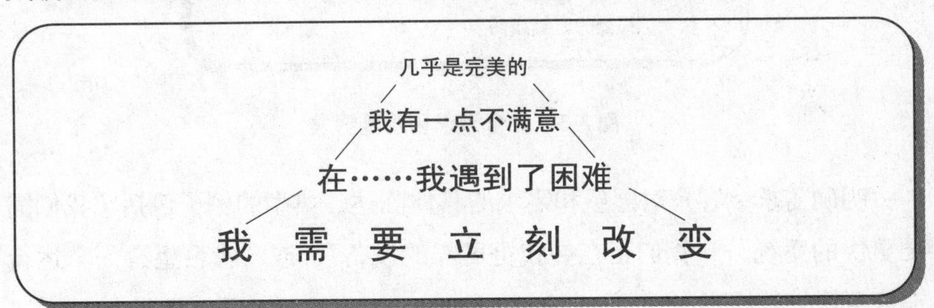

图 3-2 需求开发过程

因此我们可以说需求一般：

- 从很小的缺点开始；
- 自然而然地、逐渐地转变为很清晰的问题、困难和不满；
- 最后变为愿望、需要或要行动的企图。

众所周知，在小订单销售中这些阶段几乎是在瞬间即可完成，在大订单销售中这个过程需要几个月甚至几年。

隐含需求和明确需求

需求类型及对销售成功的影响

研究客户需求时，我们开始寻求一种简单的方法来表示各个阶段的发展。我们决定把需求分为两种类型（如图 3-3）：

隐含需求：客户对难点、困难、不满的陈述。典型的例子如“我们现在的系统与输出终端不匹配”，“现在的损耗率太高了点”，“现在软件的速度太慢了”。

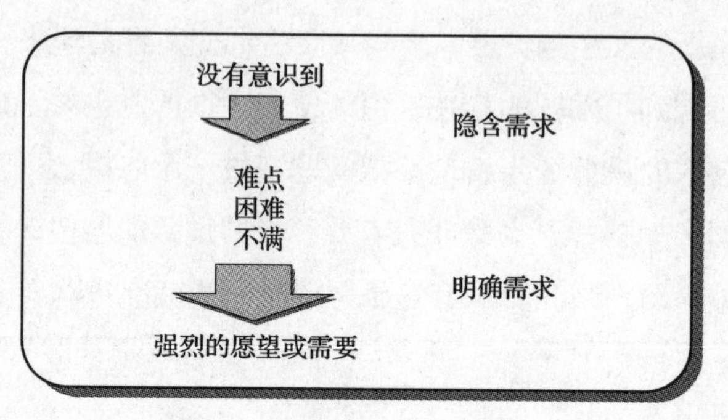

图 3-3　隐含需求和明确需求

明确需求：客户对愿望和需求的具体陈述。典型的例子包括“我们需要更快的系统”，“我们正在寻找更可靠的设备”，或“我希望有一个运行速度更快的软件”。

那些引进新的难懂的专业术语的人总是令我疑惑不解。如果我读这一章，我会问自己这类问题：把需求分为隐含需求和明确需求的理由是什么？是不是它只是无缘无故地引入一些不必要的术语？这种划分能帮助我销售吗？

这些问题问得很合乎情理，并且答案也很重要。我们的研究表明，在小订单销售中隐含需求和明确需求之间的区别对销售成功并没有什么影响，但在大订单销售中非常成功的与不很成功的销售人员之间的重要区别就是：

SPIN® Tips

在小订单销售中，隐含需求发掘得越多，销售成功的可能性越大。而在大订单销售中却不是如此。

●不成功的销售人员不去区分隐含需求和明确需求，因此他们等同对待这两种需求。

●非常成功的销售人员没有注意到他们正在做的事情正是用完全不同的方

法对待隐含需求和明确需求。

让我们看一些研究证据。在我们的一项研究中，跟踪调查了 646 笔简单生意，计算在一次会谈中客户使用多少次隐含需求。结果如图 3-4 所示，成功销售比不成功销售使用的隐含需求多出 2 倍。这表明在简单生意中揭示的隐含需求越多，你做成这笔生意的几率就越大。我们对另一家大的经营办公用品公司的研究使以上这个结论得到了进一步证实。这个公司由两部分组成，一部分销售低值产品而另一部分专注于经营大额生意。销售低值产品的这一部分人中，当一组销售人员接受了发现更多隐含需求的培训后，结果较没有接受过培训的那一组销售业绩上升了 31%。因此，至少在小订单销售中可以很公正地说，隐含需求发现得越多，成功的机会就越大。

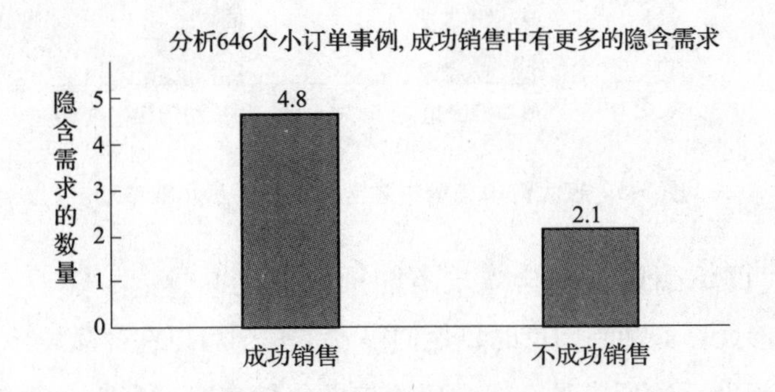

图 3-4　在小订单销售中隐含需求就预示着成功

但在大订单销售中又怎样呢？也有相同的结果吗？不，没有。生意逐渐扩大，隐含需求和成功之间的联系越来越少（如图 3-5）。在我们的研究中，共分析了 1406 宗大订单销售，平均合同金额为 27000 美元。我们发现，与小订单销售不同的是：销售人员揭示的隐含需求与销售成功之间没有任何联系。隐含需求在小订单销售中是购买的信号但在大订单销售中却不是。

这意味着什么？我们的解释是，在大订单销售中已发现的隐含需求或客户问题的绝对数量对销售成功几乎没有影响。相反，隐含需求只是一个起点，成功销售人员在开发需求过程中所用的各种方法才是最重要的。在大订单销售中发现的隐含需求的数量无关紧要，但在发现之后你做了些什么才是最关键的。作为这个观点的例证，我们在这个经营办公用品的公司中对销售高档商品的那一部分销售人员进行了一次测试。这次测试中，我们使49个人的销售业绩增加了37%，而这一数据是与另一个作为比较标准的参照小组相对而得出的。然而与销售低档商品的同事们不同，这些销售人员的成功与他们发现隐含需求的数量无关。

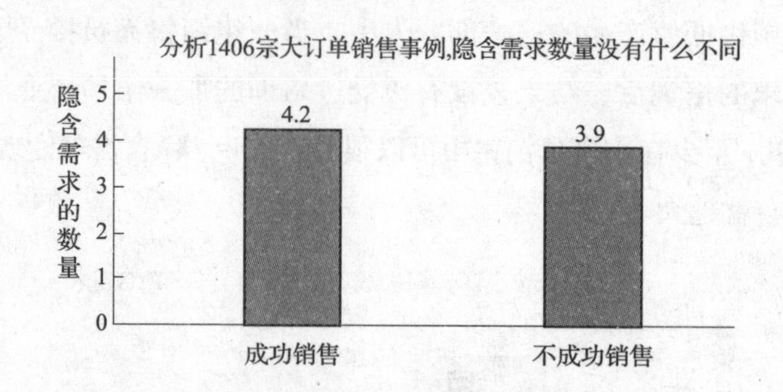

图 3-5　在大订单销售中隐含需求并不预示成功

为什么大订单销售中隐含需求不能预示成功

当袖珍计算器刚刚问世时，他们得到了一个可以在商品展示会上销售的机会。问世后的反应是令人难以置信的，销售商带有1500个这种袖珍计算器到展位，不到2小时内就销售一空。几百名想要购买的客户不得不等下次前来购买。为什么这种新型计算器如此成功？因为它的出现立即使人们对过去那种体积巨大、携带不便的台式计算器产生了不满。换句话说，它让人立即产生了一种隐含需求。但还有另外一个不可忽视的重要原因，这种新型计算器也实现了一种真正意义上的价格突破，其价格是它们要替代的那种笨重、无法携带的计算器价格的1/15。因此来参加这次展示会的参观者有两个理由要购买，他们有隐含需求（或对现存计算器的不满）以及对新的替代品的低价感到惊讶。结合这两点来看，就很容易明白为什么人们会排队购买。

但如果新的计算器的价格不是老式计算器的 1/15 而是其价格的 5 倍，那么又会有什么样的结果呢？还会有如此多的人急于购买吗？当然不会。袖珍计算器有这么大吸引力的原因是它的价格实在很低廉。换句话说，因为价格低，才使得消费者有了足够的支付能力。

任何一个决定购买商品的人都会平衡两个相对因素。因素之一是这次购买能够解决问题的迫切程度，另一个是解决问题的成本。在销售计算器这个事例中，就如同在许多小订单销售中一样，因为价格很低，所以相关的表面需求与购买的欲望很容易就达到了平衡。

价值等式

我们可以用价值等式来揭示需求迫切程度和解决问题成本之间的关系。如图 3-6 所示，如果客户感觉问题需要解决的紧迫程度大于解决问题所需的成本，那么这笔生意也许可以做成。相应，如果问题很小但成本很高，那客户很可能不会购买。

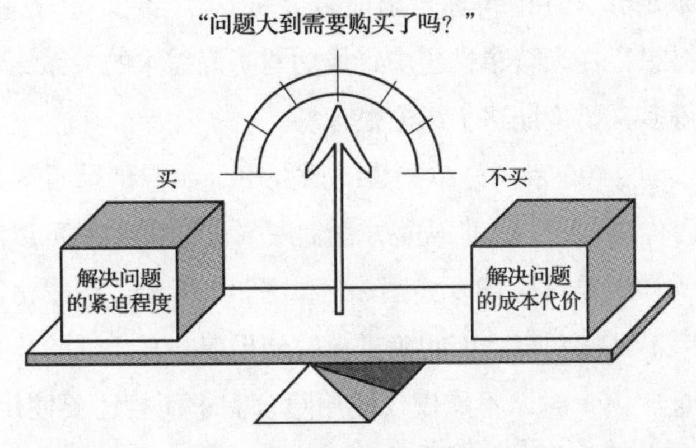

图 3-6　价值等式：如果解决问题的紧迫程度超过了解决问题的成本代价，那么这就是一个成功的销售

产品或服务的价格在小订单销售中通常比较低，而在价值等式另一端的感知需求的程度又不是那么大。也就是说，在小订单销售中隐含需求已

> **SPIN® Tips**
>
> 解决问题的紧迫程度大于解决问题的付出成本代价，那么，销售就会迎刃而解。

经足够判断是否要购买了，购买袖珍计算器就是一个很好的例子。但如果新型计算器比原来传统计算器的价格高，那么需求的程度就一定得很大才能成为实际购买的理由。

这些正好可以解释为什么可以在小订单中很成功地进行销售：解决问题的成本通常很低，仅仅通过揭示和发现一些问题和隐含需求就可以解决。同时，它也可以解释为什么在大订单中你需要开发客户的更深层次需求，以便使这种需求显得更大、更严重、更迫切，所有这一切的目的就是证明解决办法的附加值所在。记住，在大订单中，成本的多少不是仅仅以货币的价值来衡量的。如我们以前所说，一个错误的决策足以使购买者失业。当买主增加价值等式一端的成本时，他通常都是冒着面对更多困难的巨大风险，而这些是不能以现金数量多少来衡量的。

明确需求和销售成功

需求必须足够大才值得你付出很多金钱去满足它。这个观点是对的，那么你可以料想，在大订单销售中，成功与明确需求的关系比与隐含需求的联系要多得多。要验证这个结论很容易。

在我以前对 1406 宗大订单销售的研究中，我们记录了客户使用明确需求的次数。你应该记得，明确需求就是一种卖方的商品可以满足买方的愿望和需求的详细具体陈述。如图 3-5 和图 3-7 所示，在成功销售中隐含需求的使用率不是特别高，而明确需求的使用率却高出 2 倍。这个数据证实了当订单金额扩大时，不能仅仅使用隐含需求而且还要使用明确需求。也就是说明，确需求变得日益重要了。

因此，在大订单销售中，隐含需求并不能预示成功，但明确需求却可以，而在小订单销售中，隐含需求和明确需求都是成功的晴雨表。这对你的提问技巧有什么意义呢？

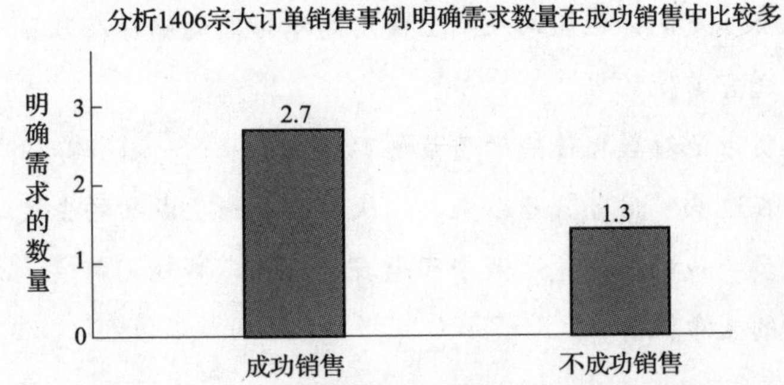

图 3-7 在大订单销售中明确需求与销售成功的关系

在小订单销售中，揭示问题的存在（隐含需求）然后提供解决办法就会非常有效。在大订单销售中情况不再是这样了，大订单销售的提问必须从揭示隐含需求开始，但不能就此为止。成功的提问还依赖其他很多方面，比如隐含需求怎样被发掘出来，他们怎样通过提问的方式转变为明确需求。

大订单销售的成功信号

许多从事销售的人对购买信号这个概念都很熟悉，这是客户对准备购买或生意继续发展的一种陈述。隐含需求对小订单销售来说是准确的购买信号，客户对问题和困难认同的越多就越有可能购买。与之相对照的是，在大订单销售中，明确需求是预示销售成功的购买信号。我们发现，随着销售人员经验的增多，他们通常把明确需求当作判断销售会谈是否成功以及是否成为购买信号的重要因素，没有经验的销售人员却把隐含需求当作重要因素。

例如，这是一个从事电讯工业、缺乏经验的销售人员。请注意观察他是如何重视隐含需求并把它当作生意有所进展的证据的。

记者：……因此你说会谈很成功是吗？

销售人员：是的，我是这样认为。

记者：是不是客户说了些什么，比如有购买信号，所以让你觉得成功？

销售人员：是的，他认同在早上使用高峰时期的确存在容量问题。

记者：还有其他的吗？

销售人员：他对数据传输的质量也不满意。

记者：在这些“信号”基础上，你认为这是一次成功的会谈吗？

销售人员：是的，毕竟这两个问题我们都可以帮他们解决，我认为这是一个很好的生意机会。

这个销售人员断定会谈是成功的，是因为客户提出了两个问题或者说是两个隐含需求。但就如同早些时候我们论证过的，在大订单销售中，发现的问题数量与客户是否最终会购买没有关系。在这个案例中，这个销售人员会很惊讶很失望地发现，两周以后，客户正在与他的竞争对手会谈。几个月后，他的竞争对手成功地做成了这笔生意。

与上面的例子相比较，我们听听与他在同一个公司工作的另一个成功销售人员是如何评判会谈成功与否的。这位成功者在他公司400多名销售人员中业绩名列前五名。

记者：这是一次成功的会谈吗？

销售人员：很难说，我的确发现了几个我们能解决的问题，但除非我有机会与他们再接触并且了解更多的情况，否则我不愿去评判我们是否会成功。

记者：这是否意味着您不认为刚刚发现的问题是一种“购买信号”？

销售人员：我想至少它不是很直接的“购买信号”。毕竟，除非你发现一些你能处理的问题，否则你就没有什么进展。因此没有问题就意味着没有销售，这是一种消极的信号，这些就是比较糟的会谈。但我并不是说有问题就是积极的购买信号。

记者：总体来说，什么样的信号可以让您认为会谈是成功的？

销售人员：当你听到客户谈论行动时，比如“明年我们将彻底检查网络数据”或“我们正在寻找具有这三个特征的系统”诸如此类的话。

记者：您知道隐含需求与明确需求的不同，听起来似乎您在说明确需求比隐含需求更好一些，是吗？

销售人员：是的，你不能只依靠问题，而要有更加明确的需求。这就是为什么我认为在销售中的高招并不只是让客户同意问题的存在，几乎每一个我拜访过的人都有问题，但那并不意味着他们会购买你的产品。真正的技巧是，你如何使这些问题更大化，大到足以让客户不能忍受以至于最后付诸行动去购买。当客户开始谈论行动时，也就是“购买信号”了。

> **SPIN® Tips**
>
> **在大订单销售中，提问的目的是发掘客户的隐含需求并使之转化为明确需求。**

显然，这个销售人员并不只是依靠问题和隐含需求来确定是否存在购买信号。相反，他关注的焦点是潜在客户所谓的“行动”，他提供的例子用我们的术语来说就是隐含需求。就如同大多数我们与之合作过的成功销售人员一样，这些销售人员把重点放在需求开发上，把它视为最重要的销售技巧。

在第 2 章中我提到过，开发需求是提问的重要职能。以大订单销售为基础，我们可以更准确地表述：

在大订单销售中提问的目的是发现隐含需求并且最终把它们转化为明确需求。

在下一章中我会说明如何用 SPIN®提问模式来实现它。

第4章

SPIN®提问模式

第3章得出了这样的结论：在较长的生意过程中，提问的目的是发现隐含需求，然后把它们转化为明确需求。在这一章我们将看到SPIN®提问模式的四种类型：背景问题、难点问题、暗示问题和需求—效益问题，而且每一种提问类型都可以用来开发客户需求。

背景问题

哈斯韦特公司的研究发现，在每一笔生意会谈的早期阶段，特别是因为新的原因与新的客户接触时，销售人员的提问通常会遵循同一种方式。试想如果你是第一次与我接触，你会提问什么问题呢？你也许想知道一些关于我个人的事，因此你会问下列这些问题：

你的意见如何？

你考虑了多长时间？

你决定购买了吗？

在这个方面你的目标是什么？

你想知道一些关于我生意的事情，因此你会问：

你从事什么行业？

这个行业的前景怎么样？

年销售额是多少？

你雇了多少人？

也许你需要更多地了解我的生意是如何运作的，因此你会问：

目前你使用的是什么设备？

你用它有多长时间了？

是买的还是租的？

多少人用它？

所有这些问题的共同点是什么？每一个都是在收集有关客户现状的事实、信息及其背景数据，因此我们命名为背景问题（如图4-1）。

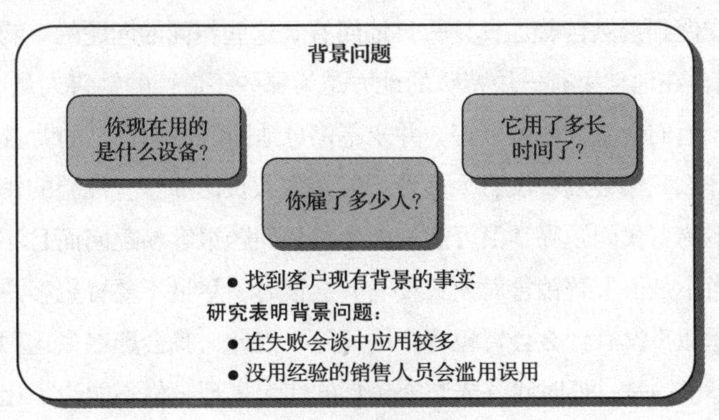

图 4-1　背景问题

背景问题在大部分生意会谈中都是很基本的一类问题，特别是在销售过程的最初阶段使用更多。来看一看我们的研究又发现了什么？

> **SPIN® Tips**
>
> **在成功的销售中，背景问题应用得较多，而且，没有太多经验的销售人员会滥用误用背景问题这种提问技巧。**

●背景问题与销售成功没有什么积极的联系。在成功会谈中，销售人员提问的背景问题比在失败的会谈中少。

●缺乏经验的销售人员比那些有较多经验的销售人员提问的背景问题要多。

●背景问题是各种问题中最基本的一种，使用时要特别小心。成功销售人员会提问很少的背景问题，但他们每问一个都会有偏重、有目的。

●如果提问太多的背景问题，买方很快就不耐烦了。

为什么呢？自问一下谁会从背景问题中得利？买方还是卖方？很显然是卖方。一个繁忙的客户是不会从给销售人员提供详之又详的个人信息中得到满足和喜悦的，尤其是对于专业采购商和代理商而言更是如此。我与英国石油公司采购中心的采购员一起工作过一段时间。当销售人员一遍又一遍地问“告诉我您生意的情况”或“在您做决定之前您会做些什么”等问题时，即使是站在中立的旁观者角度，我都已经感到厌烦了。我不知道这些采购员是怎样做到泰然自若、日复一日地回答着这些相同的问题的。我逐渐地开始相信，在地狱里有一块特殊的地方是为那些不道德的销售人员准备的，在那儿，他们会终日被迫坐着，并永不停息地回答他们自己的背景问题。

为什么我们会发现没有太多经验的销售人员比那些有经验的销售人员提问更多的背景问题呢？很可能是因为背景问题很容易提问而且不会出什么错。当不是很了解销售对象又要与其会谈时，尽量不要冒犯客户，因为背景问题似乎没有什么会冒犯客户的风险，因此，我会选很多这种问题来提问。不幸的是，那时我并未掌握销售的伟大真理：你不能为了让客户购买而不停地用各种方法，最后使客户厌烦了，自然这笔生意也就做不成了。而背景问题的错误就在于，从买方的角度来看，这类问题提问过多，他们会很容易厌烦的。

那么，是不是这就意味着不能再问背景问题了呢？不是！没有它们你同样不能做成生意。**研究结果表明，成功销售人员不是不问背景问题，而是不问那些没有必要的背景问题。**在见面之前他们会多方面地思考，制订出会谈计划，排除许多可能让买方厌烦的、刨根问底的背景问题。

随着销售人员经验的增加，他们的行为也有所改变。他们不再占用会谈的大部分时间去收集背景信息，相反，他们的提问又进入到另一个领域。

SPIN® Tips

成功销售人员不是不提问背景问题，而是不提问毫无必要的背景问题。

难点问题

什么是难点问题

经验十足的销售人员最有可能提问的问题有：

■对于现在的设备你是否满意？

■你们正在用的办法有什么缺陷吗？

■你们现有系统在负荷高峰时是不是很难承受？

■有没有考虑过这部机器的可靠性问题？

这些问题的共同点是什么？每一个问题都是针对难点、困难、不满来问，而且每一个都是在引诱客户说出隐含需求，我们称之为难点问题（如图 4-2）。我们的研究发现：

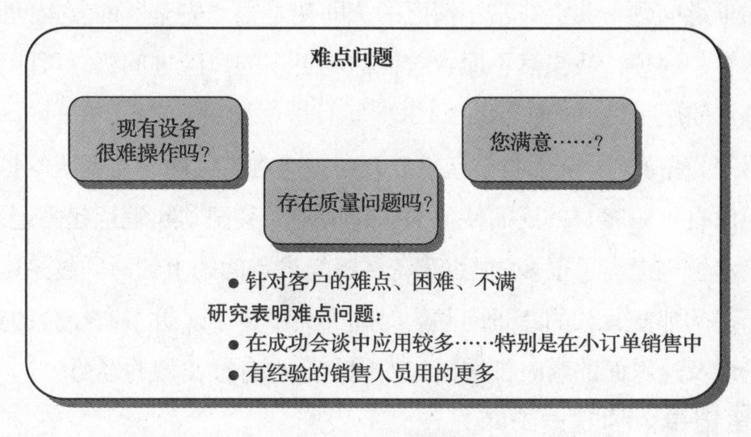

图 4-2 难点问题

■相对于背景问题而言，难点问题与成功销售的联系更紧密。

■难点问题越多，销售成功的几率就越大，在小订单销售中更是如此。

■然而在大订单销售中，难点问题与销售成功的联系并不是很大。没有证据表明增加难点问题的提问数量可以提高大订单销售的成交率。

■提问背景问题与难点问题的数量比例可以反映一个销售人员的经验多少，经验十足的销售人员提问难点问题的比例比较高。

让我们仔细看一看这些发现意味着什么。大大出人意料的是难点问题比背景问题对客户的积极影响要大。如果你不能为客户解决问题，那么你们就没有合作的基础。如果你发现了你可以解决的问题，那么你很可能提供一些对客户有帮助的东西。

难点问题和销售经验

很容易理解为什么有经验的销售人员会提问更少的背景问题而问更多的难点问题。我仍然记得亲身经历过的销售中它是怎样发生的，可能你也有类似的记忆或经历。当还很年轻且没有太多经验时，如果买方给我提问的机会，我一定会问许多背景问题。不悦的表情在买方的脸上一闪而过后，通常接下来的就是很不耐烦的神态，只有这时我才会停止提问转而开始介绍产品特点。如果在我经商生涯的那个阶段，你告诉我应该多问一些买方存在的难点问题，我会非常不情愿的。即使是很“安全”的背景问题都会使我的客户厌烦，我当然不愿冒着使他们更烦的风险去问极有可能冒犯他们的难点问题。

后来，终于有一天，我鼓起勇气开始提问难点问题了。令我吃惊的是，这不但没有冒犯客户，反而使他们提起精神，甚至拿起笔记起笔记来。我的会谈水平也提高了很多。很快我花在提问难点问题上的时间越来越多了，而用于提问那些冗长的背景问题的时间大大减少了。许多有经验的销售人员与我谈及这方面的事时都会记起他们自己也有过类似的经历。

大订单销售中的难点问题

在小订单销售中，难点问题与销售成功紧密相连。的确是这样的，但当生意规模逐渐扩大时，他们就不再是有效提问方式的基本组成部分了。毕竟，如果没能发现可以解决的问题时，那么，你与客户之间并没有可以合作的基础，所以一定要想尽一切办法去挖掘客户的需求。我们在这当中已经了解到了大订单销售中还有许多威力更强的其他问题类型，正是难点问题为生意的开展提供了许多原始资料。当在培训从事大宗订单销售的销售人员时，我们的出发点应该是：分析一下怎样能让他们提出更多的难点问题。

一个更难的问题

为什么难点问题在小订单销售中比在大订单销售中更有效呢？让我们看一下研究证据。如图 4-3 所示，我们在研究的 646 例小订单销售中发现，应用难点问题时的成功率是失败率的 2 倍。第 3 章也提到过，当培训那些销售廉价商品的销售人员时，让他们多提问一些难点问题，结果他们的销售额显著上升。

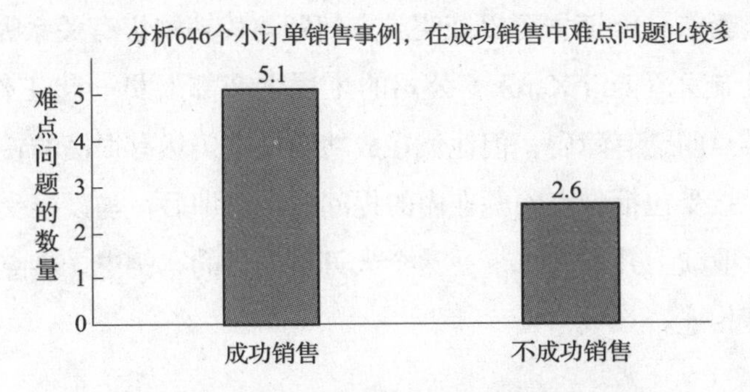

图 4-3　在小订单销售中难点问题预示成功

然而，难点问题在大订单销售中与成功的联系却很少（如图 4-4），这是因为隐含需求并不能在大订单销售中预示成功，这在第 3 章中也提到过了。难点问题的目的是发掘隐含需求。所以，如果隐含需求在大订单销售中不能预示成功，那么难点问题当然也不能预示成功。

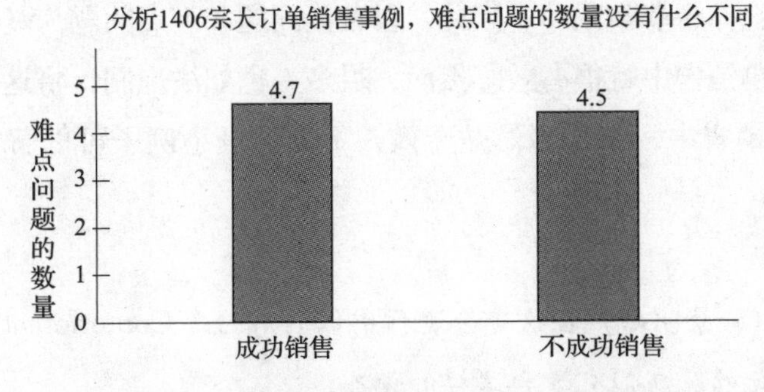

图 4-4　在大订单销售中难点问题不能预示成功

一个有趣的例外

尽管难点问题在小订单销售中更有用，但仍然有一个很有趣的例外。剑桥公司的董事长今井正明（Masaaki Imai）在日本与我们一起做了一些试验。虽然在西方销售人员问客户问题可以让人接受，但在日本的文化习俗中要这么做并不容易。如果你提示你的客户（特别是一个很有身份的人）他的公司中存在问题，那么就得冒着被认为是侮辱和侵犯他们的风险。与西方的销售人员相比，日本的销售人员很少提问难点问题。那么，在日本，是否有什么证据可以证明难点问题与成功销售有关系呢？

与富士施乐（Fuji Xerox）公司的工程生产部人员一起工作时发现，尽管提问难点问题有障碍，但他们在成功会谈中仍然有很高的使用率。一组销售人员接受包括难点问题在内的提问技巧培训后，与没接受过培训的小组相比，业绩上升了74%。在这个大订单销售的案例中，难点问题与销售成功紧密相连。

暗示问题

什么是暗示问题

许多经验丰富的销售人员在面对大订单销售中的客户时，都能充分而又灵活地运用背景问题与难点问题。不幸的是，大多数销售人员的提问也就止于此了。在小订单销售中，如果可以发现问题并且能证明有解决问题的能力，那么你将非常成功，因此，以背景问题和难点问题为基础的销售模式在小订单销售中就很有效。然而，很多人也如法炮制，将这种模式应用于大订单销售中，结果当然是无效，下面这个小例子可以解释这是为什么：

卖方：（背景问题）在这部分运作中你们用的是Contortomat设备吗？

买方：是的，我们有3台这样的设备。

卖方：（难点问题）操作人员用起来有困难吗？

买方：（隐含需求）这种设备的确很难操作，但我们已经培训过他们如何使用了。

卖方：（提供解决办法）我们的新Easiflo系统可以解决难于操作的问题。

买方：这套系统需要多少钱？

卖方：大约12万美元。

买方：（惊讶）12万美元!!! 仅仅是让一种设备更便于操作！你一定是在骗我！

怎么回事？卖方发掘了一个小的隐含需求："这种设备的确很难操作"，但无论怎样不值得花 12 万美元去购买这样的一种解决方法。以价值等式为条件（如图 4-5），问题需要解决的迫切程度与需要花费的成本代价不能平衡。但如果系统的价格仅仅是 120 美元而不是 12 万美元呢？买方还会有如此消极的反应吗？也许不会。120 美元是一笔小数目，而 12 万美元的价格实在是骇人听闻。因此，如果这是笔小订单销售（如果 Easiflo 的产品只要 120 美元），那么仅仅发现现有的设备很难操作的隐含需求，也许足可以得到这笔生意。如我们在第 3 章中所见，隐含需求在小订单销售中往往就能预示成功。

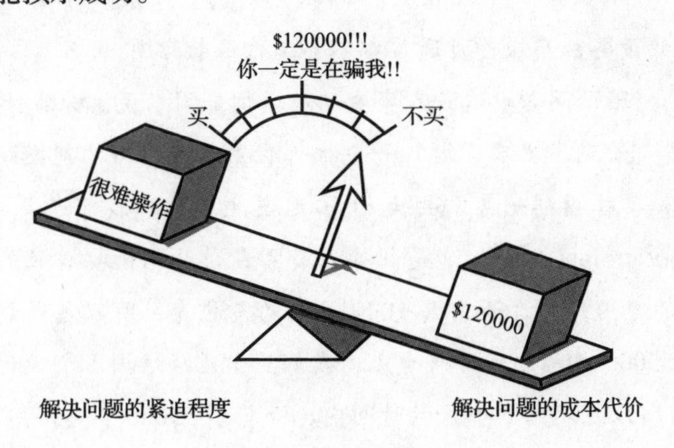

图 4-5　失衡的价值等式

在大订单销售中，发现问题后提出对策显然是不够的。销售人员应该怎么办？这就使得暗示问题对成功来说尤为重要。让我们看一下成功销售人员是如何在提出对策之前用暗示问题来提升解决问题的迫切程度的。

卖方：（难点问题）操作人员用起来有困难吗？

买方：（隐含需求）这种设备的确很难操作，但我们已经培训过他们如何使用了。

卖方：（暗示问题）你说它们很难操作，那么对你们的产量是否有影响？

买方：（认为是个小问题）很少，因为我们特别培训过3个人如何使用。

卖方：（暗示问题）如果你们只是培训3个人如何使用，那不会产生工作瓶颈问题吗？

买方：（仍然认为这不是一个很重要问题）不，只有当一个Contortomat操作员离开时，我们在等待一个受过培训的替补者时才会有麻烦。

卖方：（暗示问题）听起来使用这些机器的困难只有在受过培训的操作员有人事变动时才会有，是这样吗？

买方：（承认是一个比较大的问题）是的，一般人不喜欢使用这种Contortomat设备，而操作员通常都不会工作很长时间。

卖方：（暗示问题）这种人事变动对培训费用来说意味着什么？

买方：（看到了更多问题）一个操作员需要几个月才能熟练操作，这期间工资和各种福利一共需要大约4000美元。此外我们还要支付50000美元给Contortomat公司，这是新操作员需在该公司南安普敦的工厂接受实地培训的费用，再者还需要1000美元的差旅费，所以每培训一个操作员要花去55000美元。到目前为止，我们至少已经培训5个操作员了。

卖方：所以在不到6个月的时间内已经花了55000多美元用于培训了。（暗示问题）如果在6个月中你们已经培训5个人了，那么在任何时候似乎你们都不会是同时有3个操作员一起工作，这又使产量降低了多少呢？

买方：并不多。出现瓶颈时，我们会说服另外两个操作员加班加点工作，或者我们把活儿送到外面去做。

卖方：（暗示问题）加班加点不会增加更多的成本吗？

买方：（意识到了问题是相当严重的）是，加班工资是平时的2.5倍。既使是有额外的报酬，操作员仍然不愿加班，而且经常加班也许是人员变动率如此之高的原因之一。

卖方：（暗示问题）我想把活儿送到外面去做同样会增加成本，但这并不是把活儿送出去干的唯一问题，应该还存在其他一些问题，比如质量是否会受到影响？

买方：这也是我最不满意的一点。我们对自己生产的每一件产品的质量都有严格的监督，但当把活儿送到外面去做时，产品质量只能由他们控制，只能听之任之了。

卖方：（暗示问题）不止于此，被迫拿到外面去做的活儿的工期进度也完全由其他人控制了。

买方：别再提了！我刚才打了3个小时电话去催一批已经误期的产品。

卖方：（总结）从你所谈的这一切中我可以知道，因为你的Contortomat设备很难操作，致使你们已经花了55000美元的培训费，并且又为很高的人事变动率付出了巨大的代价。在生产上又存在瓶颈问题，这又使你要支付很高的加班费，并且不得不进行生产外协。生产外协又不能令人满意，因为他们不能保证质量和工期。

买方：如此说来这些Contortomat设备的确引发了很严重的问题。

卖方向潜在客户的价值等式施加了什么影响？一个小问题现在已经成了非常严重的问题，要花去很多钱（12万美元）的解决办法不再是不可理喻的决策了（如图4-6）。

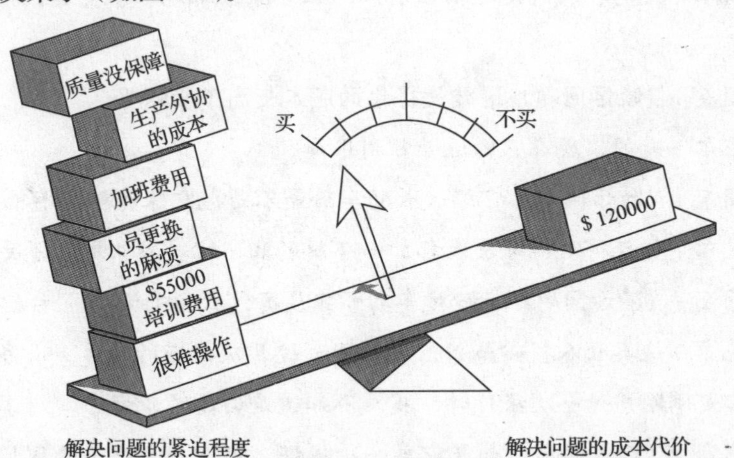

图4-6 价值等式：解决问题的紧迫程度超过了解决问题的成本代价

这就是大订单销售中暗示问题的中心目的，能抓住潜在客户认为是很小的问题放大，再放大，直到大得足以让潜在客户付诸行动进行购买。当然，暗示问题在小订单销售中也起作用。几个月前我与朋友一起谈论车，谈话如下：

朋友：你的车怎么样啦，尼尔？

尼尔：不是很糟，虽然有点旧，但还能开。

朋友：也就是说你并不打算买新车？

尼尔：是的，这辆车还能凑合一段时间。

朋友：（暗示问题）但你的车至少已经有 7 年了吧，是不是已经折旧完了？

尼尔：我想是这样的。

朋友：（暗示问题）因此一年你要损失几千美元的废品税。

尼尔：我没算过。我没想到会有那么多，但也许你是对的。

朋友：（暗示问题）而 7 年的车龄也就意味着已经跑了很多英里了，不是吗？

尼尔：是的，我总是把油箱加满，但它从来都跑不了多远，最近似乎要坏了。

朋友：（暗示问题）这就使得你的成本更高了，是吗？

尼尔：是的，现在它的运营费用很高。

朋友：（暗示问题）它那么长的车龄是不是也意味着耗油率很高呢？

尼尔：你说得对，每次我都加一夸脱的油，比我想象中的还要高。

朋友：（暗示问题）车龄对车的可靠度有什么影响呢？

尼尔：这真让人提心吊胆，我的确有过几次抛锚的经历。而且碰巧每一次都是刚刚开始一次旅行时，我真不知道是否还能修好它。

朋友：（暗示问题）如果它再一次抛锚，要在一个汽车修理厂找到有 7 年车龄的汽车零部件是不是很困难？

尼尔：到目前为止我还很幸运，但这一点的确值得考虑。

朋友：（暗示问题）如果你在什么地方抛锚了，而要等上2个小时才可以等到零件被送来，你会不会很恼火？

尼尔：是的，这真是令人担忧的一件事。我看我应该开始考虑是否有必要换一部新车了，如果我想买一部中型车，你有什么建议？

新车销售与我们一直在谈论的大订单销售相比当然算是很小的。但是你可以看到，暗示问题在决定过程中，增大了隐含需求的程度（如图4-7）。即使在一个电话就能搞定的小订单销售中，暗示问题也是很成功的探测器。然而我们已经明白了，在小订单销售中没有暗示问题也有可能成功。鉴于此，一些人可以认为暗示问题在小订单销售的角色中是一种不必要的太过强大的技巧。

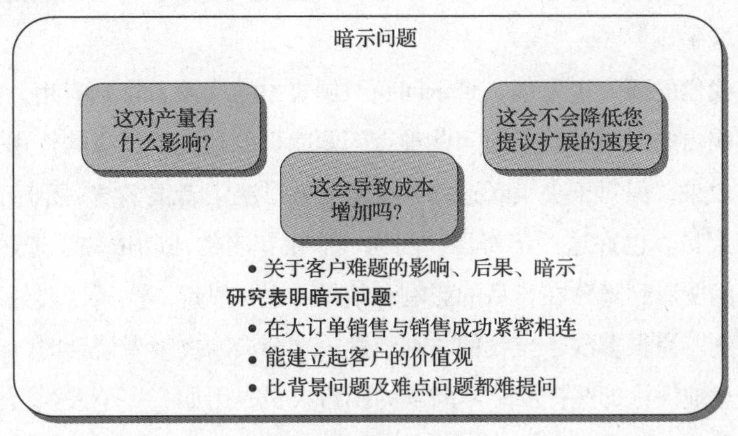

图4-7 暗示问题

专业人士的销售比他们想象的要好

在售车的过程中还有另一个有趣的现象。这并不是一次销售会谈，我的朋友对销售一窍不通。他是一个工程顾问，如果你让他去做销售，他会很惊慌地调头便跑。然而这一次他在开发我的需求方面比99%的专业售车人员做的还好。许多专业人士，特别是他们本职工作就是要提问一些诊断性问题的人，能很快而且很容易地学会用暗示问题来帮他们销售。

在哈斯韦特公司，我们为许多专业人士和咨询组织设计了销售培训课程，我们逐渐惊讶于他们之中的许多人（原本以为他们自己根本不能做销售）能很熟练地运用暗示问题。最近我们与来自八家大财务公司的审计员一起工作，在我们头脑中固有的关于审计员的观念是：他们应该是很成功的销售人员。如同那句老的谚语所说："如果你不需要成为会计时的那种喜悦与压力，那做一个审计员吧。"我们培训过的一些审计员似乎与我们一起分享了他们自己的这种领悟能力，并且很惊奇地发现他们当作正常专业谈话时所问的问题，在销售中同样可以帮助他们取得成功。

暗示问题在哪些情形下最有效

暗示问题在某些类型的生意中特别有效。显然，我们已经知道，暗示问题在那些有必要增加客户头脑中已有问题的严重程度的大订单销售中可以大显身手。

但我们的研究也发现，暗示问题对销售中的决策者特别有用。使用者和有影响力的人通常简单地问些难点问题就可以起到很积极的作用，得到良好的效果，但对于决策者这些并不能奏效。决策者很赞赏揭示暗示问题的销售人员。也许这并不奇怪，因为一个决策者的成功依赖于通过直接、表面的问题看到隐藏在背后的影响和结果。也可以说，决策者要处理的是暗示问题。有很多次，当我们与刚经过一次会谈的决策者谈话时，听到他们很满意地评论那些提问暗示问题的销售人员，比如"那个人说话方式和我一样"。暗示语是决策者的语言，如果你可以讲他们的语言，你当然能很好地影响他们。

一个更不同寻常的发现是，暗示问题在高科技产品销售中特别有效，这是那些很奇怪而我又不知怎样解释的研究发现之一。一个有可能的解释是，在很古老的、发展缓慢的工业技术中，也许客户们很多年来一直在购买相似的产品，因此已经积累了相当多的暗示问题了，但与此同时人们也已经很了解它了，所以用的时候人们都能接受，也有一定的效果。不过我认为这个解释不能完全令人信服。我的同事们涉足高科技产品市场已经很多年了，他们给了我另一个解释。他们解释道，许多高科技产品客户做出决定的速度很快是因为高科技产品市场的复杂性和日新月异的变化。在这种环境中，这些客户在准备冒险去尝试他们认为是新颖和奇特的产品之前，不得不把他们现有设备存在的问题看得非常严重。这种情况我也有所耳闻，这表明客户不信任高科技产品的销售人员，因此他们对于那些退缩不前而且试图了解暗示问题的人感觉更舒服，而对那些不成熟并且经常提出不适当解决办法的销售人员感觉并不舒服。这个似乎合理的解释被另一个笑话进一步证实了：卖二手车的人与销售高科技产品的人有什么不同？答案：销售二手车的人知道他们在说谎。

暗示问题的潜在负面作用

暗示问题并不是什么新发现，在我们开始研究之前，人们早已开始使用它们了。纵观历史，有煽动性的说客们一直都在发现问题，然后凭借开发它们隐含的东西使问题变大，苏格拉底是这方面的大师。读一读他与柏拉图的对话，你会明白，最伟大的说客一直在用暗示问题。然而，苏格拉底的例子也说明，尽管暗示问题威力很大，但它也不是完美无瑕的。直截了当地说，它们使客户感觉不舒服。销售人员提问很多暗示问题会使买方觉得很沮丧，情绪很低落。虽然并不是每一个销售人员都以强迫客户如喝毒酒一样痛苦地结束，但我仍然想问一问苏格拉底式的提问方式是否是它们走向毁灭的一个原因。

既然在问题的力度上有时会让人感觉不舒服并且暗示问题还有潜在的危险，那么是不是有这样一种问题既可以让你获利又更准确地不用冒使客户沮丧的风险呢？这就是接下来要介绍的另一种提问类型。

需求—效益问题

什么是需求—效益问题

我们在哈斯韦特公司的研究表明，成功销售人员使用两种类型的提问把隐含需求转变为明确需求。首先他们使用暗示问题提出并扩大问题，以便让客户感觉问题更严重，然后他们转而用第二种类型的提问说明所提方案的价值或意义。第二种类型的问题表明了对策的积极因素，并且防止客户有不舒服的感觉。我们称这种以对策为核心内容的问题为需求—效益问题（如图 4-8）。大体上讲，它们都在提问解决一个问题的价值和意义。典型的例子包括：

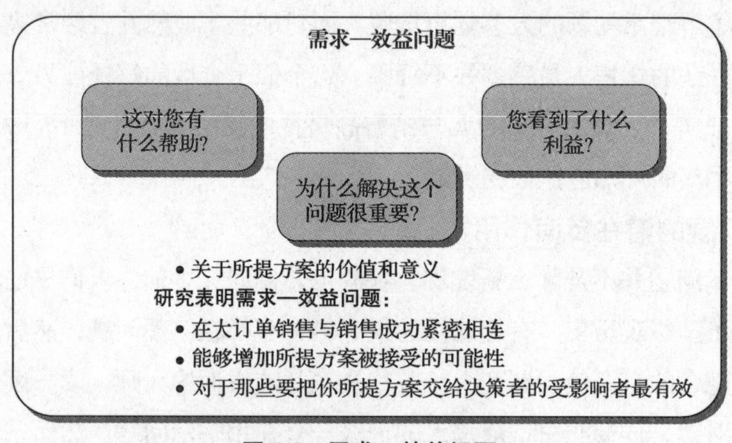

图 4-8　需求—效益问题

●解决这个问题对您很重要吗？

●您为什么觉得这个方案如此有用？

●还有没有其他可以帮助您的方法？

需求—效益问题的吸引力是什么？它们可以达到两个目的：

●它们不是注重问题而是更着重对策。这样可以建造一种注意提供对策和行动方案的积极的气氛，而不是只看问题和困难。

●它们使客户告诉你可以得到的利益。例如，一个需求—效益问题“一台速度更快的设备可以给您以怎样的帮助？”也许会得到类似于“这当然会除去生产中的瓶颈问题，并且可以使熟练操作人员的时间得到充分的利用”这样的回答。

下面是另一个销售电话系统的过程，让我们看一看在这个例子中销售人员是怎样利用需求—效益问题来达到这些目的的：

卖方：（需求—效益问题）……那么您对长途电话费用的控制方法有兴趣吗？

买方：有，当然有，这是我现有的问题之一。

卖方：（需求—效益问题）过一会儿我也想了解一下其他问题，刚才您说对控制长途电话的费用很感兴趣，为什么这对您那么重要呢？

买方：现在在控制网络费用方面我有很大压力。如果能减少长途话费，这当然会对我有帮助。

卖方：（需求—效益问题）如果允许一些人可以打长途而限制另一些人不可以打长途来控制长途电话费能实现的话，就对您会有帮助吗？

买方：是的……这当能防止我们现在许多超额的长途费用，这些超额的费用中很多都是没经过允许就使用的。

卖方：我们回去以后可以制订一份您刚才提出的电话系统的报告吗？（需求—效益问题）我可以假定您也希望这种状况有所改观吗？

买方：是的，当然可以。这对我会有很大的帮助。

卖方：（需求—效益问题）是不是因为这将为您提供一种计算电话费用的更好的方法？

买方：是的，您想，如果我们能区别打电话的部门，就可以让它们自己支付电话费用。

卖方：（需求—效益问题）我明白了，还有没有其他的要求？

买方：没有了，我认为可以单独计算各部门的费用是最重要的。

卖方：（需求—效益问题）这当然重要……但您不认为了解接听打进来的电话所需的时间以及接听那些没什么用的电话次数也很重要吗？

买方：这确实非常有用。

卖方：（需求—效益问题）对费用管理有用，还是对其他方面有用？

买方：不，我认为不是对费用管理方面有帮助。真正有帮助的是可以提高对客户的服务质量，这在做生意中很重要！这方面您可以帮助我们吗？

卖方：是的，我们可以。让我解释一下我们的设备是如何运行的……

在这段摘录的片断中，需求—效益问题成功地聚焦于为客户解决问题而不是单单注重问题的存在。更重要的是，客户开始向卖方解释他可以取得的利益了，说了一些类似于"真正可以帮助我们的是提高对客户的服务质量"的话。难怪我们的研究发现，包含需求—效益问题很多的会谈被客户誉为：

- 积极的
- 有建设性的
- 有意义的

需求—效益问题产生了积极而深远的影响，这就是为什么我们发现需求—效益问题在依赖于与客户保持良好关系的生意中与销售成功息息相关的原因。

需求—效益问题降低了被拒绝的几率

在简单的生意中，产品和它所能解决的问题之间普遍有一种很容易理解的关系，很可能对策与问题是一一对应的。例如，一个人担心公司的重要文件会遭受火灾，而这个问题完全可以用购买一个防火的文件柜来解决。

但随着生意不断扩大，问题与对策之间的相对应性就变得不是那么容易理解了。大订单销售中的问题也有许多方面，提供给客户的方案应该是可以解决所有这些问题，而不是解决其他什么别的不相关的问题。例如，生产率很低就可能由许多种因素造成。当提出了解决办法时，你就很可能要面对客户更注意没有解决的问题的风险。当有这种情况发生时，客户有可能对整个解决方案提出质疑，如下面例子所示：

卖方：因此，你的主要问题是在技术实验中所用的材料有很高的排斥率。我们新的材料使用简便，可以使排斥率降低20%。

买方：（提出异议）等一等，排斥率高并不仅仅是材料的原因，还有许多其他因素，例如生产过程中的温度和显影剂的氧化，所以不要仅仅给我使用简便的材料这一种解决办法。

这是怎么回事？潜在客户提出异议是因为销售人员的解决办法仅仅解决了问题中的一个方面。在销售人员推介自己产品的同时，也促使潜在客户提出了产品其他方面的问题并且拒绝了销售人员一直在努力说明的要点。

在大订单销售中，你试图解决的问题几乎总是由许多因素和原因组成的。因为你（或任何一个你的竞争对手）不太可能提供一种对策可以解决一个很复杂问题的所有方面，所以当你提出可以很完美地解决所有问题的一个方案时，对你是很危险的，这样做的结果只能是邀请你的客户提出要解决的所有方面。另外，很少有精明的客户会期待解决方案是完美的，更确切地说，他们只想知道是否可以以合理的价格解决问题的最主要方面。

因此，怎么可以做到即使是不能解决问题的每一个方面也能使得客户接受你的对策并认为它是有价值的呢？这就是需求—效益问题大显身手的时候了。如果可以设法让客户告诉你，哪一个对策对他来说最有帮助，那么你不会再受到拒绝。没有人喜欢别人告诉他什么对他们的部门和生意有好处，门外汉除外。如果客户被当作是专家，那么他们的反应会更积极。使用需求—效益问题，可以让客户向你解释你的对策可以解决问题的哪一方面。使用这种方法可以减少拒绝并且使你的对策更容易被接受，如下面的例子所示：

卖方：因此，你们的主要问题就是技术实验中所用的材料的排斥率很高。（需求—效益问题）从你所说的可以看出你最感兴趣的是能使排斥率降低的解决办法，是吗？

买方：是的，这是个大问题，我们必须采取行动。

卖方：（需求—效益问题）假设有一种便于技术人员使用的材料，这对你有没有帮助？

买方：这只是其中一个因素，但还有其他许多因素，例如生产过程中的温度和显影剂的氧化。

卖方：我们明白有许多因素，正如你所说，一种便于操作的材料是其中之一（需求—效益问题）。你可以解释一下这种材料对你有什么影响吗？

买方：它当然能减少在曝光阶段的排斥率。

卖方：（需求—效益问题）那么说它也就有一定的价值，值得去做？

买方：可能是这样，我不知道在这方面的确切损失是多少，只要能有所改善，与原来的有所区别就足够了。

卖方：（需求—效益问题）一种便于操作的材料还有其他好处吗？

买方：你们那些简洁的卡式胶卷盒不需要经验丰富的技术人员安装，这也许会有所帮助。如果我们有一种很容易控制的材料，那么助手也可以安装，技术员可以在冲洗阶段多花一些时间，这就使我们正面临的冲洗阶段的问题可以得到解决。嘿，我看我是喜欢上它了。

在这个例子中，销售人员使用需求—效益问题允许潜在客户解释得到的回报，于是对策很容易被接受了。

需求—效益问题能够训练客户进行内部销售

在小订单销售中，成功依赖于怎样有效地使你的销售对象信服，但在大订单销售中情况却不尽相同。随着决策的不断增大，更多的人加入进来，这时销售成功可能通常并不只是依赖于你怎样销售，而是取决于参与这笔生意的人之间是如何互相推销的。在小订单销售中，通常在整个过程里只有你一个人与另一个买方。但在大订单销售中通常可能有许多次销售会谈，而那些影响者和使用者最终会代表你去推销这些商品，而你本人却没有机会参加。

某生产控制企业一位经验丰富、功绩卓著的销售经理曾应一个公司的邀请去讲解他是怎样成功地把一台价值数百万美元的系统卖给了一家大的石油公司，他说："在大订单销售中切记，最重要的事情就是在销售的整个过程中你只起很小的作用。销售的真正开始是你不在场的时候，即当你的销售对象回去以后试图使其他人相信时。我相信销售成功的原因是我花了许多时间使与我交谈的人相信我所说的一切并且知道如何为我去销售。我就如同一部戏的导演，我的工作就是在训练，而当戏剧上演时，我并不在台上。销售中的许多人都想成为伟大的演员，我的建议是，如果你想做真正的大订单销售，就必须清醒地意识到，即使你是很出色的演员，在整个销售过程中你在台上的时间也只是很少的一会儿，除非你演了剩余所有的角色，那么这次表演将会是很失败的。"

大多数有过大生意经验的销售人员都会同意这种分析。显然，许多生意是即使你不在场时也继续进行的，因此你为你的负责人准备越充分，他们就越能使他周围的人信服他。问题是：训练客户的最好方法是什么？怎样才能让他们最有效地为你去销售？下面是一个关于潜在客户如何在他们内部进行销售的典型例子的摘录：

卖方：这个系统的另一个好处是能降低库存水平。

买方：非常好，这正是我们需要的，明天我要与财务部经理沟通，到时我会向他提起此事。

卖方：请告诉他，我们的系统还有附加的自动查账功能。

买方：查什么账？

卖方：它是一个新的、强有力的、能用文件证明并调整库存记录的方法。

买方：啊，好的，我会告诉他。

卖方：告诉他，在思尼公司，这套系统使其库存成本降低了12%。

买方：是因为这种自动查账功能吗？

卖方：是的，通过控制销售季节性的高峰，我们还可以做的更好。你会告诉他的，是吗？

买方：……明天对他来说是一个坏日子……会议的议题是关于商业区的仓库租金，我会见机行事的。

即使这位买主真的对财务部经理说了，会有什么效果吗？结果很可能是失败，因为潜在客户对产品并不是很了解，所以他不能给财务部经理一个很充分的解释。这种一知半解是很平常的。对销售人员来说，很难掌握所有销售高科技产品和服务时所需的技术和应用知识。同样，不能期望客户可以在一小时的时间里学会你用几个月时间掌握的知识。

可是，如果客户并不是十分了解你的产品，以至于不能有效地为你推销，那该怎么办呢？当然，最理想的莫过于让客户带你参加该公司的每一个会议，但这在现实生活中并不切合实际。值得注意的是，客户也许不愿意让你直接与高层决策者接触，从而让他失去控制局面的权力。还有就是，你根本不可能参与销售对象公司内部的每一次“销售”对话。在一个复杂的购买中，不同的人之间可能有几十次讨论你产品的谈话。即使你的客户允许，你也不可能拿出那么多的时间参与每次讨论。

在大订单销售中，有一个毋庸置疑的事实，那就是销售的主要部分（也许是绝大部分）可能是你不在时由你的内部支持者来完成的。这使我们又回到了如何使你的客户能准备充分，然后代表你去销售的问题上了。在这方面，需求—效益问题又有了一种特殊的用途。在下面的例子中，销售人员使用需求—效益问题可以使潜在客户在与之谈话后最终帮他进行销售：

卖方：这个系统的另一个好处是能降低库存水平。

买方：很好，这正是我们所需要的，明天我要与财务部经理沟通，到时我会向他提及此事。

卖方：（需求—效益问题）您说这正是您所需要的，更低的库存水平对您有什么好处呢？

买方：显然，最主要的是能降低成本。

卖方：（需求—效益问题）降低成本对您的财务部经理来说是很重要的好处吗？

买方：是的，但不是最重要。在我看来，还有另外更重要的。在明天的会议上我们会再检查一下商业区的仓库。仓库租金很贵，我们的总经理想关闭它并且合并那儿的库存。但我们在这一带并没有足够的存储空间。如果你的系统可以使这儿的库存降低5%，那么我们就可以关闭商业区的仓库了。

卖方：（需求—效益问题）这可以帮您节约资金吗？

买方：一年大约可以节约25万美元。如果你在这方面有办法帮助我们，我会设法在会议之前与总经理谈个15分钟。

请注意，在这个例子中销售人员使用需求—效益问题使潜在客户描述了解决方案可以使他得到的利益。销售人员这样做可达到几个目的：

●买方的注意力集中于解决方案如何起作用，而不像以前的那些例子中只是注重产品。我已经说过了，买方不可能对你的产品了解很深以至于可以很令人信服地向其他人进行说明，但买方对他们自己的问题和需求非常了解。需求—效益问题注重买方最了解的问题领域：他们自己的生意，特别是你提出的解决方案对他们会有怎样的帮助。当买方对公司中的其他人谈起你的产品时，是站在需求的立场上，而不是只说产品本身，这就能很令人信服并且能最大限度地帮助你。

●买方向卖方说明可得利益。如果你能使买方向你说明所提供解决方案的价值，这对于他们将来向其他人说明是一个很好的练习。使买方积极地描述利益比你描述相同的内容而买方消极地听效果更好。

●当买方感觉他们的主意正是解决方案的一部分时，他们就会更加信任你的产品并且对此充满热情。这是当你不在讨论现场，他为你销售产品时所需的最好品质。

总的来说，需求—效益问题注重解决方案而不是问题本身，这些问题使客户告诉你他可以得到的利益，所以非常重要。需求—效益问题在大订单销售中也是特别有利的销售工具，因为它们也增加了解决方案被接受的可能性。同样重要的是，在大订单销售中，成功依赖于客户代表你而进行的内部销售。需求—效益问题是训练客户的最好方法，这样客户可以替你做出说明而使别人信服。

暗示问题与需求—效益问题的区别

暗示问题和需求—效益问题都能使隐含需求转变为明确需求，而且它们的目的也相同，所以很容易混淆。分析下面摘录的这个销售过程中的问题，看一看你是否清楚它们之间的区别：

暗示问题还是需求—效益问题

1. 卖方：现在，系统运行缓慢对生产的其他领域会造成瓶颈影响吗？

买方：会的，主要是在准备阶段。

2. 卖方：准备阶段是你想要提高速度的领域吗？

买方：是的，我们在准备阶段花费了太多的时间。

3. 卖方：因为这类工作是劳动密集型的，超出原定时间的那部分时间意味着要增加很大的成本？

买方：很不幸，是这样的。

4. 卖方：在像这样低利润的生意中，成本增加对你们的竞争有什么影响？

买方：对竞争没有任何帮助。

5. 卖方：因此，你想看到的是准备时间的减少？

买方：这当然会使我们更具竞争力。

6. 卖方：还有其他可以给您帮助的方法吗？

暗示问题是例 1、例 3 和例 4，例 2、例 5 和例 6 是需求—效益问题。如果你发现很难判断哪个是暗示问题哪个是需求—效益问题，那也不必惊慌。首先，即使是哈斯韦特公司的员工也觉得这很难。在研究的早期阶段，我们也经常遇到这样的问题，不能确定它到底应属哪个范畴。我们把这些例子写在办公室的一块大黑板上，时不时就会聚在一起讨论这些很难的归类问题，直至确信我们有进行这项研究所需的严格区分标准。

有一次讨论时，一个小组成员的 8 岁儿子到办公室接他爸爸下班。我们正在讨论黑板上的例句，试图区分哪一个是暗示问题哪一个是需求—效益问题。那孩子盯着黑板看了一会儿说："那个，那个和那个是暗示问题，其他的都是需求—效益问题。"我们大吃一惊，因为我们的结论与他说得完全一样，但我们却用了半个小时。

"你是怎样判断出来的？"我们问。

"很简单，"他说，"暗示问题总是很悲伤，需求—效益问题总是很愉快。"

他说得很对，8 岁儿童的发现我们最后称之为昆西规则。用更成熟一点的方式来说，暗示问题是以困境为中心，它们使问题显得更严重，这就是为什么它们让人感觉很悲伤。需求—效益问题却恰恰相反，是以解决方案为中心（如图 4-9），致力寻找解决问题的意义和价值，这也就是它们会让人感觉很愉快的原因。

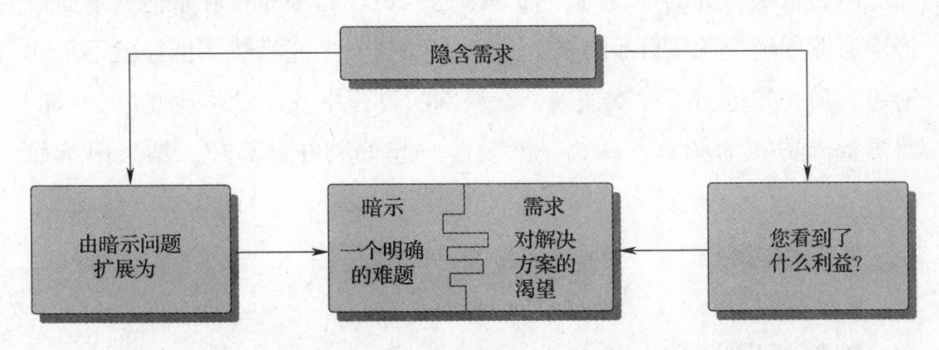

图 4-9 暗示问题的中心是困境；需求—效益问题的中心是解决方案

> **SPIN® Tips**
>
> 暗示问题以困境为中心，而需求—效益问题以解决方案为中心。

那些从事大订单销售的资深销售经理，如果知道我们教他们的销售人员先问令人悲伤的问题再问令人愉快的问题，也许会产生一种错觉，特别是如果他们知道这是一个八岁的孩子提出的办法时，我想其结果一定是我们永远也不能使昆西规则推广开来。如果你对上一个例子中的问题区分得还不是很明白，那么用昆西规则再试一次。我想你会同意暗示问题（例1、例3和例4）的确比其他的问题让人感觉难过。

回到开放型问题和封闭型问题

第1章章尾部分，曾介绍过哈斯韦特公司研究小组的发现，即传统的开放型提问和封闭型提问模式在大订单销售中不起什么作用。我相信许多读者都接受过有关开放型提问和封闭型提问的培训，这就使得他们很难接受和相信我们的结论。现在我可以给你讲一件事情来证明为什么旧有的开放型提问和封闭型提问的区分不如其表面看起来那么有用。

我曾在一个规模很大的高科技公司进行过一项销售管理培训的研究。作为这项研究的一部分，我与销售人员一起工作，观察他们是如何将培训课程转变为实际操作的。一天，我与一个充满热情但经验不足的销售人员一起进行了一次谈判，在谈判的过程中我记录了他使用SPIN®四类提问方式的频率。从第一次与她一起谈判开始算起，结果记录如下：

- 背景问题　35
- 难点问题　0
- 暗示问题　0
- 需求—效益问题　0

正如我们所知，背景问题与销售成功毫无关系：问得越多，成功的可能性就越小。可以预知，随着谈判的进行，买方开始变得厌烦，然后就变得没有耐心，最后让我们出去。事后，当我们坐电梯下楼时，那个销售人员过来征求我的意见，“在这次谈判中我试图多问一些开放型问题，”他解释道，“你认为我成功了吗？”我不得不回答说除非他问一些对客户有影响的问题（例如难点问题和暗示问题），否则，他的问题是开放的还是封闭的似乎没有什么区别。让人感到很难过的事实是：只停留于提问一些背景问题的谈判几乎不可能成功。我猜想像他这样的销售人员有成千上万个，勇敢而又努力地去领悟开放与封闭问题间毫无意义的区别。真希望他和其他的那些人能明白，一个问题的效力在于其对客户的心理而言是否有重要意义，而不在于问题是开放的还是封闭的。

SPIN® Tips

提问技巧不在于问题本身，而在于提问是否对客户心理造成影响。

SPIN®提问顺序

对客户来说，提问是很重要的，这就使得SPIN®式的效率非常强大。提问顺序直接影响到购买过程的心理。如我们看到的，买方的需求明显地从隐含需求转变为明确需求。SPIN®的提问顺序犹如为销售人员提供了一幅交通图，引导谈判的需求发展，直到目的地即明确需求（如图4-10）。从买方那儿得到的明确需求越多，销售会谈就越有可能成功。

让我们简单地回顾一下整个SPIN®提问顺序，并且观察一下它的用途。最重要的是不要只把SPIN®看作是一个僵化的公式。如果用固定不变的模式去销售，那注定是彻头彻尾的失败；相反，应该只是把SPIN®这种模式看作是成功销售人员如何探索顾客需求的大体思路，把它当作一种指导方针而不是一个一成不变的机械公式。

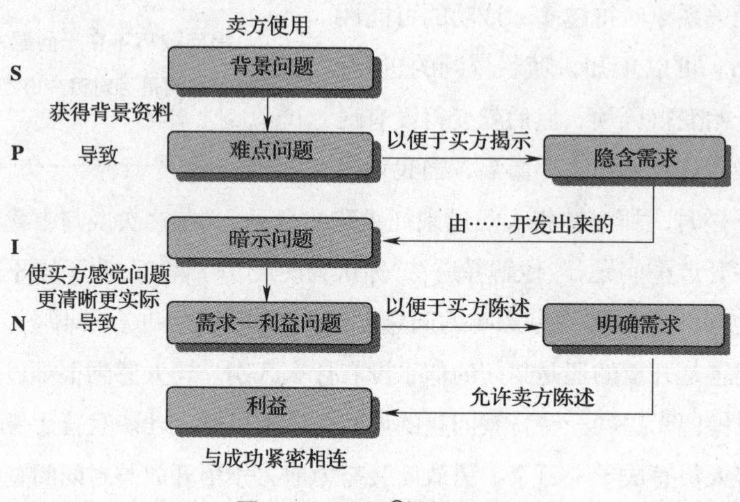

图 4-10　SPIN®提问顺序

总的来说，我们对提问技巧的研究表明，成功销售人员应该使用下列提问顺序：

1. 最初，他们提问背景问题去获得一系列背景资料，但他们并不过多地提问背景问题，因为这样会令买方厌倦和愤怒。

2. 接下来，他们会快速转入难点问题，以求发现问题、困难和不满。通过提问难点问题，发现客户的隐含需求。

3. 在小订单销售中，这时提供解决问题的方案可能是很合适的，但在成功的大订单销售中，卖方会乘胜追击，开始提问暗示问题，使得隐含需求更大、更急切。

4. 一旦买方认同问题已经严重到必须要采取合理的行动时，成功销售人员就会提问需求—效益问题，以便鼓励买方注重解决方案并且描绘解决方案可以带来的利益。

这就是 SPIN®提问顺序。

当然，它并不总是按照这个顺序发挥效力的。例如，如果一个客户在会谈开始时便给你明确需求，那就可以直截了当地提问需求—效益问题，让买方谈一谈所提供的利益是怎样适应他的需求的。有时，当正在开发一个问题和正在了解它暗示的需求时，你可以通过提问背景问题了解更多的背景资料，但在大部分会谈中，提问都自然而然地遵循 SPIN®提问模式的提问顺序。

当介绍这四种简单的问题时，许多有经验的销售人员说："我可以告诉你，这是连 100 万美元也不需要的一项研究。它仅仅是有明显的普遍意义。"当然，他们是对的。我们发现这种模式是通过观察成千上万成功销售人员而得出来的，因此，SPIN®提问模式对成功销售人员能立即表现出很明显的作用，这并不令人惊讶。我并不喜欢把 SPIN®提问模式夸大为销售的革命性发现和突破。当许多成功人士在生意进展很顺利、心情很好时，能够把它当作是一种有效的方式想起来这也就已经很好了，这就是本书的目标所在。

让我邀请你一起想想你最成功的一次销售会谈吧。它是否很自然地遵循 SPIN®提问顺序呢？你是不是以询问顾客的背景开始的？可以预见你是由背景问题开始的，但很快你转入讨论客户存在的问题。你是怎样做的呢？提问难点问题。想想你最成功的会谈，你会回忆起随着与客户谈话的进行，问题似乎变得越来越大，越来越紧急。为什么会有这种情况发生？可以断言，你已经使用了暗示问题把存在的难点发掘了出来。最后，在最成功的会谈中，你告诉客户他可以得到的利益了吗？客户是不是开始兴奋，然后告诉你，像这样说，"嘿，另一件你可以帮我的事是……"。在大多数我成功的销售中，正是客户告诉我他可以得到的利益的。这是怎么回事？因为我使用了需求—效益问题，我深信这也正是你在成功销售中的所做所为。

因此，你很可能在你最有效的销售中已经运用了 SPIN®提问模式。SPIN®不是异军突起或出乎意料的，它的强大力量在于把一个很复杂的过程转为用很简单、很精确的方式描述出来。结果，它帮助你看清了你正在做什么以及帮助你很准确地找到你最需要实现的目标区域。

SPIN®提问顺序的运用

SPIN®问题的应用

要想有效地提问 SPIN®问题，在销售刚开始时你就要承认在销售过程中你的角色就是问题的解决者。客户的难题或隐含需求是每一笔生意的核心。这些年以来，因为很清楚地认识到这个简单的事实使我获益匪浅。每次当我开始一笔生意之前我都会问自己："我能为这个客户解决什么问题？"对于所能解决的问题，我了解得越清楚，在讨论过程中就越容易提问有效的问题。

有一个很简单的技巧可以帮助你制订谈判策略及规划所提问的问题：

●在开始会谈之前，写下三个客户会有的你的产品或服务可以解决的潜在问题。

●然后，更具体的一步是针对你找出的每一个潜在问题写出它可能包括的难点问题。这样，在会谈的过程中你才可以按部就班、有的放矢地问出有效的问题。

不仅我一个人发现在会谈前列明问题是非常有益的。柯达公司一位有经验的销售人员曾写信给我："我从事销售工作已经 20 多年了，当你提议每次拜访前最好列一个问题范围大纲时，我认为它太简单了，不值得我去做。但我还是试着去做了，结果证明了这样做对理清我的思绪非常有意义，使我迅速又成功地通过了销售的早期阶段。"其他人也发现这种简单的提议很有好处。试一试吧！用这种方式，你很快会发现隐含需求，同时也可以帮你不去花太多的时间去问那些没有必要的背景问题。

许多销售人员发现，暗示问题比背景问题和难点问题难问。在每一个我们研究的例子中，20 个问题中只有一个是暗示问题。似乎暗示问题虽然威力很大，但人们在使用它们时的确有一定的难度，但有一个很好的证明（如果你有所怀疑，那看一下附录A），即如果你多问一些暗示问题，那么你的会谈会更成功。我们能提供什么有实际意义的建议来帮你更多、更有效地使用暗示问题呢？为什么这个问题如此重要而人们却很少问它呢？从我们的经验来看，主要原因是他们事先没有做好计划。这儿有一个很简单的方法可以帮您策划暗示问题。

怎样策划暗示问题

1. 写下一个客户很有可能有的难题。

2. 然后问你自己，这个难题有可能引出什么相关的困难或困境，写下来。把这些困难看作是难题的暗示，特别注意那些有可能比原来问题更严重的暗示。

如图4-11所示，例如，一个销售人员策划一次会谈，已经总结出“现有的设备很难操作”是一个潜在问题，然后又想起四个相关的困难和困境，其中之一是缺少可以熟练操作设备的人员。

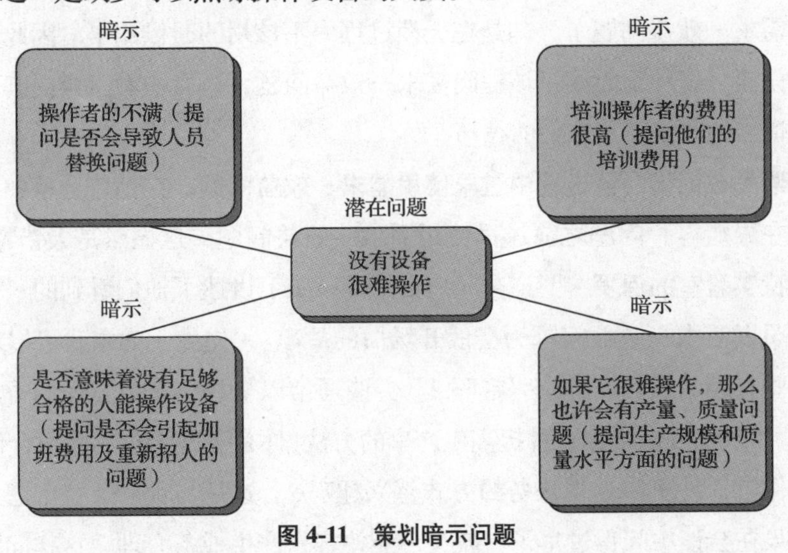

图 4-11 策划暗示问题

3. 找出所有的困难后，写下每一个困难的暗示问题。如图4-11所示，销售人员注明熟练操作人员的缺少揭露出的一个暗示问题就是：加班费用和重新招募人员的困难。

这是一个非常简单的方法，但它却能起到很大的作用。即使是我们研究过的最精明的人也都发现，除非事先策划好提问什么暗示问题，否则就很难在现场提问出来。无论用我们的简单方法还是用你自己精心设计过的方法，基本原则都是相同的。好的问题不会在你与客户谈话时自动跳入你的头脑中，除非事先策划好如何提问，否则在会谈时你不会想起暗示问题。

有效地使用需求—效益问题

需求—效益问题是那么的简单和有效，以至于在每一次销售会谈中你都会发现，它们是必不可少的一部分。没有其他任何类型的问题可以对客户产生如此始终如一的积极影响。令我们惊讶的是，在我们研究过的销售会谈中，几乎一半的会谈过程中销售人员根本没有使用任何需求—效益问题。似乎人们感觉暗示问题很难，但更糟的是，一般的销售人员的确是使用了需求—效益问题了，却是在会谈过程中不该用的时候用了。因此，让我们先谈一谈什么时候不该提问需求—效益问题，再看一看怎样提高在会谈中适当的时候使用它们的技巧。

避免在销售会谈过程中过早使用需求—效益问题。在销售会谈中，一些人在弄清客户问题之前过早使用需求—效益问题，这显然是大错特错。阿伯特实验室的保罗·兰道尔（Paul Landauer）讲述了他们看到的一个销售人员以需求—效益问题为会谈开场白的故事。“先生，如果我可以给你看一些有趣的东西，你有兴趣吗？”会谈通常以一种不是很古怪的方式开始。“如果我可以给你一种提高生产率的方法，你是不是会与我公司合作？”或“你对一种更快处理账务的方式感兴趣吗？”这是需求—效益问题，但是如果在会谈中问得过早了，就有可能使客户产生戒备心理，这样问题就不起作用了。成功销售人员都是在提问需求—效益问题之前先发现、发掘并扩大客户的需求。我建议你也这样做。

避免在你没有答案的方面使用需求—效益问题。不幸的是，效率很低的销售人员之所以提问需求—效益问题失败，那是因为他总是在不该问的时候问，也就是问的时机不对，例如：

买方：（明确需求）我需要一台双面复印的设备。

卖方：（他的设备不能双面复印）你为什么需要双面复印？

买方：（解释需求）因为这样会降低我的用纸成本。同时如果我们邮寄时使用双面复印的文件，这就会使重量较轻，可以减少邮寄费用。还有另外一个原因，那就是我们不想要那么多文件柜占太多的空间，这很重要。

这个销售人员提出了一个需求—效益问题："为什么你需要双面复印？"，如果销售人员能满足这种需求，这就是一个极好的问题，因为他鼓励客户说明双面复印的好处。但是，对于这个销售人员来说，他只能提供单面复印的设备，那么这就是最不应该问的问题。这个例子中，需求—效益问题的结果是，客户的需求不断增长，而卖方却无法满足！

我们中的许多人都会时不时地落入这个陷阱，那就是通常会问一些我们不能满足的需求问题多于提问我们可以满足的需求问题。我相信你问的是最明显的问题——"你为什么想这样做"——当你的一个客户提出了你们没有能力满足的需求时。然后客户告诉你为什么这种能力如此重要，而这么做的同时也加强了他需求的心理。

最不应该问需求—效益问题的时候是你不能满足客户的需求时，相反，最好的时机是你可以满足他的需求时。然而，可笑的是，这正是许多人很少问需求—效益问题的时候。在上面这个例子中，如果销售人员能提供一个双面复印的设备，你认为他会不会问需求—效益问题呢？恰恰可能是不会。我们的研究发现，当卖方不能满足客户的需求时，卖方最好的对策不应去问需求—效益问题，而应该开始谈解决办法了。

隐含需求要求有仔细的策划。除非你花许多时间，付出很多耐心与努力，否则提问技巧不会有所提高。与此同时，我们看到一些人很戏剧性地提高他们的技巧是通过简单的实际练习，不断加强提问的意识，最后提高了需求—效益问题的提问技巧。下面是一个简单的练习，可以帮你练习如何提问需求—效益问题：

1. 让一个朋友或同事帮助你。你选择的这个人不必知道任何关于销售的事，我的儿子就曾经是我练习时的“受害者”。

2. 选一个你认为其他人会有的需求为题目。例如，你可以选择谈论一种新车、一段假日、工作变更或——如同我儿子的例子——一部摄像机。

3. 通过问需求—效益问题与其他人一起讨论你们谈论题目的利益。例如，在我的练习中我问儿子类似于下面的这些问题：

- 为什么你认为有一台摄像机很好？
- 他们能做什么目前我们做不到的事？
- 如果我们买了一台摄像机，家里的其他人会高兴吗？
- 与高倍速相机相比，你认为它在价格上有什么优势？

当你做这类演习时，注意以下两点：

1. 如同在现实生活中一样，这会很明显地激发出“客户”的热情。施乐公司的销售人员曾告诉过我，他与他的一位朋友做过这种练习。一周后，他的朋友真的买了一辆新车，朋友向他解释说：“你的问题真的使我相信应该买一辆新车。”需求—效益问题的威力通常在这些简单的练习演示中也可以看出来。

2. 暗示问题倾向于很具体的、特殊的客户问题，而需求—效益问题则是普遍性的常规问题。许多你在演习中使用的问题在真实的销售会谈中同样也可以用。有许多一般性的需求—效益问题，例如：

- 为什么它那么重要？

- 这会有什么帮助？
- 如果……会有用吗？
- 有没有其他可以帮你的方法？

在很安全的情况下先做一些类似的练习，然后在真实的销售会谈中试一试。我想你会惊诧于它们的有效性。

第5章

大订单销售中的能力证实

第4章介绍了SPIN®模式能为销售会谈的需求调查阶段提供一种强有力的提问框架，本章更多是想介绍哈斯韦特公司在能力证实阶段的研究中发现了什么（如图5-1）。

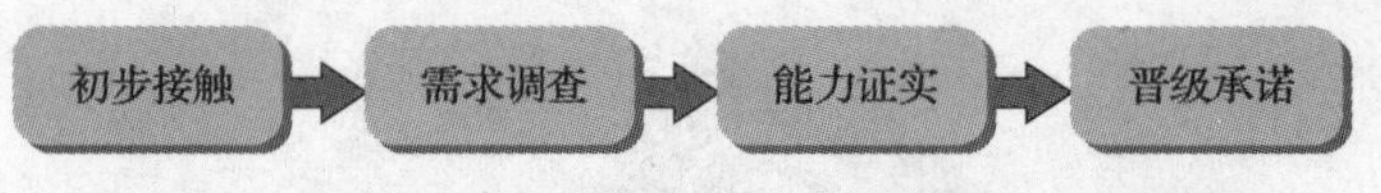

图5-1 证实能力阶段：向客户提供你的解决方案和能力

特征和利益：能力证实的最基本方法

销售方面的培训课程和书籍都对能力证实给予了极大的关注。自20世纪20年代以来，向客户提供解决方案的方法比提供其他什么更有说服力这一点已被世人所认同。在过去的90年中，凡是接受过销售培训的人都有可能被告知描述产品和服务的两种方法是：说明特征和利益。似乎没有什么必要把产品的特征当作一种事实来解释，即使解释也不一定有什么说服力。反之，发掘利益（即证实产品的特征可以帮助客户）却是描述产品时一种有说服力的方式，对于上述观念，我们大家都已很熟悉了。如果给我们一次机会去证实销售领域传统智慧结晶的真伪，我想我们最希望研究的就是特征与利益了。

但是，我们又陷入了一种进退维谷的境地。利益，很多人告诉你要使用的一种方法，在大订单销售中却是无效的，且很有可能引发顾客的消极反应，甚至有些如解释利益定义一样简单的事其实都比它们表面看起来要难得多。在看结论之前，让我们先复习一些基础知识。

什么是特征

似乎每一个人都知道特征是什么。特征就是产品或服务的事实、数据和信息，如："这个系统有512K的存储缓冲器"、"四阶段的爆破控制"、"我们的顾问精通教育心理学方面的知识"等。特征，如同20世纪20年代以来被每一个作者评述的那样，是没有说服力的。特征给的是很中性的事实，因此，对于介绍你所售的产品没有多大的帮助；另一方面，特征的介绍似乎也不会对销售造成什么负面影响。

我们的研究得到了什么结论？从 18000 个销售会谈中使用的特征来分析，我们发现（如图 5-2）：

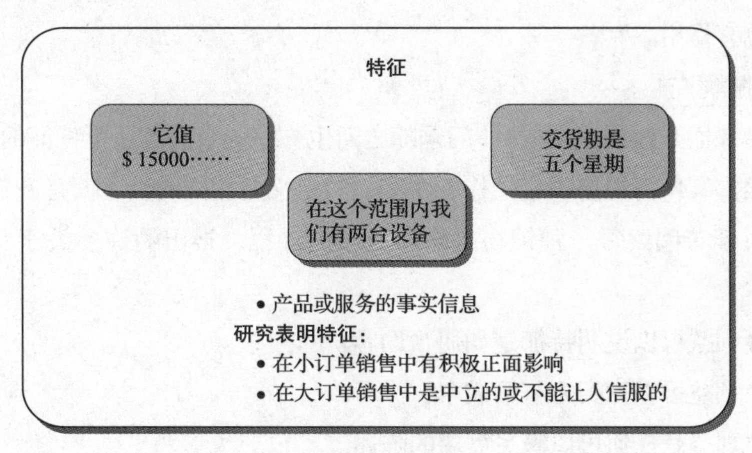

图 5-2 特征

●总体来说，特征的使用在不成功的销售会谈中会高一些（你是否还记得那些导致暂时中断和没有成交的特征）。但对我们来说，要想下结论说传统智慧的结晶是对的（特征是中性的），这点区别还是太微乎其微。特征介绍对会谈没有什么帮助，但同时它们也没什么不利的影响。

●在小订单销售中，特征的使用与销售会谈的成功之间有些积极联系，因此会谈中特征较多的产品似乎更能以订单成交或以进展晋级为结局。在大订单销售中这种关系就不正确了。

●在大订单销售中，会谈时特征使用过早会有消极影响，使用过晚则没有什么影响。

●使用者对特征的反应要比决策者对特征的反应更积极一些。

●在复杂的高科技产品的销售过程中，客户有时会出现一种"特征欲望"。当这种情况出现时，客户需要相当多的产品细节并且对特征有很积极的反应。在销售周期中的这个阶段，技术专家、系统分析员和其他的销售支持者们提供的产品特征对客户都会产生很大的积极影响。

我们还发现，在特征的使用和客户的反应类型之间有着不同寻常的关系，下一章中我们会进一步说明。总体来说，我们对特征的研究证实了90年以来作者们一直在写的内容：特征对销售只起很小的作用，利益比特征更有作用。

什么是利益

当我们开始研究利益时，问题随之而生。每一个人都认可特征的定义，但居然没有任何销售书籍的作者对利益的定义是相同的。下面是我们经过一个月辛苦阅读每一种销售书籍以及培训课程，得出的许多关于利益的定义：

- 利益可以说明特征是如何帮助客户的。
- 利益可以为买方节约成本。
- 利益是任何可以满足需求的陈述。
- 利益应该能吸引买方的个人需求，而不是吸引买方的组织需求。
- 利益必须是你能提供而竞争对手不能提供的东西。
- 利益使人有购买动机。

还有许多此种类型的定义，一些定义强调经济因素，一些注重个人的兴趣，另一些人接受任何关于利益的详细陈述，例如解释它是如何使用的。我个人比较满意的是霍尼韦尔公司（Honeywell）一位销售经理告诉我的：“利益就是你对客户说的比特征更巧妙的东西。”

哪一个定义正确？这些定义中的哪一个比其他的更好？只有一个最有效的测试方法：在这些相互区别的定义当中有一个对客户有最积极的影响，那它就是最好的。这么多的利益定义中是否有一个在成功销售会谈中比其他的出现频率更高？通过观察销售会谈，我们的研究小组对不同类型的利益在成功会谈与失败会谈中使用的频率进行了测试。对六个不同的定义进行了初步的测试后，我们选择两个作为我们主要的研究测试目标：

A类型的利益：这个类型的利益表明一种产品或服务是如何使用或如

何帮助客户的。

B 类型的利益：这个类型的利益表明一种产品或服务如何满足客户所表达的明确需求。

我们选择 A 类型的定义是因为在比较完善的销售培训计划中它是经常涉及的。这本书的大部分读者都可能接受过 A 类型利益的培训。与之相对照的是 B 类型的利益，它是我们自己的定义。我们是在观察了几百个在大订单销售中表现出色的销售人员的销售会谈过程，并分析了他们对客户所做产品类型的陈述后才选择了它。

乍一看，这两种利益的定义似乎很相似，然而，他们对客户的影响却有极大的不同，因此，很有必要讨论一下它们区别。例如，假设我正在向你推销一种计算机系统，我说：“我想你需要一种类似于我们 Suprox 设备的 32 位系统，如果用于绘图，那它的速度比原来的系统快得多。”这个陈述是属于 A 类型还是 B 类型？这不会是 B 类型，因为我假设你需要速度更快的绘图系统，而你并没有实际表达有绘图的需要，更没有说需要运行速度更快的系统。

看看另外一个例子，你告诉我现有设备的可靠性有问题，我回答道：“因为我们设备使用的是的可靠性很高的新一代零部件，这可以解决你现有设备的可靠性问题。”这是什么类型的陈述？当然，这次你表达的是一种需求。告诉我现有的设备不可靠，但是你是否已经表达了一种明确的需求呢？没有，你现有设备可靠性问题是一个隐含需求（一个问题、困难和不满），因此，我的陈述迎合了隐含需求，而不是明确需求。我们再一次把它归为 A 类型利益定义，而不是 B 类型利益定义。

这种区别的重要性何在？研究测试中发现，A 类型利益定义在小订单销售中与销售成功息息相关，但在大订单销售中与成功只有微小的联系（在本章后半部我们会解释个中原因）。与之形成鲜明对比的是，B 类型利益定义在所有规模的订单销售中与销售成功都有很紧密的联系。

不知你怎样，但就我个人来说，我感觉分清标有 A 或 B 的东西哪个

SPIN® Tips

关于产品的特征、优点和利益陈述，各有其妙用，互不相同。

是哪个是一件很难的事。不仅仅是我一个人在区别A类型的利益和B类型的利益时会把它们混为一谈，因此，我们很快决定用更有描述作用的名称来代替A类型和B类型以避免更多的困难。我们称A类型为"优点"，B类型利益与销售成功联系紧密，因此我们保留了"利益"这个名称。

这样，从我们的研究中逐渐显露出来的是陈述的三种类型（或行为），凭借它们，你可以证实能力，如图5-3所示。很重要而且有必要记住的是：如果在过去的20年中你接受过销售培训，你可能已经学会了使用许多类型的利益或优点。如图5-3和图5-4所示，优点在简单的小订单销售中比在大订单销售中更有效，这也将是这本书的主题。

行为	定义	影响	
		小订单销售	大订单销售
特征	描述事实、数据、产品特点	轻微的正面影响	中立或轻微负面影响
优点（A类型利益）	表明产品、服务或他们的特征如何使用或如何帮助客户	正面	轻微正面
利益（B类型利益）	表明产品或服务如何满足客户表达出来的明确需求	极其正面	极其正面

图5-3 特征、优点和利益

显然，你会有把我们用的以及你在过去学过的利益定义混在一起的经历。与我合作过的大部分销售人员讨厌避重就轻地回答关于定义的事，我并不责怪他们。但在这个事例中，定义极为重要。例如，在附录A中记载的对摩托罗拉（加拿大）公司生产效率的研究就表明，擅长运用利益的销售人员比喜欢用优点的销售人员的业绩增加了27%。这不是避重就轻的回答。当这个定义是针对客户最有影响的陈述总结出来时，那我们就不仅仅是在玩文字游戏了。因为特征、优点和利益之间的区别是如此重要，所以我愿意让你有一个机会通过做下面的练习，测试一下对它们的理解程度，看看你是否能从下面10个产品陈述中分辨出哪个是特征哪个又是优点和利益，然后与这章末尾给出的答案核对一下，看看你的答案是否正确。

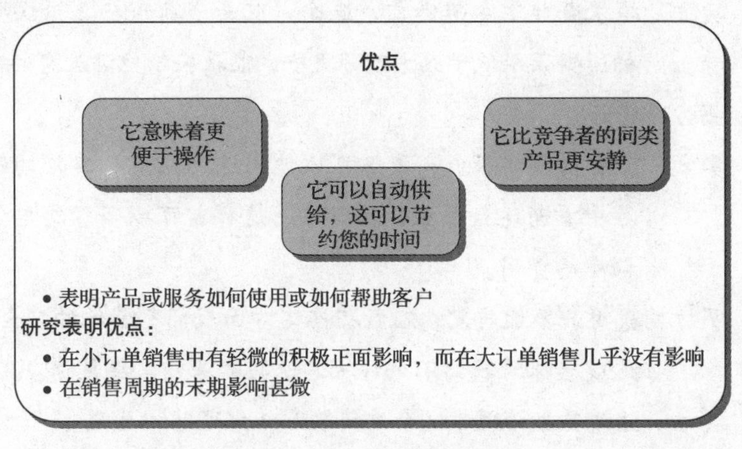

图5-4 优点（A类型利益）

产品陈述的类型是特征、利益还是优点（答案见本章附录）

1. 卖方：这个系统的另一个功能是它可以平稳电压。

   买方：噢，那能起什么作用？

2. 卖方：它可以使您不受电流波动的影响，那么，即使有电压的变动也不会丢失有价值的数据。

   买方：这没有必要。这幢大楼的电线装置是针对科研用途的，所以已经装备了电压保护装置。

3. 卖方：我相信你会发现备份存储系统是有用的，这就意味着即使是由于操作错误，使系统关闭也不会丢失有价值的数据。

   买方：它大约多少钱？

4. 卖方：基本核心系统价值78000美元。

   买方：与我们的光盘版本相匹配吗？我需要那种直接可以把原始数据读入存储器的系统。

5. 卖方：是的，您可以不用任何转换就读入您当前的数据，因此，如果您想直接将数据读入存储器是完全可以做到的。

买方：那非常好，错误率怎样？我一定要它能控制在十万分之一以内。

6. 卖方：结果会非常令您满意，这个系统是当前市场上错误率最低的，错误率低于五十万分之一，能很轻松地满足您的需要。

买方：很好。

7. 卖方：由于错误率很低，您也可以使用这个系统从其他的程序资源中重新运行并且修改数据，这样就可以节约您单独鉴定程序的费用。

买方：我对此不能肯定，在数据鉴定方面我们有其他的安全措施，这就意味着我们不允许从其他的资源处采集数据。

8. 卖方：说到安全话题，这个系统装有八级可能的代码。

买方：他们是用户可以控制的吗？

9. 卖方：五级是，其他三级是随机的或定时的。

买方：定时的？

10. 卖方：是的，您看，对于像您这样的大公司，定时系统的最大优点就是可以同时并自动地在操作时间选择可用代码，这就意味着您的操作者不必记住新的代码，而其他人也不可能介入。

现在你对我们使用的相当特殊的专业术语（优点和利益）已经很熟悉了，让我们在以后进一步研究并证实它的更多细节。

特征、优点和利益之间的相互影响

特征、优点、利益对销售会谈的影响

我已经说过了，优点的陈述用来表明产品是如何使用和如何帮助客户的，它对小订单销售的正面影响比对大订单销售的正面影响要大得多。为什么？对大订单销售影响那么小似乎很奇怪，最有可能的答案应回到第4

章中我们对简单小订单销售的评述中去找。记住我曾经向你证明：在小订单销售中通过使用背景问题和难点问题揭示隐含需求并且提供解决办法是多么的成功。

这些解决办法在术语特征、优点和利益中又是什么呢？它们不会是利益，因为我们已经知道如果你注重客户表达的明确需求，那你只能获利，所以它们一定是特征和优点。我们已经看到在大订单销售中为隐含需求提供解决方案并不起什么作用，因此，在小订单销售中相当有效的特征和优点更可能随着生意订单销售规模的扩大而变得无效了（如图 5-5）。

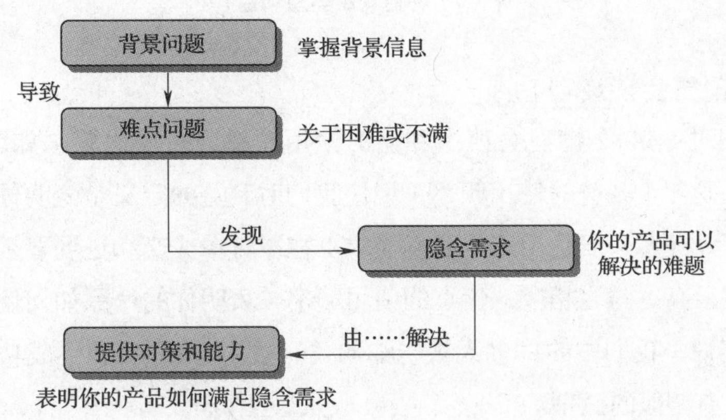

图 5-5　小订单销售成功的秘诀，对大订单销售来说却是灾难

这就解释了为什么我们的研究发现在大订单销售中利益是那么有效。为了获得订单，你必须有一个明确需求（如图 5-6）。但为了获得明确需求，通常一定要先用暗示问题和需求—效益问题把隐含需求转变为明确需求。就如同我们定义利益一样，使用它们时你不能把它与你开发需求的方法脱离开来。当我的同事们和我在哈斯韦特公司编制培训计划时，我们经常研究如何使用更多的利益征求意见。我们的回答很简单：“努力去开发明确需求，然后利益自然会出现。”如果你能让你的客户开口说“我需要它”，只要你回答“我们可以给你”，那订单成交就不再是一件难事了。

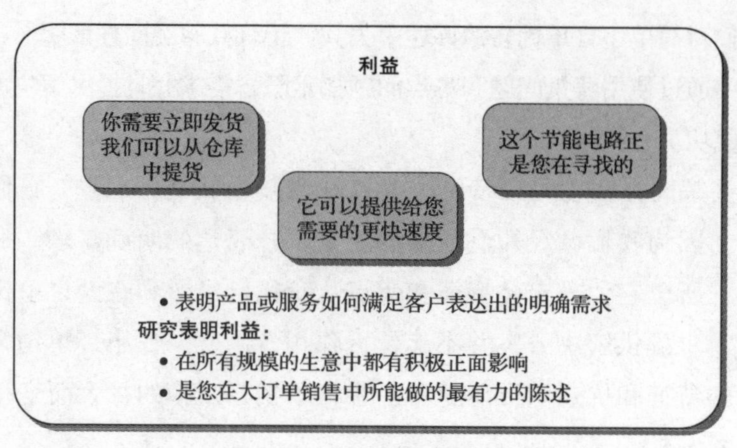

图 5-6　利益（B 类型利益）

利益与销售会谈成功

我们对 5000 个销售会谈中利益的使用频率进行了比较（如图 5-7）。研究结果发现，利益的使用频率（记住我们对利益的定义是表明你如何满足一个已经被客户表达出来的明确需求）在以订单成交和进展晋级为结局的会谈中很高。与之相应，优点的使用频率（表明你的产品如何使用和如何帮助客户，我们中的许多人被告知的"利益"）在成功和不成功的销售会谈中没有明显的区别。

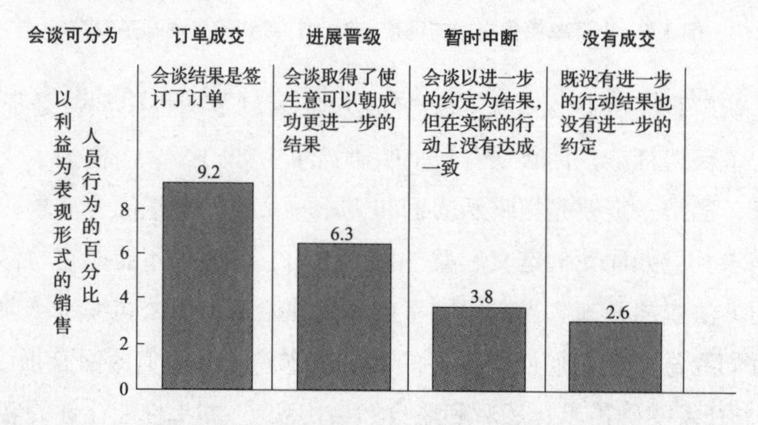

图 5-7　在 5000 例高科技产品生意会谈中利益陈述与销售结果的关系：此图表明利益陈述与销售成功的比例关系

特征、优点和利益在较长周期销售中的作用

在我们的研究过程中，很奇怪的发现之一是：在整个销售周期中特征、优点和利益对客户的影响并不一样（如图 5-8）。

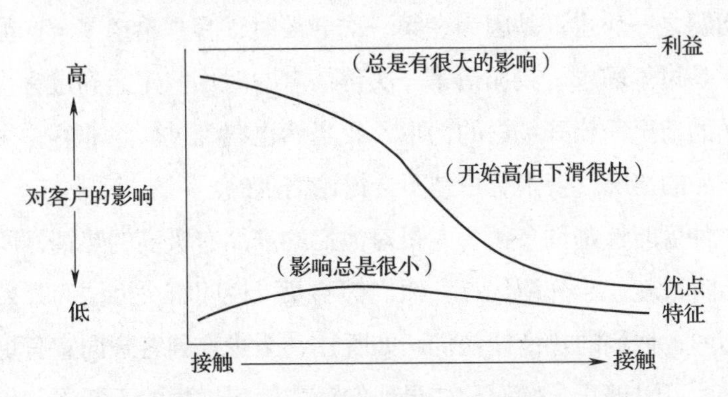

图 5-8　特征、优点和利益在较长周期销售中的作用

在销售的各个阶段，利益陈述总会对客户产生正面的积极影响。

我们曾与全球最先进的商用机器设备公司合作，研究比较在销售周期的不同阶段销售行为的影响程度。这家公司的平均销售周期为 7.8 次会谈。研究人员与销售人员一起参与周期中不同阶段的会谈。研究人员观察每一个销售人员使用特征、优点和利益的频率，然后将这些数据与每次会谈的结果进行比较，结论如图 5-8 中垂直坐标轴的曲线图所示。也就是说，在垂直坐标轴上，一种行为位置越高，它就越可能帮助你。

如图 5-8 所示，特征在整个销售周期中对客户的影响最小。利益与特征却迥然不同，无论什么时候使用利益或特征陈述对客户都有很大的影响。优点的表现与众不同，我们发现在销售周期的初期阶段，特别是在第一次会谈中，统计数据显示优点与会谈成功有着良好关系。换一种说法，在第一次会谈中对客户有正面影响，销售人员使用更多优点陈述就更有可能取得进展晋级而不是暂时中断或没有成交。然而，随着销售进程的不断深入，优点对客户的影响也不断下降，直到销售周期末期它们已经不比特征更有效了。

优点为什么会半途而废

说老实话，我并不十分明白为什么优点在销售周期的初期比末期更有效。无论什么时候我们与哈斯韦特公司研究小组的人见面，这仍然是我们争论的问题之一。也许是因为在第一次会谈时，客户希望了解产品本身的情况而不是讨论需求。我相信第一次拜访客户时你一定遇到过客户以“谈谈你产品的情况”为开场白的情形，我当然也遇到过。除非客户早已知道所提供产品的情况，否则客户是不会讨论需求的。

另一种可能性是许多销售人员对他们的产品有极高的热情，所以在生意的开始阶段就急于介绍优点，他们等不及以说明解决办法为开始。在很短的时间内，他们的热情使他们一如既往，至少要到客户同意有更进一步的接触时才可以停止。然而，如果他们随着销售过程的不断深入仍然继续用以产品为中心的方法，就不会满足客户的需求，优点的作用自然就越来越小了。

第三种可能性是优点在会谈后很快就会被遗忘，前面我们也提过此点，结果，它们的影响当然只能是暂时的。与之相对照，利益仍然会在每一次会谈中起作用，因为他们与客户的明确需求紧密相连，所以客户总会记得它们。

不论是什么原因，我敢说在现实工作中你一定也看到过这种现象。一个很典型的例子就是，那些有闯劲的销售人员的主要兴趣是把产品销售出去而不是满足客户的需求，这种人通常在生意的初级阶段很成功。我相信你和我一样，也听到过他们滔滔不绝讲述自己是如何只与一个新客户有了一次接触，仅仅通过把产品放在客户面前，然后说它如何能解决所有的问题，最后给客户留下了极好的印象。但这些极有希望的开始又有多少最后达到了签订单的目的呢？要比你想像的少得多。最可能的原因是卖方优点云集的模式在销售初期的确起了作用，但随着销售进程的不断深入，它的能量已经耗尽了。但不论解释是什么样的，这个研究给我们一条简单而且重要的信息：优点在销售的整个过程中不如利益有效。如果你能使生意进行到一定深度的话，那么就应该放弃优点陈述而改用利益陈述。

能力证实在新产品销售中的应用

在能力证实的所有技巧中，有个情形即使是经验丰富的销售人员通常也会做得很糟，而它碰巧对大多数公司的成功来说又是很关键，同时它也是资深管理人员一直遭受挫折和失望的源头。这就是新产品上市。不止一次，许多高层管理人员让我的同事和我向他们解释一下为什么新产品没能满足他们最初设定的客户群，不符合最初的销售目标。

“这究竟是怎么回事？”他们问，“我们深信我们的项目是很现实的，然而产品上市到现在为止已经 6 个月了，可销售计划完成了不到 50%。是产品的问题还是销售队伍的问题？到底是哪儿出了问题？”

我们在对许多新上市产品的研究中发现了一个经常出现的情况：产品的初期销售之所以很差，最大的、唯一的一个原因可以用特征、优点和利益的应用来解释。

新产品的传统销售模式

当一种产品刚刚生产出来，产品开发人员通常是如何把它的一切信息传达给销售人员的呢？产品开发人员把销售人员召集到一起，然后告诉他们一种令人激动不已的新产品要上市了。产品开发人员介绍新产品的所有特征和优点。销售人员接下来要做什么？他们很兴奋地开始出去销售。当他们站在客户面前时表现如何？他们以产品开发人员向他们介绍新产品时所用的完全相同的方式向客户传递产品的信息，不是通过提问开发需求，而是急不可耐地介绍新产品拥有的所有令人兴奋的特征和优点。

图 5-9 所示是来自许多新上市产品的组合数据。可以看到，销售新产品时，同一个销售人员所做特征和优点陈述的平均数量比销售现有产品要多出 3 倍。这个数据证明销售人员在产品上的注意力多于对客户需求的注意。坦白地说，我也这样做过，你也可能这样做过。当哈斯韦特公司一种新产品上市时，我们所有的人都异常兴奋并且充满热情，迫不及待地把这

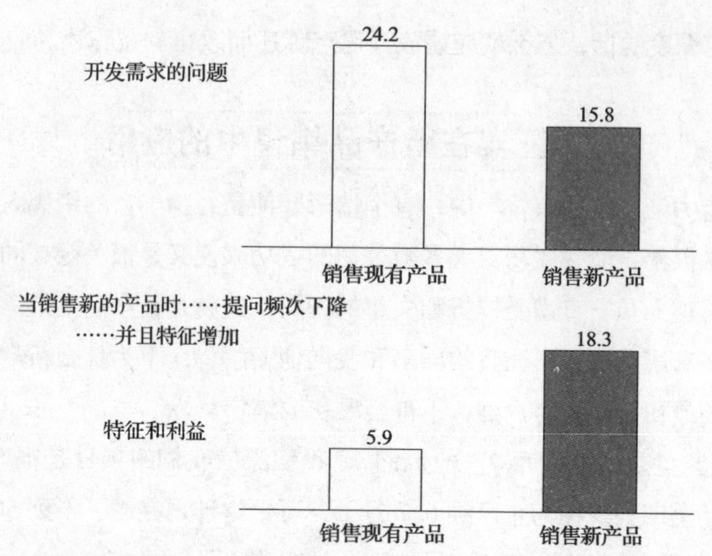

图 5-9　销售新产品时，许多销售人员注重促销产品而不是注重客户的需求

个消息告诉客户。如同许多其他的公司，我们很疑惑为什么（尽管我们很有热情）还是没能销售出去。现在我们明白了，确切说，正是因为热情才使我们遇到了麻烦。热情导致我们以产品为中心并且不停地讲述特征和优点。如同我们在这章中了解到的，这种战略对大订单销售来说并不是很奏效。

问题解决的办法

一个从事药品经营的大公司要求我们对他们新上市的一种产品进行一次实验，于是我们得到了一个很有趣的机会来验证过多的特征和优点陈述真的是新产品销售增长缓慢的原因。

这家公司的新产品是一种很先进并且价钱昂贵的诊断设备，很明显这种产品的销售应归入大订单销售。这种设备以传统方式上市并引见给大部分销售人员。产品市场开发小组介绍了许多重要的产品特征和优点，但公司允许我们和一个销售实验小组一起用不同的方式开展产品上市。我们不向他们介绍产品，也不描述产品的特征和优点，甚至我们都不让他们看即将上市的产品。“这并不重要，”我们解释说，“重要的是这台设备是为使用它的医生解决问题而设计的。”然后我们列出了设备可以解决的问题以及它们能满足的需求。最后，我们让我们的组员列出可能有这些问题的客户名单，以及当他们拜访这些客户时会提问的难点问题、暗示问题和需求—效益问题。通过让他们了解新上市的产品能解决的问题、如何探查客户存在的问题，我们可以把实验小组人员的注意力从产品中拉出来转到客户需求上。这种战略很有效的证据是使用它之后的销售结果。事实胜于雄辩，在产品投放市场的第一年里，我们小组成员的平均销售业绩比其他销售人员人高 54%。

这项关于新产品的研究也解释了一个困扰我多年的问题。记得许多年以前，我去阿卡普尔科（Acapulco）参加一种新产品的上市发布会。这件事极为轰动，来自于娱乐界鼎鼎大名的人物都是用难以置信的价钱请来的，公众、传媒界专家、沟通顾问和各界的知名人士把会场挤得水泄不通。焦急等待着盛事的销售人员排成单行进入主厅，准备倾听近十年来最壮观昂贵的特征演讲。

因此我决定在外面等，直到所有这些无谓的纷扰和盛大仪式渐渐平静下来。当坐在游泳池旁时，我注意到另外两个人也从大厅中偷偷溜了出来。与他们谈话之间，我了解到他们都是非常有经验的高级经理。“它仅仅是另外一种产品，”其中一个人说，“当这些无谓的纷扰平息后，我会回到大厅，然后想想哪个客户需要它。”显然他不想落入忽视需求而只推崇产品特征和优点的陷阱中。

你有没有注意到，当一种新产品的各种性能被证实是令人失望的以后，这些销售人员会失去销售热情，而销售又突然开始提高的现象呢？我回忆起这种情况在我参加一种新的大型复印设备的上市销售中遇到过。那时我感到很奇怪，直到那些销售人员对这种新产品不再感到兴奋时，它的销售一直很糟。之后，就在每一个人都开始说“这种新设备没有任何特殊之处”时，销售却朝着好的方向有了戏剧性的转变。看起来这似乎有悖常理，所以我不能解释它。你会认为当一种设备刚刚进入市场时应该是最成功的，因为那时销售人员热情最高涨，领先于竞争对手的时间也长。现在我知道是怎么回事了：当销售人员不再盲目时，他们的注意力是从产品本身转到客户身上了。

这对于任何希望新上市产品能取得成功的人都是一个教训。我们几个大型跨国公司的客户以哈斯韦特公司的研究为基础，在处理上市的问题上有了新的方法。现在他们不再对销售人员宣讲新产品的特征和优点，取而代之的是注重说明产品可以解决的问题，想想客户会提出的疑问以及发掘这些难题的方法。实践证明这对提升新产品销售是很成功的。

有效地证实能力

有什么可以帮助你在大订单销售中有效地进行能力证实呢？我选出最有实践意义的三点：

> **SPIN® Tips**
>
> 在大订单销售中不要过早地向客户证实能力。

1. 在销售会谈中不要过早地进行能力证实。在小订单销售中可先发现问题然后直接说明产品的优点，但这在大订单销售中收效甚微。在大订单销售中发现明确需求非常重要，在提供解决方案之前通过暗示问题和需求—效益问题发现明确需求。过早证实能力在大订单销售中是一个常见的错误，这样做会使事情变得更糟，原因是许多客户在没有提供任何需求信息之前就鼓励你说出了解决方案。"来介绍一下你的产品，"他们会告诉你，"我们会决定它是否符合我们的需求。"如果你在销售之初被迫介绍产品的特征和优点，那么你最好努力在会议之前与对方公司参加这次会议的人员中比较关键的一个人谈一谈，以求发现一些需求，这样在你的介绍中至少可以包括一些利益的介绍。

2. 慎用优点陈述。因为大部分销售培训用的都是适用于小订单销售的例子，所以势必会鼓励你在销售中做优点陈述。销售人员做这种陈述时所用的术语被他们称之为“利益”，这就使这个问题更难懂了。不要让以前的销售培训误导了你。记住，在大订单销售中有利的陈述是能表明可以满足明确需求的那些利益。如果没有发现也没有满足那些明确需求，那就不要自欺欺人地想已经给出了很多利益。

3. 慎重对待新产品销售。我们中的大部分人在销售新产品时都会介绍太多产品的特征和优点，不要让这种事情也发生在你身上。相反，对于任何新产品来说，要提问的第一个问题应该是“它能解决什么问题？”。当你明白了它能解决的问题之后，才可以策划 SPIN®问题去发掘明确需求。试一试，你会做得更好！

附 录

答案：产品陈述的类型

1. 特征：能稳定电压是关于系统的一个事实，陈述没有解释稳定如何使用或如何帮助客户。

2. 优点：这个陈述表明在陈述 1 中的特征是如何使用和如何帮助客户的，它不是利益是因为客户并没有表达对稳定电压的明确需求。

3. 优点：这个陈述表明备份存储器是如何使用和帮助客户的，所以它不仅仅是一种特征。但因为它没有证据表明客户对备份存储器有明确的需求，所以我们不能称之为利益。

4. 特征：关于价格陈述是产品的事实和数据（就像这一个），因此我们把它们归入特征。

5. 利益：在上一个陈述中，客户表达了一种明确需求：“我需要能把原始数据直接读入存储器中的那种。”在这个陈述中，卖方说明了产品如何满足明确需求。

6. 利益：还是买方陈述了一种明确需求（错误率低于十万分之一）。卖方表明他的产品能轻而易举地满足这种需求。

7. 优点：卖方提供了另一种可以使用或可以帮助客户有更低错误率

的方法。然而，接下来客户的陈述说明这并不符合要求。

8. 特征：关于产品的一个数据。

9. 特征：更进一步的产品事实。

10. 优点：卖方说明以时间为基础的代码特征是如何用来帮助客户的。

第6章

能力证实中的异议防范

在访问一家全球领先跨国公司的培训中心期间，我有幸被邀请去参观一些正在进行的销售培训。与热情主人期望的不同，我没有选择相关高级销售系统的培训课程，相反，我征询他的意见，问他是否可以让我参观为新进销售人员设置的基础技能培训。我静静地从教室的后门走了进去，环顾四周，可能因为这些受训人员都是刚刚接触销售，所以，所有学生都有着那种特殊的专注表情。他们的老师，最近刚刚被提升到这个部门，充满活力地开始了他感兴趣的话题：异议处理。你不可能再想象出比这还典型的场景。这个题目在任何大公司基础销售培训计划中都会占用两天的时间。

“专业销售人员，”老师开始讲道，“欢迎客户提出异议，因为这是客户产生兴趣的一种迹象。事实上，得到的异议越多，销售起来就越容易。”同学们为了加深记忆立即把这些记到了笔记本上。此时，在我强做欢笑的脸后是痛苦的呻吟，这又是新进销售人员在接受最能使人误入歧途的销售培训。而我只是一个参观者，如果我对此提出批评，那是很不合适的，因此我在一个小时的异议处理技巧培训中一直保持微笑，直到课间休息。

在课间休息时，我与那位老师一起聊天，“你对在这儿说的一切都深信不疑吗？”我问，“比如异议越多销售就越容易这种论点？”

“是的，”他回答说，“如果我不相信它，我也不会这样讲。”

我犹豫了，显而易见，这位老师与我在异议处理方面有着不同的观点。把这个话题放过去很容易，但是，因为他很友好地让我听他的讲课，因此我感觉应该回报他一点什么，我问：“你成为一个很成功的销售人员已经有几年了吧？”

“是的，”他略带几分骄傲地回答道，“我在这个公司5年了，过去的3年中一直在搞商会社团。”

“回顾一下你个人的销售经验，”我建议道，“5年以前，当你还是一个新人时，你收到的客户异议比现在收到的是多还是少？”

他想了一会儿，“我想是多。”然后，当他继续回忆往事时，又补充道，“当我还是刚刚接触这一行的头两年，我总是能听到客户异议。”

“在那两年里，当你面对那么多异议时，你的销售业绩是不是很好？”

“不是的，”他很不安地说，“事实上，直到我在公司的第3年时，销售业绩才慢慢好起来。”

抓住这一点我又问他：“那么，你是在第3年时才有所好转的，是吗？”

“是的，那是我组织商会社团的第一年。”

“异议是怎样的情况呢？听起来在那些不成功的几年中来自客户的异议似乎多一些。这与你在课上讲的异议越多生意就越成功有联系吗？”

他考虑了一会儿说：“你说得对，回顾往事，我发现当我不成功时面对的异议更多，也许我刚才所讲的是错误的。”

我不得不佩服他。因为大多数人应该已经逃避这个话题并且固守自己最初的观点，但是这个班的同学很幸运地又被召集到一起。而我不得不结束了这次参观，因此，我没有更多的时间与这位老师交谈异议的处理了，如果我有时间，我会告诉他：

● 异议处理不是像许多培训课程强调的那样是非常重要的技巧。

● 与一般的想法恰恰相反的是：异议的产生来自卖方的比来自客户的要多。

● 在一般的销售小组中，通常有一个销售人员每一个单位销售时间所得到的异议是同组中其他人收到的10倍。

● 技巧熟练的销售人员收到的异议要少一些，因为他们已经学会了异议的防范而不是处理。

为了解释这些发现，我必须先回到第5章中的特征、优点和利益的讨论中去。你应该记得这三个术语的定义以及它们在不同规模的订单销售中与成功销售的联系（如图6-1）。我的一个同事琳达进行了一些它们之间相互联系的研究，研究是否有确切的统计数字可以证明这些行为中的每一个与客户对他们最有可能的反应之间真的有紧密的联系。例如，当买方在会谈中使用许多特征陈述时，客户的反应是否与使用特征较少的销售会谈有所不同？她最终发现，特征、优点和利益之中的每一个都可以使客户有不同的行为反应（如图 6-2）。

行为	定义	影响	
		小订单销售	大订单销售
特征	描述事实，数据，产品特点	轻微的正面影响	中立或轻微负面影响
优点（A类型利益）	表明产品，服务或它们的特征如何使用或如何帮助客户	正面	轻微正面
利益（B类型利益）	表明产品或服务如何满足客户表达出来的明确需求	极其正面	极其正面

图 6-1　特征、优点和利益

销售人员的行为	大部分客户的可能反应
特征	价格异议
优点	价值异议
利益	支持或证明

图 6-2　特征、优点和利益对大部分客户的可能影响

特征陈述和价格异议

特征陈述与成功销售

销售会谈中，在卖方提供很多特征的时候，客户往往有可能很注重价格问题。这是为什么？好像是因为特征陈述的影响增加了客户对价格的敏感度。如果恰巧你销售的是低价商品而且相关特征又很丰富的话，也许这应该算是一件好事。

考虑到如图 6-3 所示的广告心理，特征丰富的产品正在以对廉价货物很起作用的方式销售。你可以想象一则电视广告：“我们的产品有加法、乘法、除法等功能，您认为这种产品应该值多少钱？先不要急于回答，因为您还可以看到加价或减价的百分比，这是您花 10 倍的价钱也买不到的功能。还有……”纵观历史，使用特征陈述的这种方法对销售低价产品很有帮助。为什么？因为特征增加了价格的敏感度。通过列出所有的功能，客户会推测价格一定比较高。当最终证明其比同类竞争产品的价格还低时，已经增加了的价格敏感度使得买方对较低的价格标签感觉格外好。

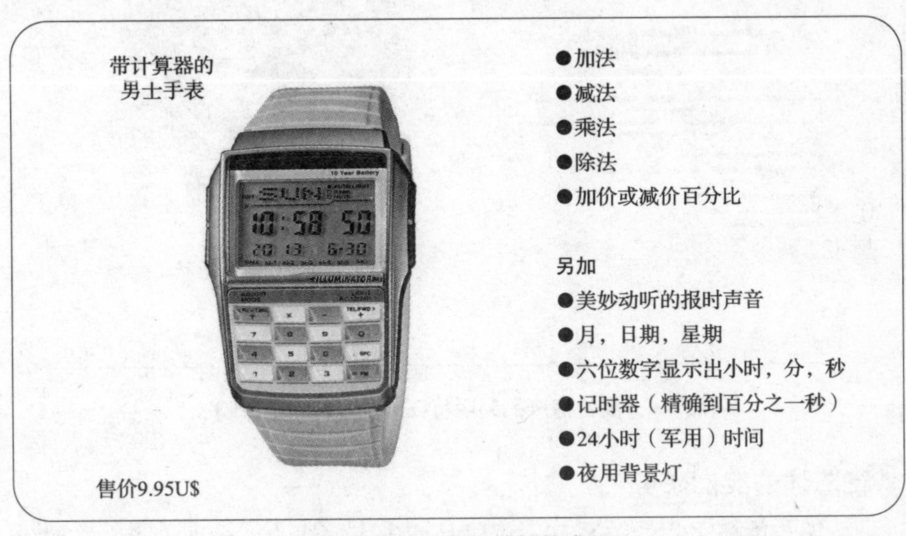

图 6-3 特征丰富的低值产品

我选了一只表而不是一种工业产品的例子，是因为表这种产品有一些与其他商品不同的特点。在其他产品的市场上，我找不到在同类竞争产品上有如此大价格差异的产品。

> **SPIN® Tips**
>
> 特征陈述会强化客户的价格敏感度。

在图 6-4 的广告中所示的这只表比图 6-3 中的表要贵几乎 100 倍。如果在这则广告的旁边也有一个列举产品特征的清单，你认为在这种通过特征陈述形成的劝说下你会购买吗？绝对不会。对于市场上的贵重商品，以价格为中心的战略不太可能让人产生购买欲。特征清单可能会使你问自己，是否这只昂贵的表真的值得购买。

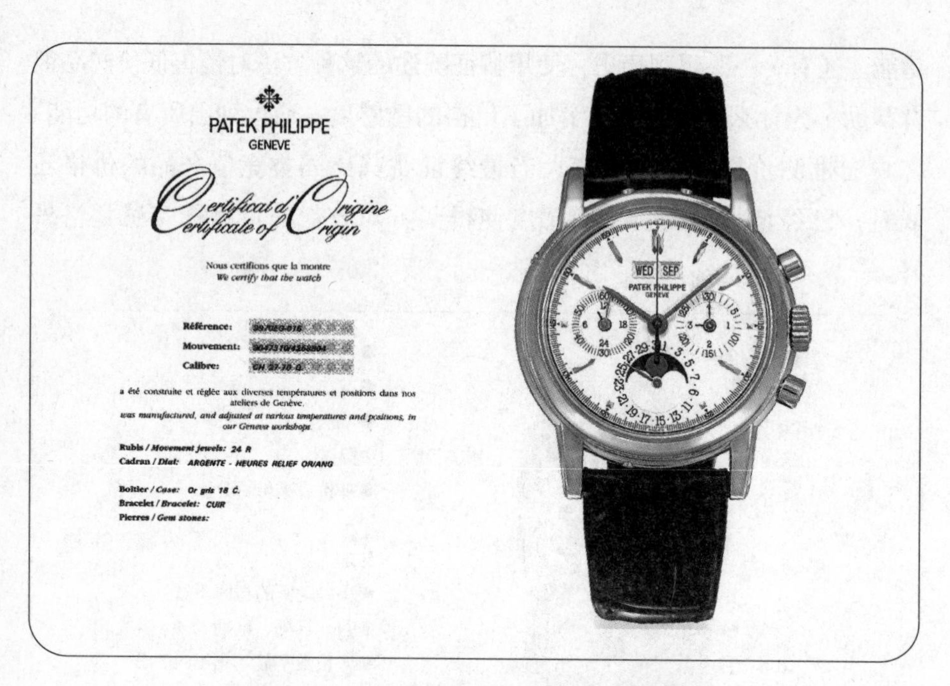

图 6-4　高价值产品列明特征清单会有消极影响

特征陈述的实例研究

特征与价格之间的关系并不仅仅是广告人关注的一个理论点，它对价格战略也有很深刻的意义。一家总部在美国的大公司曾让我们帮助解决一个问题。这家公司在初级产品市场上面临着来自日本竞争者的极大挑战，特别是在产品系列中价格很低的制成品方面。日本产品的特征丰富，你可以充分发挥想象力，去想想他们在世界其他地方销售的产品在某种程度上比成本还便宜。随着市场份额开始不断被侵蚀，大公司开始寻找替代产品以求降低价格。一个非常有吸引力的可能性是引入一种具备更多特征的新产品，可以直接与来自日本的产品展开竞争。这样的产品仍然会有一点贵，但因为它增加了许多特征，所以它应该有更广阔的市场。

但是谁会销售这种新产品？公司决定从竞争对手那里招募一部分销售人员。毕竟没有人可以同日本竞争对手的成功销售人员那样了解销售这些特征丰富产品的销售知识。从表面上来看，这似乎是一个很合理的战略，既找到了有经验的销售人员，同时又通过挖走对手最好的销售人才而削弱了对手的竞争力。于是，这家公司设法接近那些成功销售便宜日本产品的销售人员，并且成功地把竞争对手的一些顶尖销售高手挖了过来。

不幸的是，公司从外面招进来的新人的销售业绩非常令人失望，而竞争对手的销售高手比那些新人也好不了多少。为了设法弄清到底是哪儿出了问题，我与几个从竞争对手那儿挖过来的销售人员谈了谈，发现他们很迷惑，并且对突然之间从成功的颠峰一下坠落到失败的谷底感到很沮丧。"是价格，"他们解释说，"产品太贵了，我们总是在价格上遭到客户的拒绝。"他们说得很对。当我和他们一起去谈判时，发现他们收到的来自客户的价格异议比销售同类产品的其他销售人员高出30%。为什么两类不同的销售人员同时销售同一种产品收到的来自于客户的价格异议数量却完全不同？我们不能随意地说这纯属巧合。

答案在于特征陈述的使用。销售低价商品时，这些销售人员形成了频繁使用特征陈述的习惯，这是非常成功的，特征陈述加强了客户的价格敏感度，这我们已经知道了。因为他们的产品价格很便宜，所以价格便帮他们获利了。现在他们销售比较贵的产品，过去那种高利用率的特征陈述却妨碍了他们的销售工作。特征陈述加强了客户的价格敏感度而他们的产品价格又很高，这使得客户转而去价格较低的竞争对手那儿购买。我把我们的发现成果交给了销售部的主管。他神情沮丧地说："此时，他们为我们的竞争而进行的销售似乎比刚来时好了一些。"他说的只不过是一种表面现象，我们能说什么呢？我建议他们培训这些人如何处理价格异议。其实，真正要做的是找到问题的根本所在，培训并帮助这些新人使用一种更适合销售高价产品的方法。因此，我们又用了SPIN®提问技巧重新培训他们，以便他们能使用一种利益陈述高利用率的销售模式。结果他们的销售额增加了，收到的价格异议减少了，对于价格的争议也被渐渐地遗忘了。

> **SPIN® Tips**
>
> 解决销售问题的关键是治本而不是治标。

治标还是治本

让我引出一个在这章中我会反复提到的话题，解决一个销售问题就像治病一样，取决于找到并治疗起因而不只是治疗表面症状。

当我九岁时，我还住在婆罗州。与我同岁的一个朋友警告说，村子里正在流行伤寒。那时我们都知道伤寒可以引起高烧，“但我不会得的，”他向我保证，“因为我吃了许多冰淇淋来保持正常体温。”我也学他那样，结果吃了被病菌感染的冰淇淋而染上了伤寒。我病重住在医院的那一个月，有几件事我依然有印象，其中之一就是我清楚地记得我爸爸向我解释症状，比如高烧和由潜伏在冰淇淋里的细菌所引起症状之间的不同。

提醒你应该注意起因时，我情不自禁想到了治疗表面症状的这个小插曲。但设想我们进行一项培训只是教那些销售人员如何聪明机智地回应价格异议，试问我们达到目的了吗？我想没有。客户的价格敏感度只是一种症状，真正的起因在于销售人员提供了太多的特征陈述。教销售人员异议处理技巧对防止价格敏感度的作用，比鼓励吃冰淇淋防治伤寒的作用强不了多少。

优点陈述和价值异议

优点陈述导致价值异议

也许琳达找到的最让人着迷的关系应该是优点和异议之间强有力的联系。你应该还记得优点陈述是表明产品和它们的特征如何使用或如何帮助客户的一种介绍，我们许多人在接受培训时一直称之为“利益”。第5章揭示的优点，在小订单销售中有正面影响，当生意不断扩大时，正面影响逐渐缩小，琳达的发现为这一点提供了一部分证据。优点陈述会导致价值异议，这是它在大订单销售中与成功销售联系甚微的原因之一。

为了帮助你理解优点陈述和价值异议之间的关系，看一看下面这个摘自实际销售会谈的片断。我为这家公司编辑过参考资料，在这之中我删掉了一些陈述，另外，这段摘录是发生在1981年，那时我们在达拉斯工作，销售的产品是一台文字编辑器，我们录下了这次会谈。

SPIN® Tips

优点陈述极易导致价值异议。

卖方：（难点问题）这些重打会不会很浪费时间？

买方：（隐含需求）是的，有时会，但在这儿重打并不多，不像在Fort Worth中那样多。

卖方：（优点）我们的文字编辑器会给您很大的帮助，因为他们可以为您消除重打。

买方：（异议）的确，重打是让人很讨厌的事，但是你不会让我支付15000美元那么高的价钱来买一个仅仅能去掉重打的机器吧！

卖方：（优点）我很理解您，但重打所需的人力费用会在不知不觉中增加，文字编辑器的最大优点就是它能提高员工的工作效率，从而节约您的资金。

买方：（异议）现在我的效率已经很高了。如果我想再提高效率，不用新的文字编辑器我也能想出16个方法来。我有两台×××牌文字编辑器，都放在后面的办公室里。没有人知道怎样用它们，它们给我们带来了麻烦，只是麻烦。

卖方：（难点问题）那些设备很难操作吗？

买方：（隐含需求）是，用最传统的手工方式才能快一点打出来。

卖方：（优点）我们真的可以帮助你，我们的设备有屏幕，因此人们可以确切地看到他们在做什么，比必须要记程序代码那种老式的设备好得多。我们的设备能自动提示代码，因此它的操作要简便得多。

买方：（异议）什么？在这儿工作的一些女工对带改正栏的打印机都极度紧张，屏幕？只会使她们更混淆，那会比我现在看到的错误还多。

卖方：（难点问题）现在经常有很多错误吗？

买方：（隐含需求）有一些，不比一般的公司多，但比我希望的多。

卖方：（优点）试验证明，用我们这种全屏幕编辑和错误修改设备，错误率会下降20%。

买方：（异议）是的，但无论如何，只为了去掉几个打印错误而引来那么多的麻烦也不值得。

怎么回事？你注意到的第一件事是卖方每提出一个优点后买方都立即提出价值异议。当然，我挑选这个摘录是要证实我的观点，价值异议并不像我选的这个例子中那样总是紧跟在优点陈述之后，有些时候卖方说明一个优点后会引来客户很满意的反应。但从我们的研究来看，异议与其他买方行为相比较是最有可能出现的反应（如图6-5）。

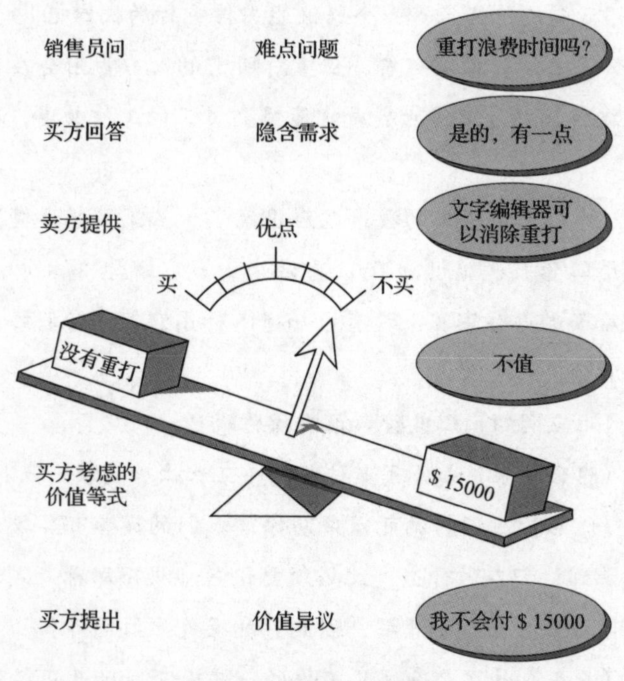

图6-5　价值异议的形成

这个例子中你会注意到的第二件事是这些行为的顺序特征：难点问题——隐含需求——价值异议。我们发现这一顺序在不成功的会谈中出现了一次又一次，让我们密切关注还有什么。

正如你可以看到的，引起价值异议的基本问题是：卖方在建立起需求之前就提供了解决方案，而买方觉得这个问题并没有足够的价值值得用如此昂贵的办法解决。结果，当卖方给出一个优点时，买方就提出一个价值异议。

这也解释了为什么在小订单销售中优点陈述有更多的正面影响。如果文字编辑器的价值是 15 美元，而不是 15000 美元，买方的反应也许就会大不相同。消除重打当然值 15 美元，它值 15000 美元吗？这是完完全全的两码事。

症状和起因的分析

在我们的例子中，如果可以，你会怎样帮助那位销售人员？这个例子是否引诱你去想因为她收到如此多的异议，所以要建议她学习更多更好的异议处理技巧。例如，我们可以教她处理异议的原则。传统的异议处理技巧是承认，重新措辞，回答。或者我们可以告诉她一般客户会提出的异议，从而更具体地帮助她，当客户提出下列异议时应该说什么，例如：

你的文字编辑器太贵了。

文字编辑器很难操作。

我的员工可能会反对使用文字编辑器。

文字编辑器带来的困难比其带来的价值要多。

所选的这些例子中的任何一个都能帮她更好地处理更难的异议，但我们治的是标还是本？这些例子中的每一个异议的起因都是因为卖方在提供解决方案之前，没有让买方意识到产品的最大价值。教他如何处理异议就如同在治表面症状，而不是改变起因。基本的销售症状（过早地提供解决方案）仍然是致命的、无法医治的。

治本之策

如果异议处理只是治疗了表面症状，那我们怎样可以完全治愈它呢？SPIN®该登场了。通过教其用能积聚价值的提问方式提问，我们可以首先防止异议的出现。先让我们检查一下为什么客户第一个反应就是提出价值异议。

卖方：(难点问题)现在经常有很多错误吗？买方：(隐含需求)有一些，不比一般的公司多，但比我希望的多。

卖方：（优点）试验证明用我们这种全屏幕编辑和错误修改设备，错误率会下降 20%。

买方：（异议）是的，但无论如何只为了去掉几个打印错误而引来那么多的麻烦也不值得。

客户提出价值异议是因为他没有意识到降低错误率的巨大价值。如果你能画出客户头脑中所想的一个价值等式图，就像图 6-6 所示，麻烦程度远远超出了去除几个错误的价值，因此客户的反应很消极并且提出异议。即使最好的异议处理技巧也不能改变销售人员在没有积聚起价值之前就提供解决方案这个事实。

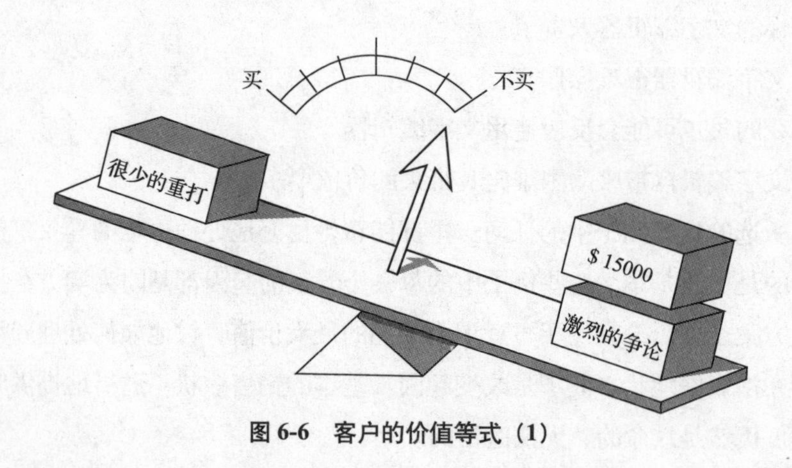

图 6-6　客户的价值等式（1）

让我们看一看一个技巧更高明的销售人员处理同样一种情景时是如何做的：

卖方：（难点问题）现在经常有很多错误吗？

买方：（隐含需求）有一些，不比一般的公司多，但比我希望的多。

卖方：（暗示问题）你说比你希望的多，这是不是意味着该错误在你把文件送到客户手中时带给你了一些麻烦？

买方：有时候是这样，但不多，因为在我把重要文件送出去之前都会仔细地校对。

卖方：（暗示问题）那是不是要用很多时间呢？

买方：很多，但总好过让文件带着错误出去，特别是给客户的文件中有数字错误。

卖方：（暗示问题）为什么是这样？你是说一个数字错误比文字错误带来的后果更严重吗？

买方：是的，我们会失去一次投标的机会，或使我们自己接受一个无利可图的合同，甚至让客户感觉到我们做事很草率，人们经常以这些事来评判你，也正是因为这个原因，即使我有其他应该做的事，我也认为一天几小时用于校对文件是很值得的。

卖方：（需求—效益问题）假想你不必花费时间来校对，那你节省下来的时间会干什么？

买方：我可以用这些时间来培训我的办公室职员。

卖方：（需求—效益问题）这种培训可以提高办公效率吗？

买方：对，可以提高许多，例如，我们的职员不知道如何使用这儿的一种绘图仪设备，所以他们必须等到我有时间时才可以教他们。

卖方：（暗示问题）因此用于校对的时间对其他人的工作就形成了瓶颈，妨碍了他们的工作进度。

买方：是的，我的工作负担太大了。

卖方：（需求—效益问题）那么凡是可以减少你校对时间的办法不仅可以帮助你，而且也可以帮助其他人提高效率，是吗？

买方：对，是这样的。

卖方：（需求—效益问题）我看得出来，通过减少校对量你可以缓解目前的瓶颈状态，如果有一种可以使文件错误减少的办法能帮助你吗？

买方：当然可以，这儿的人都很憎恨重打，错误减少意味着用于重打的时间也减少，这对于他们来说是一件好事。

卖方：（需求—效益问题）设想一下，用于重打的时间少了会不会节省成本？

买方：你说得很对，这正是我所需要的。

卖方：（需求—效益问题）似乎目前的错误导致了很昂贵的重打费用，这同时又引发了员工的情绪问题。因为错误特别是数字错误送至你客户的手中，会对公司造成极大的损害，因此你努力地每天用两小时的时间来校对所有重要文件以防止错误的存在。但这使得你又不得不面对一个瓶颈问题，降低了每个人的工作效率并且妨碍你抽出时间培训员工。

买方：如果按照你所说，这些在文件中的错误对我们的危害真是不小，我们不能再忽视这个问题啦，必须采取一定的行动。

卖方：（利益）让我告诉你我们的文字编辑器如何帮你减少错误，并且简化校对……

如果现在我们重新检查客户的价值等式，它看起来很可能如图 6-7 所示。

现在成本和麻烦被销售人员通过使用暗示问题和需求—效益问题引出的价值平衡了。这是一次比较有效的销售，因为我们击中了异议的起因，结果异议根本没有机会出现。异议防范被证实是异议处理的一种极好的战略。

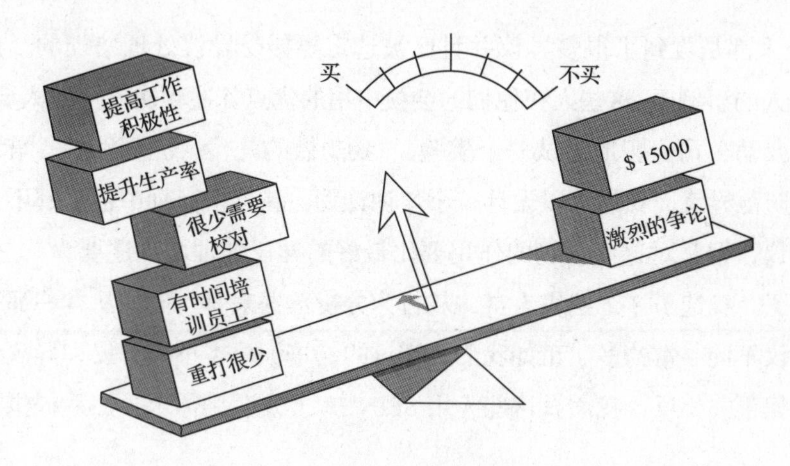

图 6-7 客户的价值等式（2）

异议防范的实例研究

可以想象，人们读到这时会自言自语说：“这里的例子都很恰如其分，听起来很合理，但我不相信在现实生活中也是这样。”作为进一步的例证，我想与你分享我曾参与过的一项非常有趣的调查。

这是一家知名度很高的高科技产品公司，其研究人员一直在美国南部的一个分部研究销售行为。我们鼓励这些研究人员使用行为分析方法，用于计算在销售会谈中主要销售人员和客户行为出现的频率。他们发现了一个令人奇怪的现象。这个分部中的普通销售小组都由 8 个销售人员组成。从纯粹的统计学角度来看，你会认为这 8 个人每一个人都销售同样的产品，面对实力一样的客户，每一个人都有同样的竞争对手，那么自然会在每一个单位销售时间内面对大约相同数量的异议。实际情况并非如此，每一个独立的销售人员面对的异议数量大不相同。研究发现，有一个销售人员在一个单位销售时间内面对的异议数量是同组其他人面对的异议数量的 10 倍。

研究人员不知道我们正在研究优点陈述和价值异议的关系。自然而然地，他们得出了这个明显的结论：收到很多异议的销售人员一定要接受异议处理的培训。他们征求我的意见，我很快地浏览了一下他们的数据，这些数据告诉了我们想知道的一切。我们选出 10 个人的行为分析数据，这

10 个人都是收到了很多异议并且已被选定要接受异议处理培训的。在这10个人的事例中,这些人在他们的会谈中用的优点陈述频次比一般人要多。

我劝公司大胆地尝试一个实验。“我想做的是,”我解释说,“培训这些人防范异议。我想可以设计一个培训计划,在这个计划中甚至都不会提到异议,但是对这些人起的作用要比最好的异议处理培训还要大。”公司同意了。我选了 8 个销售人员,从行为分析数据来看,他们从客户那得到的异议不同寻常的多。正如我们许诺过的,培训根本不提异议和异议处理的任何事。相反,我们教这些人用 SPIN®式开发明确需求,然后提供利益陈述。

培训结束后,公司的研究人员与这 8 个人一起出去,记录他们在销售会谈中收到的异议数量,结果,每单位销售时间平均收到异议的数量下降了 55%。我从这项小的研究中得出了两个结论：

- 它证明了处理异议最好的办法是防范异议,治本而不是治标。
- 现有的培训并没有完全防止异议。

总会有一些异议的起因是因为你产品不能满足客户的需求或因为竞争对手的产品有明显的优势。这些“真实的”异议是生活中的事实,没有什么异议处理技巧能从根本上阻止它们发生。然而,在这个事例中我们可以揭示的是,异议可以通过 SPIN®提问模式使价值积聚,从而减少一半甚至更多。

异议的销售培训

传统的销售培训实际上是教人们先引发异议,然后再教他们处理因自己不注意而引起的异议,这是因为我们看到过的每一个销售培训计划中,推崇的销售技巧模式都是建立在小订单销售的基础上的。正如我们所知道的,在小订单销售中,优点陈述使用频次高可能会导致销售成功,因为在提供解决方案之前没有什么必要积聚价值,但在大订单销售中却不会有这种正面影响。我们所言及的优点是覆盖任何表明一种产品和服务如何使用或如何帮助您的客户的陈述,记住这一点很重要,换句话说,我们称之为优点陈述的正是大部分销售培训中称之为利益的陈述。

我希望越来越多的培训设计人员开始明白大订单销售是需要与小订单销售不同的技巧的，也希望将来会看到鼓励销售人员多说一些优点陈述的这种类型的培训走到尽头。客户异议的大部分起因是源自于优点陈述的过多使用，这是大多数销售培训所提倡的。但是有异议一定就是坏事吗？一些销售培训计划和许多培训人员，例如我在这一章刚开始提到的那位教师，就教育学生销售异议与销售成功之间有紧密的关系，好像你得到的异议越多越好。如果这是真的，那么，防止异议出现真的会损害你的销售。这个论据告诉我们什么？

> **SPIN® Tips**
>
> 异议越多，成功销售就越少。

我们开展了一项调查研究，证实异议是否真的是如一个培训手册中说的“被掩饰着的销售机会”。我们以一个大的商用机械设备销售公司中的一笔国际业务为样本，计算这个样本中 649 次商务会谈里客户提出异议的数量，研究结果如图 6-8 所示。

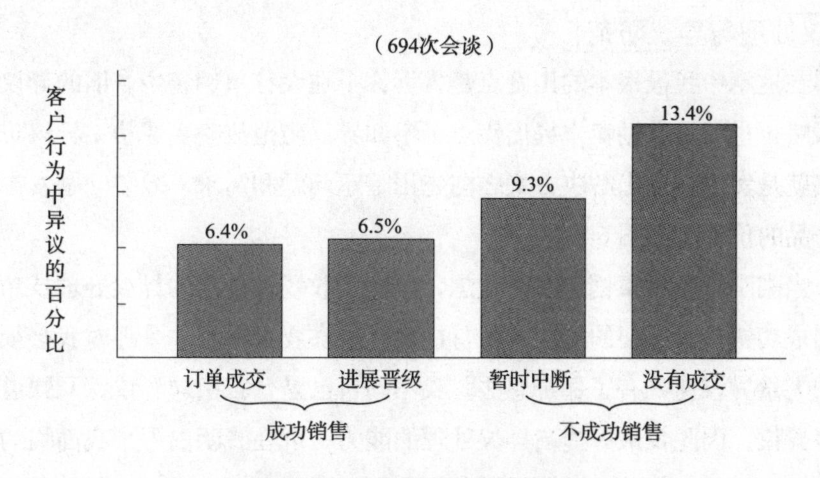

图 6-8 异议频次和成功销售

你可以看到，在客户行为中异议的百分比越高，成功销售的可能性越低。如果异议是成功机会的掩饰，那么这项研究表明这些掩饰一定是由一位魔术师做的。可是结果没有错，在销售中得到的异议越多，越不可能成功。培训人员告诉那些没有经验的销售人员，专业销售人员欢迎异议，因为它是客户感兴趣的一种表现，这种说法只不过是让人听起来感觉舒服的一种虚构的幻象，在现实生活中，异议是你和客户之间的一种障碍。不管你通过异议处理排除这些障碍的技巧有多高，明智之举还是在开始时就不引出它为好。

利益陈述和客户

在琳达的特征、优点和利益的研究中，最积极正面的联系要数提供利益和收到来自于客户的同意和支持之间的紧密联系。她发现卖方提供给买方的利益陈述越多，客户的赞成承诺也就越多。这个发现并不令人吃惊，毕竟利益是陈述如何可以满足客户表达出来的明确需求，这与我们的定义相吻合。除非客户开始就说“我要买”，你就不用再提供利益陈述了。当你表明你能提供他们所需的产品时，客户很可能表示出赞成或同意，这很容易理解。

异议处理与异议防范

在这章中我最根本的出发点是告诉你：在大订单销售中，旧的异议处理战略（也就是鼓励卖方提出优点）不如异议防范战略更成功；异议防范战略就是卖方在提出解决方案之前先用暗示问题和需求—效益问题发掘自己产品的价值（如图 6-9）。

当刚刚开始从事销售时，我想，仅次于收场白技巧的异议处理技巧是通向成功销售最重要的技能。回首往事，现在我知道了，是那时我必须面对的大量异议使我有了那种想法。我不问自己是什么引起异议，只知道有太多异议，因此我最好提高异议处理的能力。现在我明白了，我面临的大部分异议只是由很差的销售技巧引起的一个表面症状，通过提高提问技巧，我在异议防范方面成功多了，当然也使我的销售更成功了。但我仍然还会收到异议，因为在现实的销售中，总有产品和服务与客户需求不相符的可能性，因此异议处理技巧在我们的销售中仍起一定的作用。但现在我销售好的原因不是因为更高明的异议处理技巧，而是我不再制造不必要的异议了。

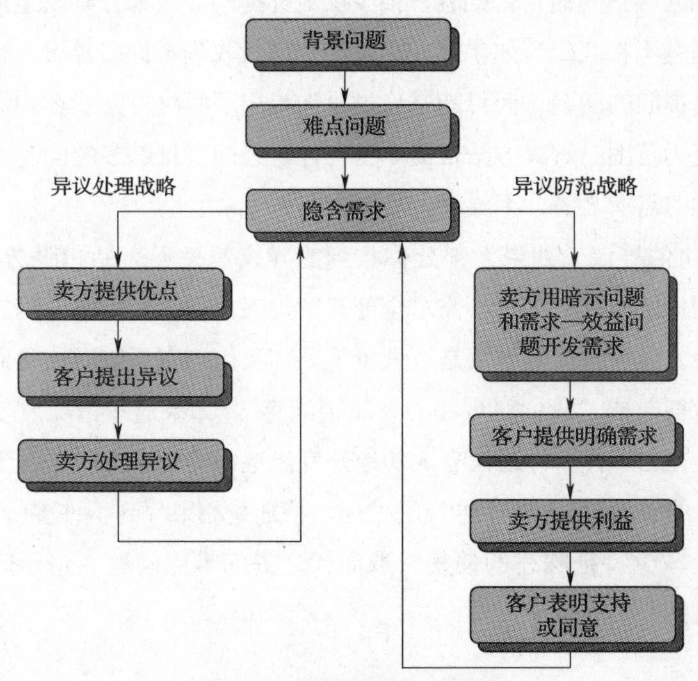

图 6-9 异议处理和异议防范

防止形成来自客户的异议

如果来自客户的异议比你希望的多，那就静下心来好好考虑一下什么是表面症状，什么是起因。有没有可能异议仅仅是因为你在会谈中提出解决方案太早而引起的表面症状？试试付出更大的努力去开发有影响力的需求，熟练用暗示问题和需求—效益问题。如果你能使解决方案的价值不断升高，那么面对异议的可能性就很小了。我们已经培训过的近百个销售人员可以证实，好的提问技巧比任何异议处理技巧更能帮助你。

> **SPIN® Tips**
>
> 好的提问技巧比任何异议处理技巧都更有效。

当然，你也一样会收到异议，特别是当产品不能满足客户需求之时。然而，下面的两种情况下可以由更好的提问技巧来防止不必要的异议：

1. 会谈初期的异议：除非你用一种特别不礼貌的容易冒犯客户的提问方式询问客户问题，否则客户很少反对你提问。大部分异议是因为解决方案与问题不相匹配。如果你在会谈的初期就收到了许多异议，这可能意味着不是提问的问题，而可能是你过早地提出了解决方案或客户需求超出了你的能力范围。解决方法很简单：在你已经问了足够多的问题、开发出了很迫切的需求之前，不要谈论解决方案。

2. 价值异议：如果大部分你收到的异议是关于产品和服务价值的，这就说明你还没有把客户的需求全部开发出来，那么对你来说仍然还有很好的机会。典型的价值异议是“太贵了”、“我认为它不值得让我们更换现在的供应商”或“我们对现在的系统很满意”。如果这些情况发生，客户异议就是在告诉你，你还没有成功地开发出他们的需求。问题在于开发更多更迫切的需求，而不在于异议的处理。特别是如果收到了许多价格异议，那就赶紧减少特征陈述的使用，取而代之提问难点问题、暗示问题和需求—效益问题。

第7章

初步接触

在这一章中我想仔细讨论一下初步接触阶段。说老实话，当哈斯韦特公司的研究小组把初步接触阶段与需求调查和能力证实等核心阶段相比时，没有发现初步接触阶段也是很令人兴奋的。也许这并不是事实，而只是我个人的偏见，但无论如何，我们在这阶段的研究的确比其他三个阶段要少得多（如图 7-1）。虽然如此，即使是从我们收集到的有限数据来看，在小订单销售中开始会谈的成功方法与那些应用于大订单销售的方法也是不同的。

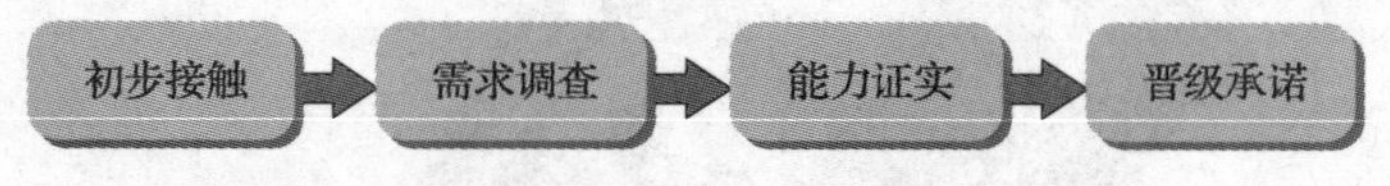

图 7-1　初步接触阶段：会谈介绍或预热阶段

会谈的预热阶段有多重要？在对初步接触阶段的研究中，我们找出了很多问题的答案，包括：

- 第一印象对销售会谈的成功有至关重要的影响，这种说法是真的吗？
- 在小订单销售中起作用的开场白技巧在大订单销售中也同样可以起作用吗？
- 开启销售会谈时，一种特殊的方法比其他方法更有效吗？

在开始验证这些结论之前，我要解释一下，大订单销售中的初步接触阶段形式多样，这章中我们主要讨论通过与新客户的第一次会谈的形式来取代其他各种各样的形式。我们知道，在许多大一点的生意中涉及几次会谈，并且还有可能与那些我们已经与之建立关系的客户进行会谈，或者与我们有所了解的大公司客户进行会谈，只有少于 5% 的会谈是与新客户的第一次会谈。就我所知，在各种销售会谈中能影响初步接触阶段的因素还没有人研究过。似乎随着销售进程的不断发展，不论是老客户还是新客户，良好关系已经建立起来了，所以初步接触阶段的影响也就随之消失了。但是没有人知道确切的原因，我也不愿意胡乱推测。

虽然我们并不研究初步接触阶段对整个销售过程的影响，但我们确实有在大订单销售和小订单销售中与新客户开始第一次会谈的开场白资料。

第一印象

有证据表明，人们对最初阶段相互影响的注意远远少于我们的想象。早些时候许多销售书籍强调外表的重要性，并说明第一印象会促成或搞砸一笔生意，但最近的大量研究表明，最初印象的作用比以前所描述的要小得多。当然这并不是说可以衣冠不整或不修边幅，衣着的合理标准是可感知的，但是请不要相信微小的细节会对生意初步接触阶段的成功产生巨大的影响。如我们所知，更重要更久远的印象是在需求调查阶段形成的。

SPIN® Tips

第一印象很重要，但很难对一宗大订单销售产生决定性的影响。

在与另一个人相互影响的初级阶段，我们通常对人们不是很注意或很快会忘记。有多少次你被介绍给另一个人后10秒钟内，你就忘记了他或她的名字？你为什么会连名字这样重要的事情也忘记？因为你脑子里已充满了其他事情，例如接下来要说什么。不夸张地说，你根本没有精力去记住所有对你有用的细节。许多潜在的、需要表达的重要事情在一个会谈开始时就塞满了你的脑子。

很难得到第一印象重要程度的确切数据，因此我给你的是在观察了几百次销售会谈的开场白之后得出的个人观点。我不止一次见过以毫不渲染甚至很笨拙的方式开始而结果却很成功的销售会谈，也见过极其顺利的开始却没有结果的会谈。很多年以来，我一直怀疑在会谈的初级阶段里第一印象的重要程度，现在我不再相信仅凭第一印象可以使你做成或搞砸一笔大订单销售了。

现在，也许如衣着和开场白之类的事情在非常小的生意中仍然会起作用。我的一个朋友为慈善机构筹集资金而挨家推销圣诞卡，当他断言志愿者的衣着与他们的销售之间有直接关系时，我深表赞同。一天，他告诉我，他坚决要求所有志愿者都穿上他们最好的衣服，结果销售额上升了20%。

如果你从事的是大订单销售，请不要期盼一套漂亮的服装和一段好的开场白会使你的销售额增加 20%。

传统的开场白

自 20 世纪 20 年代以来，销售人员都受过培训，培训要求以下面这两种成功的方式开始会谈：

● 与买方的个人利益相联系。传统的销售谚语说，如果能在某种程度上涉及个人利益，那么你就可以迅速建立一种关系，并且会谈会很成功。例如，如果客户在桌子上摆有孩子的照片，那你就讨论一下家庭问题；如果办公室有高尔夫球拍，那就谈论一下高尔夫球。

● 直接陈述可以带给客户的利益为开场白。不妨以产品所能提供的利益开始有吸引力的陈述，例如，你可以说："先生，在今天的市场中生产效率是输赢胜败的关键因素。我们的产品可以对您的生产效率有很大的帮助。"

我们的证据表明，这两种方法在小一些的生意中也许是成功的，当生意不断扩大时，几乎没有证据表明它会对销售有多大帮助。让我们重新回顾这些证据。

与个人的利益取得联系

哈斯韦特公司的早期研究之一是在帝国集团（Imperial Group）的一部分区域进行的，我们试图确定那些可以建立良好关系的销售人员是否可以做成更多的生意。我们发现在乡村做小零售生意很成功的人，似乎都非常依赖个人因素在销售过程中的应用。我们统计了每一个销售人员涉及与客户个人生活有关系的事实或小事的次数。例如，销售人员也许会问，"安的骑术课上得怎么样了？"或"乔的腿好一些了吗？"。乡村中的生意都很小，成功销售人员使用的个人资料比不成功销售人员多，因此，我们可以很踏实地得出结论，即传统的建议是正确的：如果能与个人的利益相联系，那会对你的销售大有益处。

但在大城市的市场情况却大不相同，平均销售规模要比在乡村的生意规模大5倍。我们发现，销售成功与个人利益并没有任何联系，所以，与买方个人利益相联系在大订单销售中似乎没有什么效果。但我对这项研究并不是特别满意：由于许多专业技术原因，我们应该小心所做出的说明。例如，乡镇销售人员通常任职期比较长并且更换率也很低，这意味着他们在职时间长并且有更多的机会发现他们客户的个人资料，而乡村客户自己也不如城市中的客户那么忙，因此他们有更多的交谈时间。

无论如何，这项研究提出了更多问题。20世纪20年代，当人们从与他们本人有关系的人那儿购买东西这一理论刚刚提出时，很有可能是对的，毕竟是朋友与朋友做生意。但是，在我们一直进行销售研究的5年中，我注意到，情况有了明显的变化。数年以前，买方告诉我："我从弗雷德那儿买东西，因为我喜欢他。"而现在我最有可能听到的是："我喜欢弗雷德，但我从他的对手那儿买了东西，因为他们的东西更便宜。"看起来个人忠诚似乎不再是生意的前提基础了。

围绕个人话题而开始一次会谈不成功也许还有另外一个原因。我曾与英国石油公司采购部的工作人员一起工作过。在采购部办公室的墙上，一个采购员挂了一幅赛艇的图画。"我把它一直挂在这儿是因为它能提高我的工作效率。"他告诉我。我仍然有些迷惑，我让他再解释一下。"每一天都有推销员来我这儿，"他说，"浪费时间与我谈一些与生意无关的事情。显然他们在寻找一些能引起我个人兴趣的话题。但我是一个很繁忙的专业采购员，如果我浪费时间在与生意毫无关系的谈话上，那我根本无法完成这一天的任务，因此，用这幅画可以提高我的工作效率。当新的销售代表第一次来拜访我时，他们通常说：'多漂亮的一幅画呀！你一定喜欢航海。'我回答说，我讨厌航海，这幅图画可以提醒我有多少时间是被白白地浪费了。你找我有什么事？"

也许这是一个特殊的例子，但我已经听到许多其他专业采购员抱怨销售人员花费很多时间以讨论个人兴趣为开场白，一个繁忙的采购员要告诉一天中第十个销售人员的是他最近一次打高尔夫球的事儿。面对的销售对象资历越深，他们越会觉得他们的时间是在被额外占用，那么如果你总是谈与生意无关的事就很有可能使得对方不耐烦。还有另外一个原因：买方对以个人兴趣为开场白的销售人员持有怀疑的态度，他们感觉卖方的动机不诚实并且有要操纵他们的企图。

我并不是说你不应该以讨论买方的个人兴趣来开启一次销售会谈。有些时候，特别是如果买方主动开始引出话题是很对的。我们知道，在小订单销售中，从谈论个人话题开始对生意的成功起着完全正面的影响。但是，作为一种一般性的劝告，我建议你在大订单销售中一定要仔细，别过分使用这种方法。

利益陈述式开场白

许多销售培训课程教导人们，最有效地开始一次会谈的方法是通过一个利益陈述的开场白。用产品、服务能创造的利益引起买方的兴趣。因此我会说："威尔逊先生，我知道对您这样繁忙的总经理来说，时间就是金钱。我相信您在查阅电话号码本和打电话会谈方面一定花了很多时间，用拉克姆自动拨号机能帮您节约宝贵的时间。"如果你做得好，那么，利益陈述的开场白听起来很令人鼓舞，并且也像做生意的样子。但这是一种开启销售会谈的有效方法吗？

利益陈述的开场白这种方法已经相当古老了，它可以追溯到60年以前，甚至还可以再向前追溯，而它作为一个极受欢迎的开场白是由施乐公司的专业销售技巧（p.s.s）提出来的。这套技巧被广泛使用，它的开发者断言，这项研究揭示了如果他们以这种方式开始会谈，那么会谈就很有可能获得成功，他们称之为初步的利益陈述。我没看过详细研究，因此不能评论它的有效性。但是我的确知道这个技巧开发的基础是以制药业为背景，制药业的平均会谈时间仅仅是6分钟。如果你只有6分钟的时间，那么我当然可以理解为什么需要一种强有力的方法直捣黄龙，直奔主题揭示会谈的实质内容。

但是,大订单销售中平均每个会谈长度是40分钟,在这也能行得通吗?哈斯韦特公司开始研究这件事情。我们观察了300多次会谈，并用第1章中提到的方式将会谈分为成功的和失败的。如果利益陈述开场白使会谈更成功，像专业销售技巧程序断言的那样，那么我们可以看到，在失败的会谈中所用的利益陈述开场白少于成功会谈中所用的。但我们并未发现这种情况，在我们的研究中，利益陈述开场白的使用与销售会谈成功并没有什么太多的联系。

为什么听起来很有用的利益陈述开场白在某些时候与销售成功毫无联系呢?我们决定更仔细地研究研究。

SPIN® Tips

成功销售人员会审时度势地选择不同的开场白技巧。

我们的发现是这样的，成功销售人员以各种不同的方式开始每一次会谈。有时他们可能用利益陈述式开场白，有时他们可能用其他方法开启销售会谈。而那些效率很低的销售人员总是用一成不变的方式开始会谈，因此，那些每一次会谈都用利益陈述式开场白开始的销售人员比那些只是偶尔用这种技巧的销售人员的成功率要低得多。

在大订单销售中，会谈经常是几个人与同一个客户进行，因此，与一个人会谈和与很多人会谈不用同一种开场白是很重要的。我能记起，有一次，销售办公用品的一个销售人员第一次给我打电话时我是如何深深地被他吸引了的。他以一种传统的利益陈述式开场白开始了他的谈话:“雷克汉姆先生，您是一个很繁忙的总经理，我敢说您一定很疑惑从百忙中抽出15分钟与我谈话是否值得。但是如果花费15分钟的结果是可以给您的公司节省几千美元，我相信您一定认为这点时间用得值。”因此我给他15分钟并且深深地被他的产品吸引了，最后我约他下星期来公司与我们面谈。在下一次会谈时，我请办公室主任一起出席，但销售人员又开始说:“雷克汉姆先生，我知道您很忙，但如果我用去您15分钟的时间可以向您说明如何为您公司节省几千美元……”还是第一次给我留下极深刻并且深深打动了我的开场白，在这次再听起来就感觉机械呆板又惹人厌烦。

利益陈述式开场白为什么不是很有效还有另外一个原因。成功销售人员在生意会谈的后期才讨论他们的产品和服务，但我们看到不成功销售人员在会谈刚开始不久就喋喋不休地谈论产品和解决方案。我在这一点上提醒你是因为这样做会对使用利益陈述开场白不利，看看下面这个例子：

卖方：（利益陈述式开场白）先生，在大公司待过的人都知道，做出看起来有专业水准的文件有多重要，这也是我们发明命令执行型打印机的原因。使用一种新的特殊系统，它比传统的文字编辑器打出的文件要好得多。

买方：（问问题）它是滚轴型的吗？

卖方：（开始说明产品的细节）不，是喷墨型的。

买方：（仍然问问题）喷墨式的？一定很贵吧。多少钱一台？

卖方：（被迫在会谈中刚一开始就讨论价格）它比传统型的要贵一点，但它有……

这是怎么回事？通过使用利益陈述式开场白，销售人员在两方面陷入了困境：

●在她有机会用 SPIN®提问模式积聚价值之前，就被迫在会谈刚一开始就说出了产品的细节。

●她同意买方提问并因此使买方控制了讨论的局面。

每一个困境都是不可逆转的。如果很精明，上述例子中的卖方应可以重新控制这次会谈，从客户一直在提问的问题上回来，把注意力从产品本身转移到客户的需求方面。但至少，这不是开始会谈的一种好方法。我本人就看到过许多会谈是以这种方式开始的，因为卖方使用了利益陈述式开场白。

销售会谈的开启技巧

到目前为止，这章的大部分内容都是很消极的。怎样处理会谈的初步接触阶段呢？让我们把注意力从消极方面转移到积极的方面。哈斯韦特公司的研究认为什么是开始会谈的最好方式呢？显然，如前所述，变化是很重要的。没有一种已经固化好的开场白技巧，但有一个成功人士使用的大体框架。

聚焦于目标

让我们检查一下会谈初步接触阶段的目标。开场白的目的是什么？简单地说，你所做的一切都是想办法令客户满意，然后可以发展至下一个阶段即需求调查阶段，进而让客户认同提问是合理的。为了达到这个目的，你必须确定：

- 你是谁
- 你为什么会在这儿（但不是说明产品细节问题）
- 你问他的问题是合理的

显然有许多方式可以拉开会谈的帷幕，但是最好的开场白应该是让客户同意你问问题。这样的开场白可以避免陷入谈论产品和服务细节的尴尬境地。在会谈的初步接触阶段，要确立你信息猎取者的角色，而买方就是信息提供者。

使初步接触阶段收到好的效果

众所周知，初步接触阶段在大订单销售中并不具有举足轻重的作用。检测初步接触阶段处理好坏的主要标准是：客户是否真的很愉悦地接受提问并使会谈顺利进行。如果做得很好，那么客户就很可能接受你了。不要担心会谈不顺利或不优雅。我们研究过的一些最好的销售人员在会谈刚开始的几分钟内似乎都有一些紧张、自卑和犹豫。但也要注意以下三点：

1. 迅速切入生意正题：不要虚度时光。初步接触对你和你的客户来说都不是最能产生经济价值的阶段。通常的一个错误，特别是没经验的销售人员爱犯的一个错误是花费太多的时间说一些诙谐的话，结果可以谈正经题目的时间少了，于是，当你刚刚提到关键点时客户不得不打断你。如果你经常发现会谈比预定的时间长了，那就应该问问自己是不是很迅速地切入正题了。虽然没有一个确切的尺度来衡量应该用多长时间开始一次会谈，但我仍然为那些用多于初步接触阶段 20% 的时间去谈一些与生意无关话题的销售人员担心。

不要认为太快切入正题会冒犯你的客户。我经常听到来自资深经理和专业采购人员的抱怨是：销售人员在无聊话题方面占用了太多的时间。但我从没听到谁抱怨销售人员切入正题太快。

2. 不要太早说出你的解决方案：在销售中最常见的一个错误是会谈中你太早说出你的解决方案和实力。如我们在以前的章节中看到的，提出解决方案太早会引发客户的异议并且大大降低了销售成功的可能性。看一看自己在会谈前半部分有多少次在介绍产品、服务和解决方案？如果这些情况时常发生，那么这可能是你没能有效处理初步接触阶段的一个迹象。

如果在会谈中通常是客户在不停地问问题，而你所扮演的角色不过是提供事实和解释，那么很可能你在初步接触阶段未能建立起提问者的地位。反问一下自己，会谈开场白是否确立了你一直可以问问题的地位。如果没有达到这个目的，改变开启销售会谈的方式，以便于客户可以在提供解决方案之前接受你的提问。

3. 注意：不要忘记初步接触阶段不是会谈的最重要部分，当与许多销售人员一起工作时，我注意到在开始会谈之前，他们一直在担心怎样开场的问题上浪费时间，其实他们大可不必如此，而应该将那些时间用于准备一些更有效的提问。

第8章

理论转化为实践

圆满实现是我最喜欢的词之一，可并不那么为人所知，每当我用它时，听众都会去查字典。这是令人遗憾的事，因为这个词在英语中填补了很大一个空白，并且在每一种场合中都能用得上。圆满实现的意思是使潜在的东西变为现实，把理论的优雅转变为现实的操作。圆满实现是本章的主题之一，把哈斯韦特公司研究的知识成果转化为实际行动，这对你的销售一定有实际的指导意义。

把理论模式转化为实际技巧并不是一件很容易的事，读完本书并不代表着所获得的知识会自动提高你的销售能力。没有一本销售书能自动提高你的销售技巧，就如同看一本游泳的书不可能立即就学会游泳一样。每本书的读者和作者都面临着共同的挑战，即把理论转化为实际行动。

为了迎接这个挑战，我将用哈斯韦特公司在全球范围内培训成千上万销售人员的经验来提高销售技巧，在这章中将与你分享一些原则和实践经验，这些原则和实践经验对我们和我们的客户的成功有着很大的帮助。想必你的挑战是很艰巨的，因为提高销售技巧是一项艰巨任务，没有现成的更好的销售公式。任何技巧的成功（无论是在打高尔夫、弹钢琴或做销售）都依赖于专心、执著和遭受许多挫折的实践。如果按这本书中的建议去做，并且真正地去实践这些技巧，那你想在销售方面有显著提高的愿望很可能会成为现实。但这是一项需要你集中精力去做成的事。每一位读者只要进行足够的练习，再困难的事也可以做好，你的技巧也会有突飞猛进的增长。

技能提升的四个黄金法则

为什么人们认为学习技能是件很难的事？不仅仅因为它本身是件很难的工作，还有一个原因就是，我们已经习惯把工作与学习新知识融为一体了。研读本书所用的时间和精力已经证明了你有努力工作的能力。这本书主要告诉你销售所需的知识，然而，我很疑惑的是，有多少读者会在把知识转变为实践时付出同等的努力。令人难过的是：把所学的知识转变为实际技巧或工作和学习知识相比，我们通常会更努力地工作、更有效地学习知识，而把所学转化为所用却不尽然。也许圆满实现是那么罕用的一个词，正是因为它所指的是我们很少做的事。

为什么人们在提升技能方面有如此多的麻烦？以我个人的看法，主要原因是他们从来没想过学习技能的基本方法。在学校我们的成功依赖于开发学习知识的技巧，大部分人都很擅长它，但是，学校对我们系统的学习技能又有什么帮助？除了运动之外，大部分人的回答是很少或没有。因此，在谈论你应该实践什么技能之前，很有必要先谈谈如何实践技能，你怎样才能有效地学任何技能并且不做无用功呢？

我们发现，如果坚持以下四个基本法则，大多数人都可以大大提高学习技能的能力。

法则 1：一次实践一种行为

大部分人开始学习提高他们的技能时，都试图马上做很多事。我可以想象人们在读这本书时会说：“我将不再用收场白技巧，将来我要问更多的难点问题。然后，不再很快地说出解决方案，我要按部就班地提问暗示问题了……当然还有需求—效益问题。我也努力避免用特征和优点陈述；相反我要说更多的利益陈述和……”住口！如果这就是你所想的，那你不是在学习，而是在自取灭亡！成功人士学习复杂的技能是一次实践、一种行为，而不是一次实践两个，当然更不是立刻实践 10 个。

去年我坐在去澳大利亚的班机上时，发现对面坐的一个男子似乎很不高兴，他的名字叫汤姆·兰德里（Tom Landry）。作为一个英国人，我的运动是板球和缒球，对于美国人的橄榄球我一窍不通。结果，谈话还没有正式进行呢，我就知道了兰德里先生是一个著名的橄榄球教练。我承认，就在他提起“Dallas Cowboys”时，我错误地以为它是一种循回马术表演。因此，当他解释是训练一支大型橄榄球队所用的先进而复杂的方式时，

> **SPIN® Tips**
>
> **学习并践习复杂技能时，成功人士大多是一次做一件事情，做一件正确的事情。**

我感到很迷惑。

“你的工作是教人们技能，”我对他说，“如果为了成功学习一项技能，必须提出一个原则，那会是什么？”他没有犹豫，“一次做一件事情，”他回答说，“而且是做正确的事。”本杰明·富兰克林在1771年就职演讲上说过同样的话。在他的自传小说中，他主要解释如何把一项复杂的技能分解成为各个行为组成部分，然后一次只提高一种行为的能力。有像富兰克林这样的权威和兰德里的支持，我毫不犹豫地把它放在第一位，这是你可以从这本书中读到的最重要、最有价值的原则：

挑选一种行为开始实践。除非你确定第一个行为已经没问题了，否则不要继续下一个。

法则2：一种新的行为至少试三次

第一次尝试一种新事物，你一定会感觉不舒服，这不仅仅是因为新鞋子开始穿时会挤脚。

假想，你决定要实践提问暗示问题。在你头脑中已经深深地记住法则1了，因此一直把精力都放在暗示问题上，而不注意我们介绍的其他行为方法。你去进行一次会谈，这种新的暗示问题会使你的发言以一种顺畅、令人信服的顺序出现吗？绝对不会！开始提问时，你所说的听起来会很自卑、做作而且不熟练。正是如此，你很难给客户留下一个特别正面的印象。会谈之后，如果你和许多我们培训过的人一样，试图得出一个结论，那将会是暗示问题不能帮助你销售或者最好放弃它们，然后在下一次会谈中尝试另一种不同的行为方法。

如果你得出这个结论，当然就大错而特错了。在一种新行为被实践足够多次从而变得又顺手又有效之前，你必须试好几次。新的技能需要“驯服”。这种现象不仅仅在销售中会有，无论什么时候你想提高什么技能，起初都会觉得笨拙并且不能步入正轨。我曾经对200人进行过调查，他们每一个人都上过专业培训课，不管他们的下一杆打得是好还是坏，200人中的157人在培训之后的成绩比培训之前还差。这是什么规则？我个人推

荐的原则，也是哈斯韦特公司推荐给接受培训的人的原则，即

在你对一种新的行为方法还没有尝试过三次之前不要评判它是否有效。

法则3：先数量后质量

记不记得一种老的学习外语的流行方式？你试着说几个词，“不，”你的老师说，“时态不对，应该用完成时。”你又试了一遍。“错误，”老师警告你，“时态对了，但这是一个不规则动词。”你神经紧张地又开始了第三次尝试。“不，”老师又告诉你，“这次时态对，动词也对了，但你的发音很糟。”请注意每一次老师的评语都是关于你技能质量的，许多人都是经过多年的努力拼搏以这种方式来学外语的。最终我们可以，虽然犹豫，但是可以以很正确的动词、时态和单词顺序来说几个句子了。尽管许多年都在强调质量，但许多人从来没有达到过那个标准，可是我们却能充满自信而且很舒服地说外语了。

与之相比较，让我们看一看现代的语言培训。老师告诉学生们：“不要介意发音，不要担心时态。单词的顺序无关紧要，而且我们并不在意你忘记了规则动词与不规则动词之间的区别。我们希望你能做到的唯一一件事就是开口说，说，说。”换句话说，是重点在数量而不是质量，多说比说好更重要。许多令人信服的试验都证明了这种说法，把重点放在讲话的数量上，可以大大加速语言技能的学习。在这一年的年底，学生们可以比那些用古老的质量第一的方式学习而且学习时间是他们5倍的学生更自信地说这种新的语言了。更令人惊讶的是，通过多说，质量也得到了提高。事实上，用发音和语法来检测语言的正确性，在通过数量方式教学的过程比老式的质量教学的过程中用得还多。因此，在语言培训过程中，多说至少可以让你说得更好。

SPIN® Tips

提升技能的有效方法是勤加练习，多次实践，先数量后质量。

同一种原则在学习销售技巧中也适用吗？是的。毫无疑问它适用，我

们的研究已经反复证明了学习一种新的销售方式最快的方法就是数量方法。让我给你一个例子来证明我所说的。有一家世界闻名的跨国公司，出于商业隐私的考虑,在这儿就不提它的名字了。这个公司喜欢 SPIN®模式，并且想以它为基础制订一个培训计划。计划人员用了 9 个月的时间制成了一个价值 65 万美元的作品，不是很正规但很奇特，这就是所谓的最终销售培训手册。质量是他们的座右铭。因此,举个例子来说,在他们的培训中，你不能仅仅提问难点问题。不，那根本不起作用，因为你提问的质量不一定是令人满意的。相反，他们针对如何提问难点问题建立了一个四阶段的模式，而且开发了三种难点问题能顺利地与背景问题连接的方法，也很注意其他方面的技能的培养来保证任何难点问题都能有令人满意的质量。努力的结果是建立了一个 74 步的销售模式，它是如此的冗长和繁琐，以至于弄得你糊里糊涂直到不得不放弃这个实验。在这些学生学习完后，我们做了一项跟踪调查，发现他们每次会谈平均提问 1.6 个难点问题，与培训之前的使用频率没有什么不同。

也许因为哈斯韦特公司没有参与这项荒诞的设计，所以被任命为对公司总部报告此项错误项目的人选。我不得不告诉那位决策者，他刚刚花去大部分培训预算费用所做的计划是那么令人难过，以至于他都不能让人们强打精神勉强地做完这个实验。最初他很愤怒，后来有所平息，直到小声地嘀咕时，他才能问出：“我们应该怎样？”我们告诉他，用他那可观的成本的十分之一就可以设计出一项有效的计划。“注重数量，”我们建议他，“你会得到所企盼的结果。”这当然就足够了，仅仅 2 个月后，我们就完成了一个以数量为基础、非常类似于语言培训的计划。我们并不在乎问题问得是好还是坏，但确实很在意提问的数量。在培训快要结束时，它所起的作用表现为学生们能一口气提问 12 个难点问题。回到现实中，来自客户的反应很快就说明了他们这些问题中的哪一些最有效，并且，质量有了极大的提高，与语言培训效果一模一样。花费 65 万美元、以质量为基础的计划被淘汰了，我们便宜有效、以数量为基础的计划在这家公司的 3 个最大分公司中被采纳了。当你尝试着学习一种新的行为时，这个适用于销售技能提升的原则同样也适用于其他技能的学习。

当你正在练习时，一定注意许多新行为使用的数量。不要担心质量问题，比如你是否可以很流利地使用它？是否还有更好的方法？这些都会阻碍你有效地学习技巧。尽可能地使用新的行为，这样质量自然而然地会有所提高。

法则4：在安全的情况下实践

我曾经给许多公司的总经理们培训谈判技巧。最后一天，一个参加者问了我一个听起来很无知的问题。“明天，”他解释说，“我将有一个有生以来对我来说最重要的谈判，我要卖掉我的公司！我在这次培训中学到的什么知识在谈判中可以用到？”我想答案一定使他吃惊不小，“忘记你在这次培训中听到的每一件事，”我建议他，“否则你将终生悔恨来这儿听课。”

让我也给你以同样的建议。如果刚刚读完这本书并且马上要去拜访你最重要的客户，那么忘掉我写的一切吧！人类本能的一种奇怪行为是在关键时刻试着去实践新的技能，而且认为这些关键时刻足以判断你尝试新技能的努力程度。这是一个极大的错误。如我们所知，新技能用起来是不舒服也是不熟练的，甚至可能对客户产生消极影响。如果在关键时刻试验它，那么成功的可能性不大。假想你已经决定多问一些需求—效益问题，不要在与你最大客户会谈时使用。相反，从小的客户开始试起，或从熟悉的客户开始，或在即使失败了也无关紧要的生意中开始试起。换句话说：

在你可以得心应手地用新技巧之前，一定要坚持在安全的情况下使用它。不要在重要的销售中实践新技能。

这些法则可以被排成一个序列，来为你学习和提高技能提供一种简单的策略指引（如图8-1）。尽管我在这儿的目的是要提高销售技巧，这四个基本法则可以帮助你提高任何技巧，从谈恋爱到驾驶飞机。

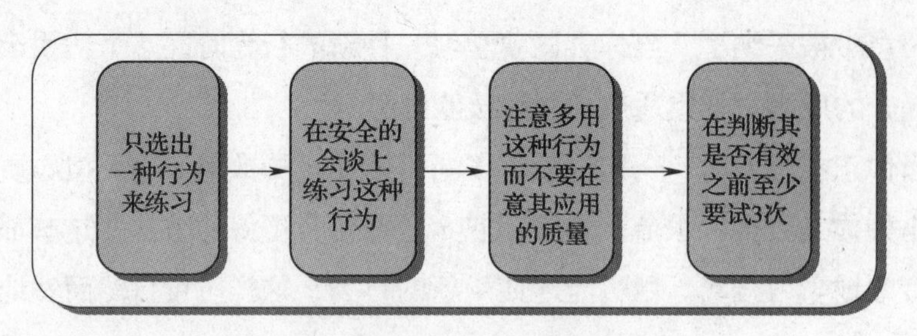

图 8-1　学习一种新技能的策略

销售会谈的总结

让我们总结一下前面这些章节的关键点

销售会谈的四个阶段（第 1 章）

几乎每一个销售会谈过程都可以分为四个明显的阶段（如图 8-2）：

- 初步接触：会谈开始的预热阶段；
- 需求调查：找出事实、信息和需求；
- 能力证实：表明你有提供有价值东西的能力；
- 晋级承诺：获得推进销售的更进一步许可。

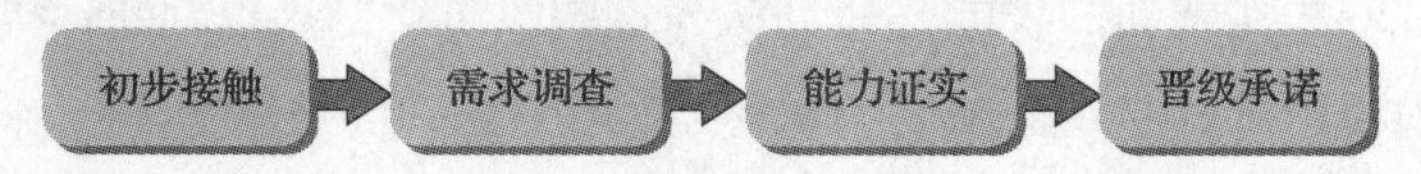

图 8-2　销售会谈的四个阶段

初步接触（第 7 章）

我们已经说明了开启销售会谈不存在最好的方式，成功人士都是很灵活而且很少以同样方式开始两次会谈。传统的销售培训计划推荐的两种开场白技巧（1. 与买方的个人利益取得联系；2. 做一个陈述利益开场白）有潜在的负面影响，要小心使用。

需求调查研究（第 4 章）

我们的研究表明，传统的开放型提问和封闭型提问之间的区别并不能预示着在大订单销售中的成功。相反，我们发现成功人士在大订单销售中使用 SPIN®提问的顺序去探寻并开发客户的需求：

- 背景问题：关于事实、背景和客户正在做的事情。背景问题过多可能使客户感到厌烦和愤怒，研究表明成功销售人员谨慎提问这种问题。
- 难点问题：关于客户的难点、困难和不满。难点问题在小订单销售中与成功紧密相连，但在大订单销售中威力很小。
- 暗示问题：关于客户的困境的结果或影响。成功会谈中通常有许多暗示问题。提问暗示问题的能力在大订单销售中是一个至关重要的能力，因为它增加了客户对所提供解决方案的价值理解和接受。
- 需求—效益问题：客户在解决方案中能感知到的价值、用途或意义。像暗示问题一样，需求—效益问题在大订单销售中与成功紧密相连。

SPIN®模式的提问顺序通常是连续使用的，以背景问题开始来建立背景信息，其次用难点问题来发现困难，然后是用暗示问题充分挖掘问题的严重性，最后用需求—效益问题让客户告诉你解决方案的价值。然而，SPIN®提问顺序并不是一个僵化的公式，要想让它发挥出其应有的威力，必须灵活地使用。

能力证实（第5章）

传统的利益定义是表明一种产品可以如何使用或如何帮助客户的陈述，这在小订单销售中起作用，但是，随着生意不断扩大就渐失其效了。在大订单销售中，最有效的利益类型是能表明你的产品和服务可以满足客户阐述的明确需求的那一种利益陈述。

晋级承诺（第2章）

收场白技巧在小订单销售中是很有效的，但是在大订单销售中就不起作用了。我们的研究表明，晋级承诺最关键、最简单也是最有效的方法是：

- 检查一下你是否包括了客户最关心的问题；
- 总结利益；
- 建议你用合适的承诺方式。

SPIN®的学习策略

在哈斯韦特公司，我的同事们与成千上万的销售人员一起合作，帮助他们使用这本书中介绍的方法。在大公司中，我们通常采用那些高级的学习技巧，使其适用各种复杂的学习过程。从另一种程序上来说，我们也尝试开发一些非常简单的方法来帮助个别销售人员提高技巧。哎，在培训生意中没有免费的午餐。一个很不幸的事实是，我们比较后发现，精心设计的培训通常比很简单的培训能带来更多的收益，这使得我们在向你推荐简单的步骤来提高技能时有些自惭形秽。

即使如此，的确有某种相当容易而又普通的方法可以把这本书中的研究发现转化为有用的实践经验。我们发现人们无一例外地认为下面四个建议大有益处。

注意需求调查阶段

许多人在准备一次销售会谈时，总是设想要告诉客户的内容，而不想客户会问什么。换句话说，注重证实自己的实力，这是一个错误。不管你在证实能力方面做得有多好，如果没有先行开发客户的需求，那对客户也不会有什么影响，而开发需求的目的是使客户需要你提供的能力。晋级承诺这个阶段也是一样，除非客户需要你提供的东西，否则你会发现，要得到一个承诺是很困难的事。需求调查阶段多努力，多做工作，练习你的提问技巧，会使得其他阶段自然而然做得很好。如果你知道如何开发需求（即使你的客户需要你提供的能力），那么，你在揭示利益或承诺接受方面都不会有什么问题，就如同知己知彼方能百战不殆。所以，关键的销售技巧是需求调查阶段，用 SPIN®问题使客户真正感觉到他们需要你的产品。

遵循 SPIN®提问顺序开发需求

在你觉得比较简单的背景问题和难点问题还没有掌握牢固并熟练地应用之前，千万不要积极地开始实践高效能的暗示问题和需求—效益问题。

1. 首先判断一下你们各种类型的提问是否已经足够了。如果你建立起的销售模式包括讲述（即你给出了许多特征和优点），那么，要以更多提问为开始。即使大多数提问是背景问题，那也很好。就一直持续问几周问题，直到问问题的感觉与讲述的感觉一样自然、舒服为止。

2. 下一个计划是提问难点问题。在一般的会谈中，至少应有一半的时间以提问客户难点、困难和不满为目标，注重提问难点问题的数量，不要去考虑是否每一个问题都是“好”问题。

3. 如果你觉得在发现客户难点方面做得已经很好了，那么是时候开始提问暗示问题了。这种问题更难，在你慢慢熟悉直到最后完全能熟练应用暗示问题之前，大概需要几个月的练习。仔细策划一下。

一个好的办法是重读第 4 章中“暗示问题”的摘抄范例。然后，替换一下摘抄范例中的问题，把你自己的产品作为客户解决的问题放进去。以摘抄部分的问题作为一个模型，试着写一些你可能问到的暗示问题，这些问题必须使你的客户感觉他们的问题已经严重到了应当立即采取行动解决的地步。策划暗示问题时，我发现，假想一下客户会说“那又怎么样，我已经知道有这种问题存在，但我认为这并不严重”是很有用的。我列出了我的论据，用它们来说服客户这些问题的确很重要（降低效率、增加成本并且使他的好员工闹情绪），然后，把每一个论据都划为一个问题，“这些问题对您的效率有什么影响”以及“它增加了多少您的成本”和“对您员工的情绪有什么影响？”等。

4. 最后，当你已经很习惯提问背景、难点和暗示问题了，那么你就应该转移注意力到需求—效益问题了。不用揭示利益给客户，取而代之的是把精力放在问问题上，那么客户就会告诉你利益所在。练习问这类的问题：

●那可以怎样帮助你？

●你看这种方法的优点是什么？

●我们的产品对您还有其他方面的帮助吗？

还是不要担心你是否能问好需求—效益问题。重视数量，尽管多问。

用产品可以解决的问题来分析它们

停止思考你产品的特征和优点。相反，想一想每一个产品可以解决问题的能力。通过列出你的产品可以解决的问题来分析它们，然后用所列出的清单来策划一下你在会谈时可以问的问题。用这种方法来想你的产品，你会发现采取 SPIN®的提问方式是很简单的。

细心策划、认真行动和虔心回顾

绝大多数销售人员都承认会谈计划的重要性，但在现实中，他们自己计划的重要性只不过是会谈开始前的片刻惶惶不安而已。因此，从制订计划和策划会谈中只能学到一点有限的东西。你能学到的最主要的东西来自于你回顾会谈的方法，每次会谈之后不妨反问自己一些诸如下列的问题：

- 我达到目的了吗？
- 如果我再谈一次，会与这次有什么不同？
- 在这次会谈中，我学到了什么对我以后谈判有影响的东西？
- 我学到了什么可以应用于其他地方的知识？

不幸的是，我们中很少有人花时间系统地提问类似的问题。这些年，我与几十位全球顶尖销售高手寻找他们与那些没有做到他们那么好成绩的销售人员之间的区别。两个区别逐渐清晰起来，第一是这些出色的销售人员把很大一部分精力放在对每一次会谈的回顾上，详细研究分析他们学到的东西并且思索在哪方面还有提高的可能；第二个不同是，我研究过的大部分真正成功的销售人员承认他们的成功依赖于正确的细节。在大规模战略性的会谈计划中，他们有着超群的技巧，但这并不是他们与其他人的区别所在。我研究过的许多不成功的销售人员也能制订出完备的会谈战略计划。出色销售人员最明显的与众不同是他们可以把战略转化为有效的销售行为，他们知道在会谈时应该做些什么。他们了解细节，也可能这就是他们为什么那么注重计划和回顾每一次会谈的原因。

反问你自己是否用了足够多的时间回顾在会谈中发生的每一个细节，这很值得。永远不要满足于很笼统的结论，比如“会谈进行的很顺利”，想想细节问题。会谈中的有些环节比其他环节好吗？为什么？你问的哪一个具体问题对客户影响最大？客户哪方面的需求最强烈？在讨论中哪些需求有了变化？为什么？你用的哪一种方法最有影响？除非你如此仔细地分析你的销售过程，否则就会错过最好的学习和提升销售能力的机会。

结 语

也许我从哈斯韦特公司的研究调查中得到的最重要结论是细节的重要性。许多年以前，我们刚开始研究时，我会告诉你销售成功取决于很多方面。我也会选出一切可能的因素如态度、个人亲和力和谈判策略来解释为什么有的人比其他人销售业绩更好。现在我不再相信这些了。我们的研究逐渐明朗，成功是由于那些重要的称之为行为的极小部分构建而成的，不是任何其他的东西而正是这成千上万细小的行为细节决定着你的会谈是否会成功。

我不是最先得出这个成功起源于对细节的理解这个结论的人。1801年威廉·布莱克（William Blake）写道：

做事能让另一个人满意的人肯定是很注重细节的人。笼统地说形势大好，是伪君子、恶棍和阿谀奉承者的借口。如果没有有组织的细节，艺术和科学都将不复存在。

附录A

SPIN®有效性的评估

一个多世纪以前，开尔文勋爵（Lord Kelvin）说过：“如果你不能评估它，不能以定量的方式表达它，那么所讲的知识就是贫乏的、无足轻重的。”他说得非常正确。但是，现在我们活在失去了19世纪精力充沛的科学研究者的年代里了。评估、证明和详细研究，所有这一切都不能产生与在科学的黄金年代里一样的兴奋。结果，我们验证SPIN®模式有效性的工作就只能放在附录里，而不能像开尔文勋爵那样把它放在正文当中。

如果你是100人之中能不怕麻烦来读一读本书附录中的一个，那么我将感觉无比荣耀并不胜感激。就我个人而言，我觉得这份资料是我们工作中最令人兴奋的一部分。我希望你也认为它值得一读。

我的话题是令人感兴趣的证明和证实。我们怎么知道本书所描述的一切对销售成功是真正有用的呢？这在我们的研究中是最大的挑战，收集最有力的证据以证明我们开发的新观念对从根本上提高销售业绩真的起了举足轻重的作用。据我所知，我们是第一个用严谨的科学方法来验证销售技巧是否对销售成功提高有所帮助的科研小组。

当然，许多人都已宣称他们的模式和方法也很富戏剧性地提高了销售业绩。现在，当翻阅我那废旧的邮件时，还看到了几条写得很诱人的许诺成功的信件。“使你的年营业额翻番，只需要一天的培训计划。”“最后，”另一封信中写道，“已经得到证实的，可以使你的销售额上升为现在的300%的方法。”第三封信又告诉我：“这次培训后，分公司的销售达到了有史以来的最高峰。你也一定可以！”所有这些培训计划声称的这一切都没有任何不足，而且这些培训计划都可以大幅度地提高销售。但是，这些夸张的实例又有多少能够经得住仔细的审查呢？我从未见过任何一个可以做到这一点的培训课程或销售技巧。不幸的是，当你仔细审查它们时，大部分原来显得很郑重的广告都“奇迹般地复原了”，也就是说销售又回到了原始的水平上了。这种情况酷似于几年前的一个关于万金油的断言。

我把销售培训比作万金油广告并不是有意中伤。据说万金油这种神奇的混合物以及一些令人迷惑的药品供应商都确信无疑他们已经找到了一种意义重大的处方。他们的这种缺陷是建立在一种简单的错觉上的。站在18世纪皇家医生的角度上，设想你正在为一个病重的人治病，试过所有的方法后，仍然没有一个有效的处方。因此，怀着极度沮丧的心情，你将这些药草都混在一起，你的病人服用了这种混合物后竟然康复了。"我找到了！"你的药品起作用了，你找到了一种神奇的处方。在热情冲昏你的头脑时，你没明白其实你的病人本来就在渐渐好转，但你在余生中却忠贞不渝地相信正是这种神奇的混合物使病人康复了。

这就是大部分销售培训中发生的事情。设计者们把许多概念和模式混在一起，使它成为一种培训的模式，后来，销售真的增长了。因此，培训设计者们虔诚地得出的结论是：培训使销售增加了。

我用了3年时间进行培训评估的研究，一次又一次地遇到了这种很神奇的现象。例如，我记得一家大的化学公司的培训人员告诉我，他的培训计划可以使销售额翻番。为了让我相信，他用了许多数字来支持他所说的一切。自从培训后，他的部门的销售增长了118%。然而在仔细看过培训课程后，我发现这与他许多年来一直进行的培训几乎是相同的。我找不到任何可以使销售一下子增长118%的原因。但在分析了当时的市场行情后，我才弄了个水落石出。该公司一个大的竞争对手由于激烈的竞争退出了市场，而他的公司又引进了一种新产品，价格也有所变动。最重要的是，在销售管理部门、人事和销售管理政策方面有了几项重大变化，更不必说又加大了广告的投入力度。理所应当地可以想到，这些因素中的每一个对销售的影响都比传统的销售培训对销售业绩的影响大的多。依我的判断，病人没有那种神奇的处方也能康复，培训就是那种万金油。

我在评估研究的过程中调查了许多声称因为培训使销售增加的销售事例。90%以上的真正原因是其他管理因素和市场因素所致，能影响销售的可变因素太多了，培训只是其中之一。在我们研究的每一个事例中，几乎都有一个合理的原因导致销售增加。我并不怀疑那些告诉你他们极好的销售方法使销售成倍增加的人的为人诚实，但对于任何神奇的处方，你必须要问一问，是否病人没有服这种药也同样会好起来。

有效性评估的基础

不管我们讨论的是药品还是培训，都很难证明一个人的“处方”是否有效。然而，这正是我在这章中遇到的难题，因为我想回答你的问题是：“这个方法见效吗？”有什么证据能证明我们提供的办法对你的销售业绩的确起作用了呢？如果你正要投入时间和精力去培训员工，那么我所描述的销售技巧，你应该知道我给你的不仅仅是万金油。但我怎样才能证明 SPIN®可以提升销售业绩，让你放心大胆地用它去培训员工呢？

让我们以怎样不去做开始吧（如图 A-1）。在 SPIN®的初级阶段，我们与总部在纽约边上的一家资本货物公司合作。这些受训人员急于想验证这种模式是否可以提高销售业绩，他们比较了受过培训的 28 人的月平均销售额。培训前 6 个月，每个月的平均销售是 3.1 个订单。但培训后的 6 个月，每个月平均销售上升到 4.9 个订单，增长了 58%。

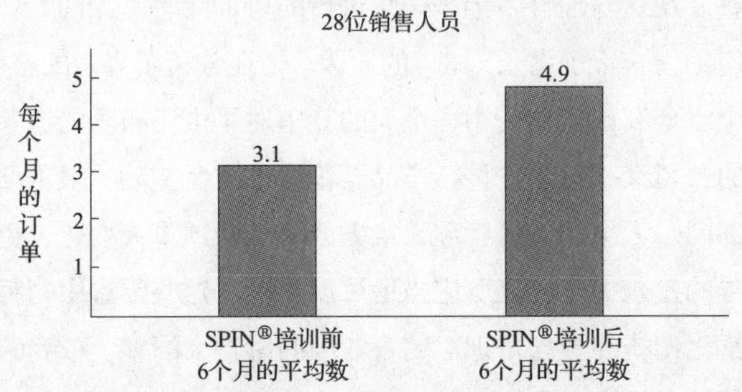

图 A-1　一个误导人的有所上升的例子：SPIN®使订单数量上升了 58%……是这样吗？

我们可以下结论说 SPIN®可以增加 58% 的订单吗？显然这是一个很不确切的结论。让我们更仔细地分析一下结果。培训后的 6 个月中，两种新产品被推出，销售范围重新划定，28 个受训人中 23 人的销售范围扩大了，这就使得他们有了更大的销售潜力。公司这一阶段的销售额增加了大约 35%，这些增长中的大部分来自于那些未受过培训的员工。更仔细地研究之后，很显然我们处在自欺欺人的危险中，因为现实中我们没有办法来说明哪一部分增长是源于SPIN®，哪一部分增长是源于其他因素。

同时，我不得不建议不要被下面这则煽情的评价所欺骗，它来自于霍尼韦尔公司的管理杂志：我们欧洲销售队伍的大部分人原来是经营产品及销售周期很短的生意的，我们需要一个切实有效的计划……它应完全适用于我们欧洲市场的特点。1978年末，SPIN®模式被译成欧洲语言而传入欧洲，销售成功地增长了20%……销售人员SPIN®技巧达到炉火纯青的地步时，销售额会更高。

按照SPIN®去做，的确有20%的销售增长。但是报道没告诉你的是，霍尼韦尔公司那一年向欧洲市场引进了几种重要的新产品，包括革命性的TDC2000程序控制系统，完全有可能是由于这种产品的面市使销售额增加了。在霍尼韦尔公司这个事例中，我们没办法说是否是由于SPIN®模式使销售额上升了。

参照组

类似于这些结果的最大弱点是，培训者没有建立起一个能与之比较的参照组，即这组人是没有受过培训的，他们可以和受过培训的小组在执行过程中的变化相比较，也就是说提供一个可以比较的标准。我猜想大部分读者都知道参照组，并且知道他们对任何实验工作来说都是非常重要的。但是，你也许不知道，最早它们是用于医药业的——尝试着总结出一个处方是真正有效，还是只是万金油。如果这些培训人员建立起一个也是由28人组成的参照组，组中全是没有受过培训的销售人员，那么我们可以通过比较这两组人的执行情况来勾勒出一幅更真实的图画。

但即使有一个参照组，结果可能也有误导性。下面就是一个表面上看起来似乎很令人信服的测试，是关于SPIN®在大订单销售中是否能使销售额有所提高的测试。

有着合理解释的事例：某大型跨国公司决定通过培训一个大订单部的31个销售人员来测试SPIN®模式，然后选择了其他一个没接受过培训的分部作参照组。如果受过培训的分部业绩的增长比参照组的增长多，那么这种增长可能不是由于市场和产品因素造成的，因为这些因素对参照组与实验组是平等的。更重要的是，在人员方面并没有明显的变动，因为从销售和管理的角度上来看，这个部门的人员变动率异常的低。也许，这次我们有一个 SPIN®是否可以提高生产率的有效测试了。

结果与参照组相比，销售业绩增长了 57%，这看起来当然很可信（如图 A-2）。但是，我们不得不问一个评估员要问的常规问题："有没有其他同样合理的方法来解释这种增长？"对我们来说很不幸的是有。这个部门是最近新建的，仅仅是在开始 SPIN®培训之前 4 个月，而平均产品销售循环周期是 3 个月。因此，生产率的提高可能是由于新的分部达到正常速度所需时间及 3 个月销售周期延误的影响。又一次，我们的"证据"可以用另一种方法解释了。

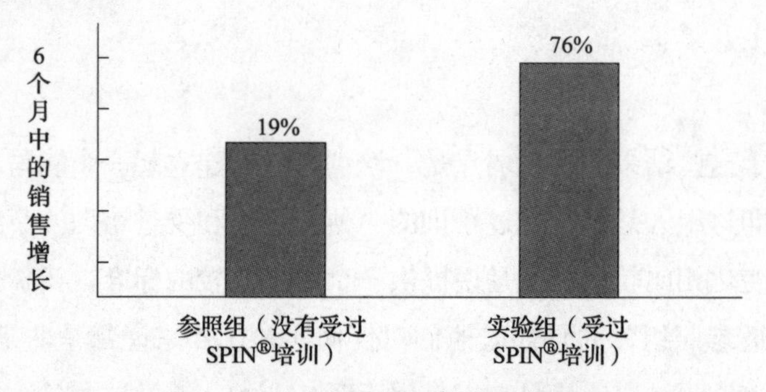

图 A-2　一个给人误导的参照组研究

在我们的研究卷宗中，有许多评估研究的相似例子都是在第一眼看上去时很合理，但经不住严密的审查。另一个例子也可以证明这一点。

在遭受到又一次失败后：一家大型商用机械公司决定在 2 月份这个销售旺季评估 SPIN®方式。为了弥补季节和市场的影响，公司用在同一市场的其他每一个分支机构中相应部门作为参照组。公司跟踪每一个分支机构以前的订单记录以及实验小组在 1 月初进行培训后的订单记录。如图 A-3 所示，与其他的参照组相比，SPIN®培训的分支机构业绩有了令人难忘的增长。这一次，不像我们早些时候的研究，所有 5 个分支机构都已经建立

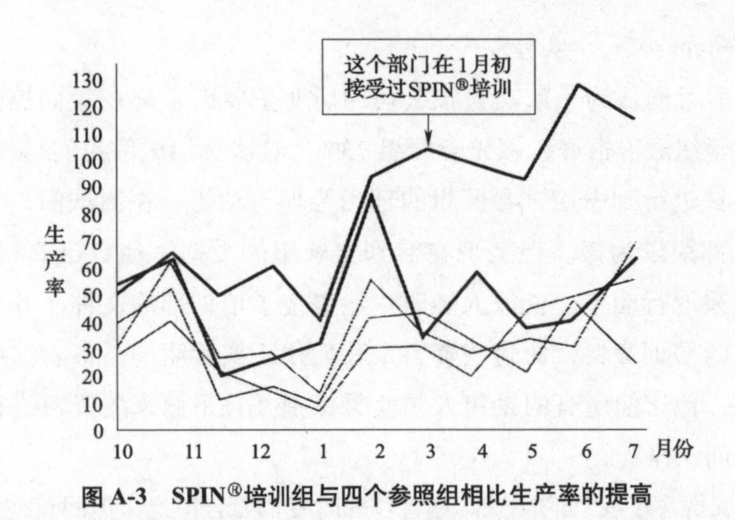

图 A-3 SPIN®培训组与四个参照组相比生产率的提高

了很长的时间，因此没有销售周期和学习曲线的问题了。这是我们一直在找的证据吗？不幸的是，它也不是。

在 11 月份分支机构的经理换了。我们怎么能知道在生产方面很夸张的提高是因为 SPIN®模式还是由于新的销售行为管理系统的引入呢？问题是无法回答的。尽管如此，公司仍然试图通过接见所有参与的销售人员来分类汇总答案。他们让每一个人评估这种变化有多大成份是因为 SPIN®培训，多少是因为其他原因。尽管每一个人都愿意提供一种估计，事实是，他们最常见的答案是 50% 是由 SPIN®引起的，这不能不使我表示怀疑。无论何时，人们对起多大作用这种问题的回答是 50% 时，我认为这就意味着他们也没有多大把握。

失败之后又是一次失败

你永远也不能完全忽略其他公司机构和市场因素的影响，也就是说接受任何销售模式能令人信服的证据是很难的。上帝知道，我们努力过了。我们得到了一个公司的同意，在整个为期 6 个月的测试阶段不变化产品、管理和销售人员。一时之间我们确信已经有了一个经得住最难对付审查的评估研究。然而，就在我们很顺利地进入第三个月的测试时，竞争对手令人讨厌地减价 15%。我们的当事人不得不快速做出反应，改变价格、人员和产品简介。又一个实验毁灭了！

最后我们认为一家高科技公司的所有重要因素都在我们控制之中了。实验组做得很好，领先参照组 73%，这次我们深信我们是赢家了。然而测试进行到中途，参照组的部门经理行动了。在测试前，他的业绩被总部引以为傲。但是现在看到实验组的数据比他自己高得多了，他决定采取行动了。夜深人静时，他盗走了培训部的文件，并且复印了所有的培训资料，而这些资料是我们用于实验组的。带着这些赃物回到家，他让他所有的销售人员发誓保密并且用偷来的资料进行他自己的培训课程。

他又毁坏了我们的测试。尽管在那时我们万分惊讶，但回首往事时我仍禁不住想，当你的方法对一个销售经理来说值得他在夜深人静驾车行驶 600 英里来偷，这也足以说明它是多么有价值，同时，这也是评估研究最好的证据。

SPIN®效果的评估设计

1970 年我与彼得·沃尔（Peter Warr）和迈克·博德（Mike Bird）一起合作写了一本关于培训评估的书。我们的结论之一是，对现实生活中可变因素的控制太难了，这就使得要证明培训可使生产率提高几乎是不可能的。当我们写这本书时，我们讨论了一个“理想”的评估研究。迈克和我在一个办公室，我们用几个小时的时间去想究竟如何可以开始评估的完美篇章。

“如果你把它看得很简单，”迈克说，“如同大部分人开始评估时的方法。”他随手在黑板上画了一幅图（如图 A-4）。“但是，”他补充道，“看到所有这些复杂的可变因素，你怎样才能证明哪些变化是因为培训？”他又迅速地概括了一下其他因素。

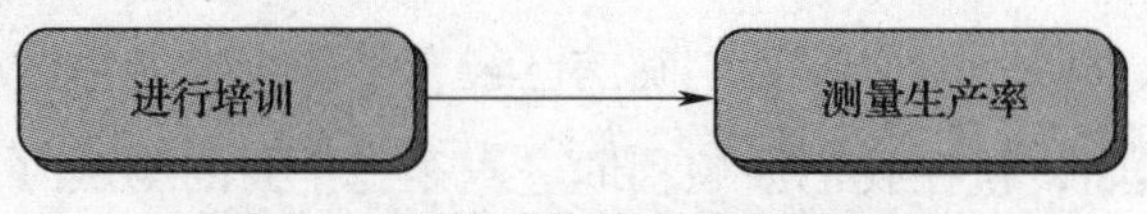

图 A-4 评估销售培训的常规方法

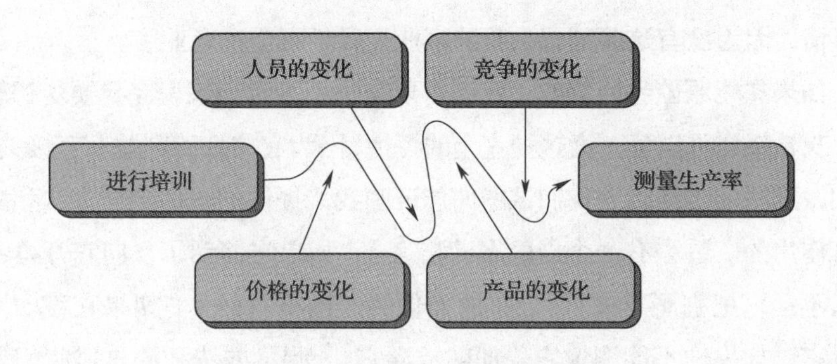

图 A-5 复杂变化的精确测量

这是一次令人难忘的谈话，因为我刚刚读完喀波·普尔（Kad Popper）的书，这位哲学家以建议你不要去证明任何事情而闻名。普尔提到唯一科学的，可以证明某些事情的就是，不断努力地证明它是错误的，是失败的。“我们能采取这种方法吗？”我问，“仅仅假设不是去证明培训可以使生产率增加，而是从问题的另一方面下手，并且努力证明它对生产率没有任何影响，是不是更好一点？”

我们没有继续谈下去。但是，许多年以后，当我努力解决论证 SPIN® 方式是否有效这个问题时，我想起了与迈克的讨论。我们是不是应该忘记证明其是正确的，取而代之用开始证明这本书中描写的技巧可以使销售增加的观点是错误的呢？

证明其是错误的还是正确的——有关系吗

如果你是很注重实际的人，就会发现我的研究人员对证明其正确还是错误的纠缠是过于注重理论和逻辑形式了。每年有几十亿甚至上百亿美元被浪费掉了，在用于教授那些根本没有片纸可以证明其是否有效的销售方法上。评估一种销售方式的有效性很难，但并不意味着我们就不应该去努力了。相反，困难使得它显得更重要。没有对销售培训有效性更好的测试方法，不踏踏实实尝试去测试它，我们将继续浪费几十亿美元，而这些钱完全可以用在其他更能发挥效力的地方。我并不介意重点是在证明正确还是在证明错误上，但是，我的确热情地支持任何对发掘更好测试方法有利的事情，因为没有这些测试，我的事业无异于万金油商业了。

如果您能原谅我的罗嗦，我还需要花一小段时间来说完我要劝解您的话。我希望您可以读一读这种完全的评估，因为它与您的利益有直接关系。我们做这些评估是因为我们试图向您证明我们提供的这些测试方法和测试是有作用的。过去有一个老的军营格言：“如果它移动了，向它开枪，如果它不动，把它画下来。”公司的类似的一则格言是：“如果它移动，量一量它，如果你不能测量它，那就放弃它。”测量方法和测试对我们来说是一个几乎一直纠缠着我们的大难题。

证明其无误的阶段

在我们热切地追求 SPIN®模式严格测试方法的过程中，我在哈斯韦特的同事和我在证明其正确还是证明其有误的问题上用了过多的时间（如图 A-6）。我们决定在看生产率是否增加之前，先要通过其他 2 个测试，或者如普尔说的那样，是一个证明其无误的机会。

测试 1：这些技能使会谈更成功吗？如何知道我们传授的东西是正确的呢？在开始回答诸如生产率变化幅度这类明确问题之前，需要先测试一下这种模式是否有用。例如，假设我们正在教从事大订单销售的小组传统的销售低价产品的模式，这个模式设计提问开放型和封闭型的问题及提供优点陈述，然后用收场白技巧以求得到承诺。就目前我们已经给出的证据而言，采取这种模式似乎不会使大订单销售的销售会谈更成功。即使培训后生产率有了大幅度提高，也可能是由于其他因素引起的。因此，在开始测量生产率提高幅度之前，第一个测试必须确定我们教授的东西是否正确。

一般说来，我们知道 SPIN®模式可以顺利地通过测试是因为它是源自于对成功会谈的研究。因此，可以推断我们教授的 SPIN®技巧存在着一种很大的可能性，那就是：它可以使会谈更成功。但是如果我们想设计根本的评估研究模式，我们不得不超越这一切，而且必须回答一个很具体的问题，即测试其生产率的单个销售人员的情况。我们不能依赖于在其他公司、

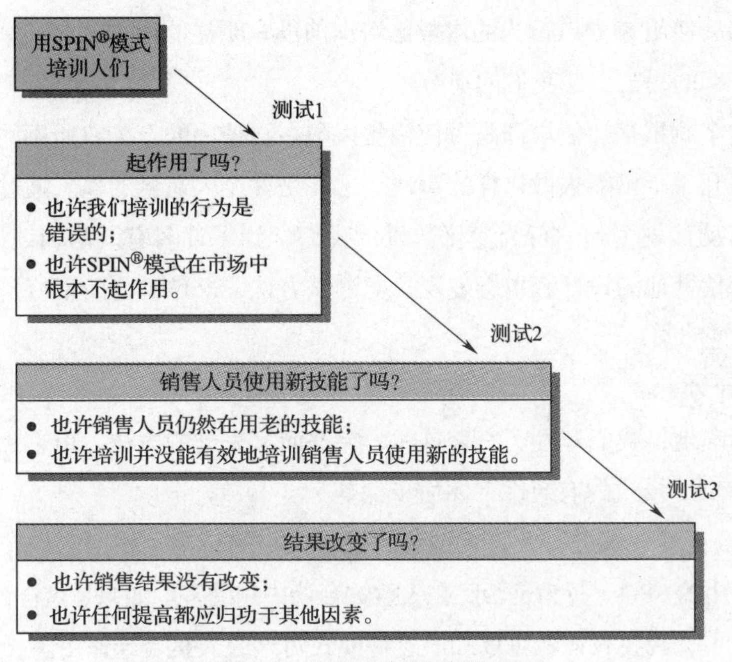

图 A-6　证明正确和证明错误

其他市场、其他小组的研究。如果组别不同，又会怎么样？我们怎么知道仅仅因为 SPIN®在其他地方有用，在这里也会起作用呢？在最基本的评估测试中，应该先做一些调查，以确定对我们要培训的这组成员来说一个成功的会谈如何开启。我们不愿冒仅仅因为单一因素如地理、市场、产品和销售组织等就使我们的结果无效的风险。从第一个测试开始，我们就会收集确凿的证据证明我们教的东西对这组成员真的起作用了，那么我们将消除一个证明其有误的因素。

测试 2：怎么知道销售人员在使用新的技巧？在我们寻求答案的过程中，证明其有误的第二个测试是观察培训后销售人员在真正的会谈中是否使用了这种新的技巧。在这次测试中我曾经发现有人犯了错误。我们测试了来自通用电气公司分部一位销售人员生产率的提高幅度，在 SPIN®基础培训后的 6 个月内，销售平均增长了 18%。能断言这就是我们的成绩吗？当然不能。通过观察这些销售人员培训前和培训后的销售，我们确信，他们培训后使用 SPIN®行为的次数比培训前没有明显的增加。这又一次证明了生产率的提高不是我们的功劳。

这个测试是评估培训是否使销售人员在会谈中的行为有所不同，培训设计者几乎不可能去做这样的事情。这真是件令人遗憾的事。通过分析我们的行动计划引起的行为变化数量，我们学到了许多有效培训设计方案。我们相信其他的设计者也会发现这类测试方法，即培训之所以好是因为人们喜欢它。

评估计划

渐渐地，我们开发了一套具体、完整而又先进的方法，用它我们可以评估 SPIN®模式的有效性。评估步骤是：

1. 观察一组进行大订单销售的销售人员的行为，找出它们在成功的会谈中用的 SPIN®行为是否比在失败的会谈中用的多。如果是这样，测试 1 就通过了，现在我们就可以知道这种模式对这组人是否起作用。

2. 用我们要评估的 SPIN®方法培训这组人。

3. 培训结束后，陪同这组中的每一个人去进行销售会谈，发现他们现在在会谈的过程中是否更多地应用了培训过的行为。如果是这样，测试 2 就通过了，我们就可以知道销售人员是否实际使用了这种新的技巧。

4. 假设我们已经通过了测试 1 和测试 2，用获得的生产率与参照组的生产率相比较，这就是测试的结果了。

这似乎是一个经过精心策划的方法，但结果是我们没有看到任何变化。我们寻找一个更简单的答案，但没有一个普通的、肤浅的评估测试经得住仔细检验。许多作者和培训专家曾经告诉过我：“对每一个复杂问题来说都有一个简单的答案，但它是错误的。”我们不得不认同他的观点。如果想有一个对复杂问题可靠的评估，我们必须接受一种很难的方法。

对柯达公司的一个测试

我们把评估计划拿给许多客户，并且试图让他们对此产生兴趣。这是一种很礼貌的方式，意思是说我们想让他们为一个很昂贵的测试出资。在意识到这个测试需要巨大的花费后，大多数客户便鼓励我们把评估计划再带到别处去试试。一时之间，我们对柯达公司能做这个测试抱有很大的希望，毕竟柯达公司有着仔细测试新方法的悠久传统。柯达公司正在考虑在包括经营大订单销售在内的全球所有分部使用 SPIN®基本培训计划，评估测试似乎是明智的第一步。我们同意通过观察柯达健康科学部的一组销售人员来测试这个模式。千真万确，SPIN®模式完全是按我们预测的那样运作了。暗示问题和需求—效益问题在成功会谈中应用的频率是在失败会谈应用频率的 2 倍还多。

接下来，在培训后，我们与培训实验组一起工作，观察他们是否在用新的技巧。又一次，形势看起来一片大好。利益陈述的应用是原来的 3 倍还多，暗示问题也是原来的 3 倍，需求—效益问题是原来的 1 倍。销售人员现在用的成功行为比他们在培训之前用的多了许多。

我们很高兴。因为这是第一次我们可以开始一个生产率的测试而且可以说："我们知道了这种模式起作用，并且我们知道这些人在他们的会谈中都在用它。"然后传来了一个好消息、一个坏消息，这的确是一件令人大为震惊的事。好消息是：柯达公司对实验测试结果很满意，并且决定在世界范围内采取 SPIN®法。坏消息是：柯达公司被他的员工对实验的反应说服了，而对整个精心设计的计划和昂贵的生产测试费用视而不见。

SPIN®在摩托罗拉（加拿大）公司的有效性研究

正当 SPIN®评估员处在认为工作单调乏味、缺乏变化的痛苦中时，摩托罗拉公司来找我们了，我们当然不能拒绝他们。如柯达公司一样，摩托罗拉公司也是旨在测试 SPIN®模式的有效性。如果它有效，就在全球范围内采纳。它选择的测试组是在加拿大的摩托罗拉通信部门。这次在项目开始之前我们就仔细地建立起具体的评估调查来源，以使我们的测试不会落空。摩托罗拉雇用马蒂主教（Marti Bishop）作为一个独立的评估员。主教以前在施乐公司作评估经理时接触过我们的模式和方法，他的职责是严格测试SPIN®程序的有效性，参与我们为理想的生产率评估勾勒出的所有步骤。

现在我从他的报告中摘录一部分：

摩托罗拉（加拿大）公司生产率研究报告

这个报告是SPIN®模式的一个生产率分析，其执行是在1981年第三季度，它是要回答这些问题：

- SPIN®模式在摩托罗拉（加拿大）公司起作用了吗？
- 销售人员在培训后应用这个模式了吗？
- 这使生产率有所提高吗？
- 第一个问题是：在其他公司已经被证明是很成功的SPIN®模式在摩托罗拉的销售会谈中是否同样会预示成功。

为了验证这一点，我们分别与42个销售代表中的每一个人一起工作，这些人都是已受过培训，而且在他们成功的和不成功的会谈中SPIN®行为的使用频率已经分析过了。我们发现所有SPIN®行为在成功的会谈中使用频率比较高：

	成功会谈
背景问题	多于1%
难点问题	多于11%*
暗示问题	多于83%*
需求—效益问题	多于60%*
利益陈述	多于64%*
特征陈述	多于5%

*标注条目是有重大意义的统计数字

SPIN®培训注重开发难点问题、暗示问题、需求—效益问题和利益陈述的数量增长，因为这些行为中的每一个在摩托罗拉（加拿大）公司的成功会谈中都有很高的使用率，所以我们能得出结论：培训使销售人员更有效地开展了销售行为。

销售人员有变化了吗

已经有证据证明这种模式在摩托罗拉公司起作用了，下一步必须证明这 42 个人受过培训后在他们的会谈中的确应用了这些新的行为。为了证明这一点，我们在培训之前观察过他们的销售过程，对培训的整个过程以及培训后的变化也作了观察，目的是确定他们与客户接触时是否有了变化。

我们把对这 42 个人中的每一个人的整个观察过程分为五段（如图 A-7）。第一段是在培训之前，我们与之工作的一段时间，另四段是在为期三个星期的培训过程中。培训刚开始时，人们问的背景问题较多（平均每次会谈 8.6 次），比难点、暗示、需求—效益三个问题之和（即每次会谈 5.8 次）还多。经统计，这三种提问行为与成功的联系少于背景问题，实际上，背景问题这种提问行为与成功并无多大联系。

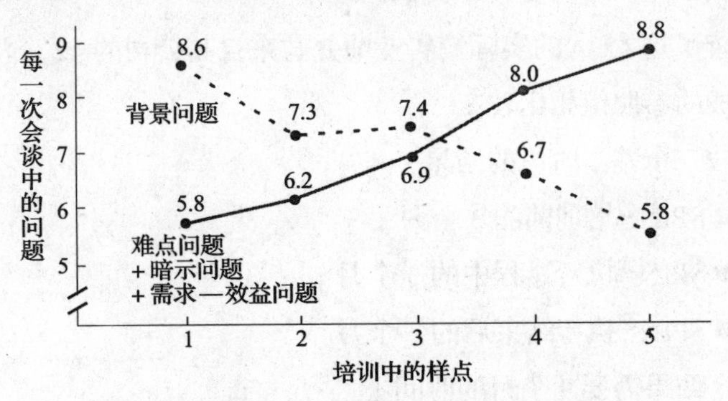

图 A-7　摩托罗拉（加拿大）公司：提问行为

然而，在培训的末期，成功提问方式的使用频率在每一次会谈中平均占到了 88%，而背景问题的使用却下降了。说到提问行为，我们可以很确切地得出结论，这 42 个销售人员与原来相比，的确是用了更成功的方法在进行销售。

在培训初期，利益陈述应用于每次会谈平均为1.2次（如图A-8）。在培训末期，它的应用上升到每次会谈2.2次。记住，利益陈述在摩托罗拉（加拿大）公司的销售行为中是最能预示成功的。销售人员现在每次会谈提供给客户的利益陈述几乎是培训前的2倍。鉴于这一点，如果这次实验使销售有了大幅度提高的话，那结果不足为奇。

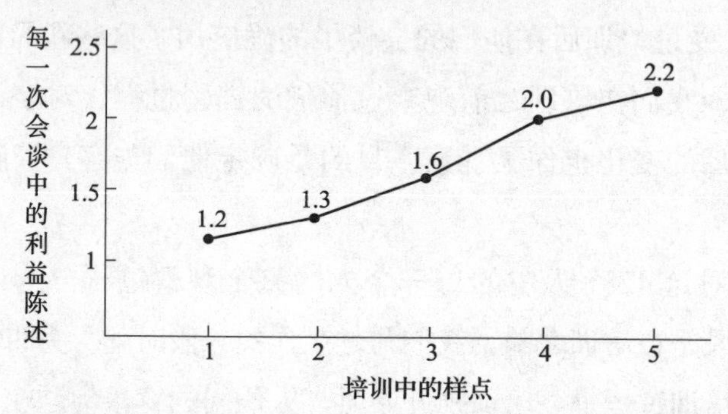

图A-8 摩托罗拉（加拿大）公司：每一次会谈中利益陈述使用的变化

生产率变了吗

为了测试生产率的变化，我们已经：

- 检查了这42人的实际销售业绩并与来自其公司的42个没受过培训的人员组成的参照组相比较；
- 比较三个基本阶段的结果：
  - SPIN®培训前的3个月；
  - SPIN®执行过程中的3个月；
  - SPIN®执行结束后的3个月。
- 这个结果需要9个月的时间；
- 测量销售的标准；
- 总订单销售数量：
  - 来自新客户的订单销售数量；
  - 来自现有客户的订单销售数量；
  - 销售总金额。

以订单销售数量为衡量标准（如图 A-9），参照组 42 个人比他们培训前原有的水平下降了 13%，这主要是因为通信市场的激烈竞争和加拿大特别困难的经济背景。与之相对照，扣除市场、地理因素的影响，SPIN®培训组却有 17% 的上升。参照组和实验组之间的 30% 的总差别在统计学上是很重要的。

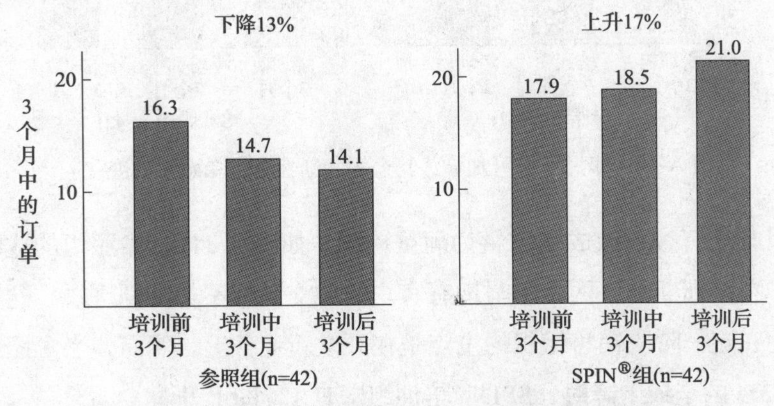

图 A-9 摩托罗拉（加拿大）公司：总订单水平的变化

摩托罗拉（加拿大）公司的管理部门非常看重新业务的增加变动情况，并且想知道 SPIN®培训对新业务的销售是否有重大影响。如图 A-10 所示，在培训期间参照组新业务的销售才有所增加，而培训期间正是销售组织对其新业务的开发下了很大工夫的时期；培训后，销售下降到了比原来还低的水平，反映出了市场的低迷。与之相对照，扣除低迷的市场因素的影响，SPIN®培训组订单数量增加了 63%。需要我们注意的是：SPIN®培训组的订单增加是在培训结束后的这个阶段，这就表明新的销售技巧已经自动保存下来而且有望对销售生产率产生持续的影响。研究开始之前，一些销售经理对 SPIN®模式持观望态度，这主要是指提问而不是指“困难的”收场白技巧，而这收场白技巧又是许多经理感觉在竞争激烈的困难市场中对新业务销售来说是最基本的技巧，但结果表明，他们没有必要担心。SPIN®培训在面对难于销售的竞争中成功地开发出了许多重要生意。

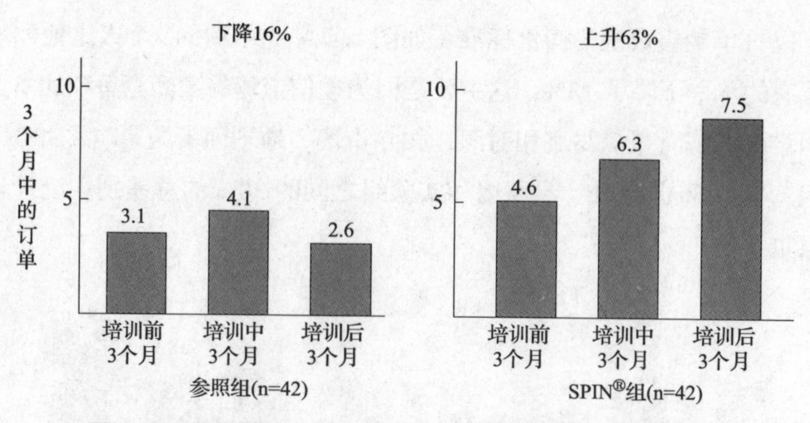

图 A-10 摩托罗拉（加拿大）公司：新业务订单水平的变化

以与现有客户做成生意量为衡量标准（如图 A-11），参照组的成绩比较好。在培训期间，两个组与现有客户的成交量都不是特别理想，这主要是因为在这一阶段销售组织的重点是在开发新业务上。然而，当参照组显示出 13% 的全线下降时，SPIN®培训组却有 1% 的上升。

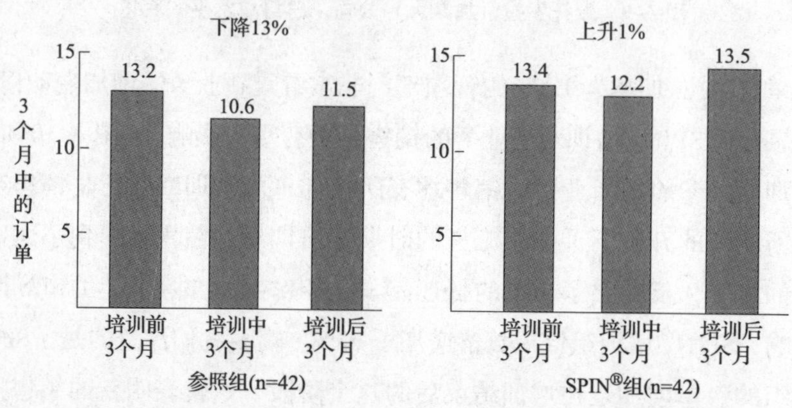

图 A-11 摩托罗拉（加拿大）公司：现有客户订单水平的变化

订单数量的增多可能会给人一种误导。很有可能 SPIN®组生产率的提高是因为它得到了许多小订单，而参照组签的订单数量较少但每一单数额都很大。因为有这种可能性，所以我们需要采取以销售额为标准的评估。既然销售额指标比较能够令人信服并且这也是通常报告采取的形式，因此展示两组在销售额方面的变化，也以百分比来说明以便维系您的信心（如图 A-12）。参照组在销售额方面下降了 22.1%，这反映出了市场条件异常的恶劣。SPIN®培训组在扣除这些因素影响之后，销售额上升了 5.3%。注意，这些结果表明 SPIN®组在新业务领域富有戏剧性的 63% 的订单增长，的确是来自许多小订单。

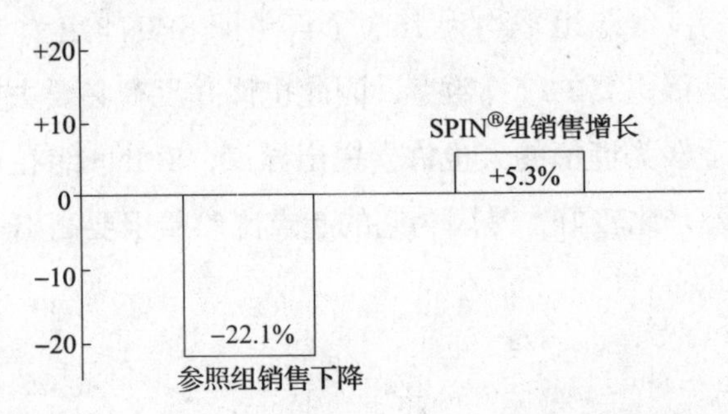

图 A-12 摩托罗拉（加拿大）公司：前后销售额的变化

以销售额为评估标准，SPIN®组比参照组多 27.4%。这个差别很重要，是有重大意义的统计结果，看起来履行 SPIN®方法所付出的成本和努力在销售结果方面得到了许多倍的回报。

结论

这些结果表明 SPIN®方法在以下几方面已经成功了：

●改变受训人的技能水平；

●增加订单数量，特别是在新业务领域里的订单数量；

●与参照组相比，销售额平均增长了 27%。

两个严重的缺陷

马蒂主教的评估研究结果是曾经进行过的对销售培训计划最详细、最有活力、最复杂的检查。我选中的只是比较重要的部分，但是它与原著相比只是大海里的一滴水。主教的研究使用了附加的参照组，使用了包括让销售经理也收集数据的方法论，使用复杂的计算机技术来建立成功的模式、分析研究结果。但是，尽管这项研究是如此强大，它仍然不能包括我们一直在寻找的“证据”。

不过，如果不想使摩托罗拉公司的研究让人信服，我只需要指出两点缺陷，它们中的每一个潜在危险性足以与心脏暂时停止跳动给人造成的巨大威胁相当：

1. 参照组比 SPIN®组的起点低。如果你看一下在培训之前的订单水平（如图 A-13），参照组平均为 16.3 个订单而 SPIN®组为 17.9 个。现在这些区别并不是很重要的统计数字，因此也许并没有必要去担心它。然而尽管如此，一个极为谨慎的人也许会提出异议，SPIN®组在市场条件恶劣的情况下销售还是比较好，是因为它的起点比参照组要高出一些。

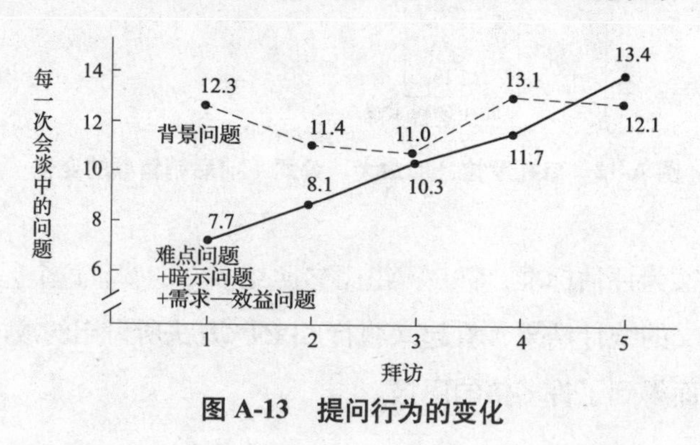

图 A-13 提问行为的变化

2. 这可能是霍桑影响，这是一个专业术语，意思是当你给人以一定的注意时，会使他有受到重视的感觉以至于最终使生产效率有所增加。这个名字来自于西屋公司的一家霍桑工厂。在那儿，20 世纪 20 年代末期曾经进行过一些早期生产效率的研究。霍桑试验中，研究人员发现，当他们增加工厂照明系统的强度时，生产率随之提高。但令他们惊讶的是，当他们降低照明强度时，生产率也一样有增无减。他们的结论是仅仅给人们以更大的重视，在短期内将会使生产率提高。在对摩托罗拉的研究中，也可以说生产率的增加是来自于 SPIN®测试组受到的培训重视，不论我们培训这组的是 SPIN®方法还是圆舞曲舞蹈都没有什么关系。由于有霍桑影响，生产率无论如何都会上升。

我准备好了几个标准答案来回击任何关于变化是由霍桑影响引起的这

种说法。第一个反击的理由是：霍桑影响不如大部分人假想的那样普遍，而且当它们出现时，也是短期行为，通常最多只持续几天。对摩托罗拉的研究延续了 9 个月，当然超出了霍桑影响的有效期。第二个反击的理由是："谁在乎？事实是我们使生产率得到了增长。如果这是霍桑影响，让我们用霍桑方法培训整个销售队伍，并且使每个做销售的人的业绩都增长 30%。"但是我心里对这两种答案都不认同。研究人员包括我在内都非常想知道是否有霍桑影响存在，如果有，那对生产率的上升又有多大影响？

SPIN®有效性的全新评估测试

摩托罗拉公司非常信服 SPIN®并决定在全球范围内采用它。该公司对这种方法的效率非常满意，因此他们认为没有必要再进一步证明 SPIN®与生产率之间的联系。事实上，摩托罗拉公司分散了我的注意力，就如同在英语中变幻莫测的重音一样，稍有不慎就会出错误。

我们需要一个新的心存疑虑的客户，以便让我们进行另一个更大规模的调查。机会来自于一个巨大的跨国机械公司，和摩托罗拉公司一样，它也希望测试一下 SPIN®模式是否在全球适用。几乎没费什么周折，我便说服了这家公司让我进行余下的两个测试，用来填补对摩托罗拉公司的研究空白：（1）用一个相匹配的参照组；（2）测量霍桑影响。

开始这些测试之前，我们制订了与在摩托罗拉公司中使用的相同方法。我会愿意与你一起分享每一个发现的细节，除了 2 点不同以外，其他与在摩托罗拉公司中的发现都很相似：

●背景问题在成功的会谈中低于 4%。这与我们主要的研究发现一致，也就是说，背景问题对客户有轻微的负面影响。

和在摩托罗拉公司一样，难点问题、暗示问题和需求—效益问题在成功会谈中的应用频率都很高。利益陈述也是如此。但与摩托罗拉公司不同的是，在摩托罗拉与成功联系紧密的是需求—效益问题，而在这次研究中，与成功联系最紧密的却是暗示问题。

由培训带来的行为变化在这次执行中比摩托罗拉公司中的大。难点、暗示和需求—效益问题几乎翻番，而背景问题几乎没有什么变化。

利益陈述有一个特别令人高兴的上升趋势，从每次会谈 1.1 次到 3.4 次（如图 A-14）。这听起来似乎并不多，但我的确很看重这种变化。这次研究有 55 人接受培训，他们每人平均每星期有 16 次销售会谈，这也就意味着 SPIN®培训前每周向客户提供利益陈述频次为 968 次，在研究后期每周还是同样一组人提供利益陈述频次达到 2992 次。这 2024 次额外利益陈述的应用竟然没使销售有明显的增长，的确很令人惊讶。

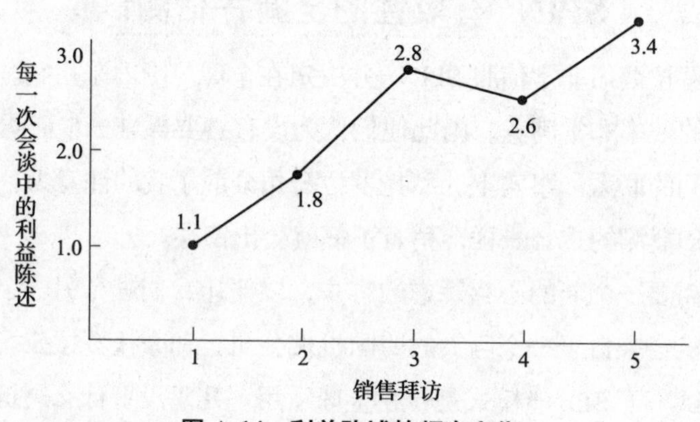

图 A-14　利益陈述的频次变化

一个相匹配的参照组

在这次研究中我们有机会选择一个与实验组相匹配的参照组，也就是让两个组的起点相同，这就使我们可以测试在摩托罗拉研究中可能存在的一个缺陷，即销售增加的原因是因为 SPIN®组起点高。如出一辙，我们也把每一组 3 个月前和 3 个月后的执行情况进行比较。参照组订单数下降了 21%，而 SPIN®组在相同的不景气经济和充满竞争的条件下订单数增长了 16%（如图 A-15）。这次研究在同样的条件下进行，这也是参照组订单数量下降的原因所在。

通过比较最初订单水平相同的参照组和测试组，现在我们很有把握

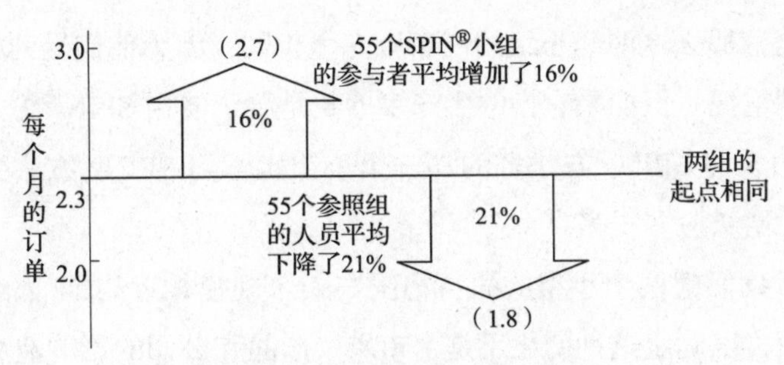

图 A-15 培训后生产率的变化

拒绝接受这个观点：摩托罗拉公司的 SPIN®组订单数量增加的 30% 是因为这一组的销售人员开始业绩就比较好。这种解释在这儿并不正确，因为在 IBM 公司的这次试验中，两组最初的订单水平是完全相同的。

测量霍桑影响

霍桑影响是很难测试的。据我所知，在我们之前还从没有人尝试过在销售培训中测试是否有霍桑因素存在。当我们思索这个问题时，很容易明白为什么我们是第一个想到这个问题的人。要测试工厂的照明度设备对产量的影响并不困难，但你怎样才能测试出销售生产率的增长是因为 SPIN®模式还是简单地归功于提供给他们培训让他们感觉受到重视了呢？

我们采取的方法有一点复杂，但不得不这样操作，这使得我们要尝试的测试有一定难度。大体说来，我们使用的方法是：

1. 我们又重新分析了 55 个人组成的接受 SPIN®方法培训小组的生产效率。每一个人都有几乎相同的培训时间，所以这 55 个人受到的重视应是相同的。因此可以说所有人受到的影响是完全相同的。

2. 我们又把 55 个人的组分为两个小组。在这个小组中，一些人自然比其他人学得多。通过对他们在销售会谈中行为的测试，我们把 27 个用 SPIN®行为最多的人找出来并把他们分在一个小组中；在另一个小组中我们把另外 28 个人分在一起，他们使用 SPIN®行为相对少一些。

我们比较了这两个小组的销售结果。如果它们的生产率增长完全是因为霍桑影响，那么这两个小组的增长应完全相同，因为他们受到相同量的培训和管理重视。但如果它们的生产率增长是源于使用 SPIN®模式，那么表现出来的学习 SPIN®方法多的那一个小组比学习 SPIN®方法少的小组的生产率的增长应多得多。

最后，我们把两个小组的执行情况与一个规模相近的 52 人组成的参照组相比较，以确定这种变化不是由市场、产品和公司的影响造成的。

一旦我们决定用这套方法，就开始着手重新检查我们的数据，试图使难以捉摸的霍桑影响孤立起来。我们的结果如图 A-16 所示，的确有霍桑影响在起作用，但是如同绝大多数霍桑影响一样，它是很短暂的。

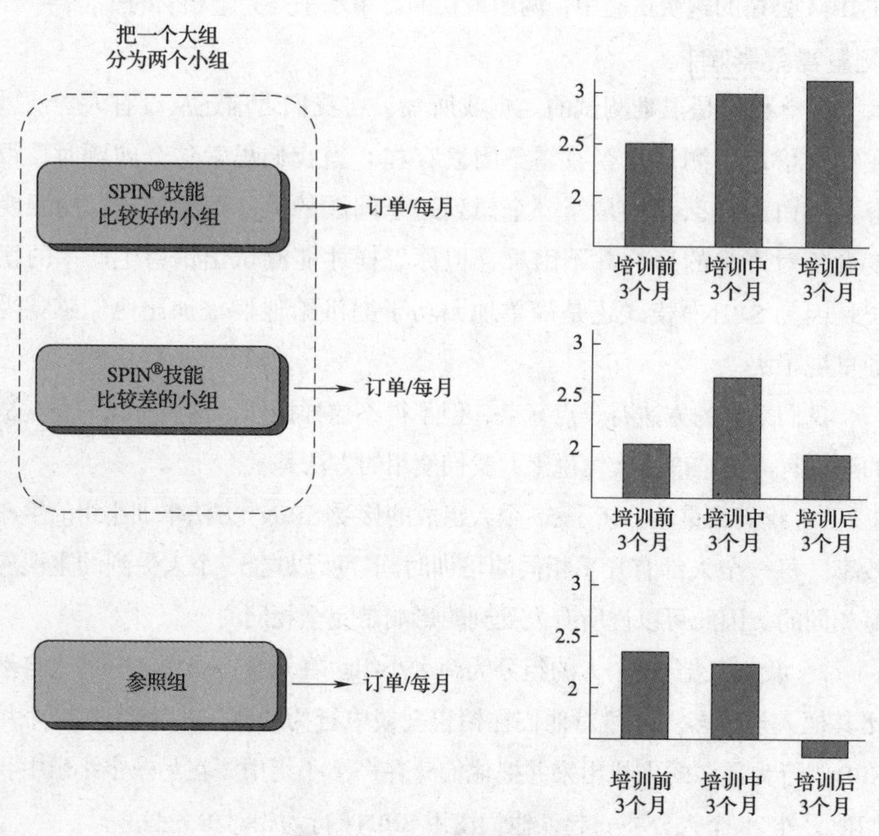

图 A-16 孤立评估霍桑影响

首先，让我们看看使用 SPIN®技巧较多的那个小组。如图 A-16 所示，结果显示在培训期间有所增长，这段时间是他们受重视最多的时候。但更重要的是，他们的销售业绩在培训结束后持续增长，而这时他们不再受霍桑影响的干扰了。

与之相比较，SPIN®技能比较差的小组在 4 个月的培训过程中销售结果显示出了极大的提高。然而，当培训注意消失时，它们的结果又慢慢恢复了最初水平。我们看到了霍桑影响，第一次在销售执行领域中被孤立出来。

最后，让我们看一看参照组。在同样困难的市场销售同样的产品，它们的执行情况在另一个组培训中以及培训后的期间都有所下降，因此，我们可以得出结论：使用 SPIN®多的小组生产率的提高不是因为市场、产品和公司的因素。与参照组相比，甚至连使用 SPIN®少的小组的执行情况看起来都很好，没有逐渐下降的迹象，至少人们能保持原有的水平。

最后的想法和评估

在我们完全满意于在这本书中提到的极大提高大订单销售业绩的方法前，我还想做更多的测试。这是一个永无止境的探索。当我在婆罗洲逐渐长大时，那儿根本没有路，所有出行全靠河流，因此无论你在旅行的哪一个阶段，如果你问船夫还有多远，你总会得到相似的回答，“Satu tanjong lagi”，意思是“再转一个弯”。评估研究与这很相似。就在你认为已经有了所需的所有证据时，总是还有一个弯。

我们可能永远也转不过那最后一个弯。但我希望你会同意在我们取证研究的过程中，公司已经仔细地开发过这条河流了。无论它是否有效，我们努力地站在对立和评判的角度去看我们自己的模型，通过这样做，我们成为了更好的研究员、设计员和培训员。总而言之，我们可以提高 SPIN®的实际有效性。自嘲地说，通过经历这些听起来学术意味很浓的测试，我们对实际判断力有了更好的理解，即通过其对销售业绩的贡献来衡量。我希望更多的人在培训生意中可以被说服使用相似的方法。如果这本书可以刺激更多的研究变为有效销售，那么我们也就非常满意了。我不想这就是最后结论，通过耐心的调查和实践，研究人员可以发现更多的大订单销售的秘密并使它和其他的商业功能一样容易理解。

附录B

收场白技巧运用的态度倾向

在第2章中我们分析了收场白技巧，其中提到一个态度测试，我们开发这个方法是用来测试人们对收场白的态度倾向。如果你喜欢自我测试一下，下面有如何测试的方法：

一、下面是15个关于收场白的陈述。

二、每个陈述后，有5个备选答案，选出一个最能代表你自己意见的答案，在方框中做出标记。

三、依照后面记载的方法来计算一下你的成绩。

1. 要想增加销售，收场白技巧是所有技巧中最有价值的。

   5 □非常同意

   4 □同意

   3 □不能确定

   2 □不同意

   1 □非常不同意

2. 试图结束生意用得太频繁，会降低销售成功的可能性。

   5 □非常同意

   4 □同意

   3 □不能确定

   2 □不同意

   1 □非常不同意

3. 除非你很了解收场白技巧，否则就不能有效地销售。

   5 □非常同意

   4 □同意

   3 □不能确定

   2 □不同意

   1 □非常不同意

4. 即使是在销售开启阶段，试图使用收场白技巧也不会有什么危害。

5 □非常同意

4 □同意

3 □不能确定

2 □不同意

1 □非常不同意

5. 不擅长使用收场白技巧，通常是导致生意失败的最大原因。

5 □非常同意

4 □同意

3 □不能确定

2 □不同意

1 □非常不同意

6. 如果客户辨别出你正在使用收场白技巧,那么他们很可能不会购买。

5 □非常同意

4 □同意

3 □不能确定

2 □不同意

1 □非常不同意

7. 做销售时，大多数出现的情况你根本就不能选择。

5 □非常同意

4 □同意

3 □不能确定

2 □不同意

1 □非常不同意

8. 对专业采购员来说，收场白技巧不起作用。

5 □非常同意

4 □同意

3 □不能确定

2 □不同意

1 □非常不同意

9. 在销售中，ABC 是“收场白技巧永远是最重要”的意思。

5 □非常同意

4 □同意

3 □不能确定

2 □不同意

1 □非常不同意

10. 销售的早期阶段，是其他的行为而不是收场白技巧来决定客户是否会购买。

5 □非常同意

4 □同意

3 □不能确定

2 □不同意

1 □非常不同意

11. 每一次当你看到购买信号时，你就应该尝试着用收场白技巧去达成订单成交。

5 □非常同意

4 □同意

3 □不能确定

2 □不同意

1 □非常不同意

12. 从进入客户办公室的那一刻起，你就应该像生意已经开始那样做一切事情。

5 □非常同意

4 □同意

3 □不能确定

2 □不同意

1 □非常不同意

13. 如果客户拒绝你使用收场白技巧的尝试，那么这就是需要你更有力地催促成交的信号。

5 □非常同意

4 □同意

3 □不能确定

2 □不同意

1 □非常不同意

14. 不管你的其他技能有多么好，只要你的收场白技巧不好，你永远也不会成功。

5 □非常同意

4 □同意

3 □不能确定

2 □不同意

1 □非常不同意

15. 在生意中过早地使用收场白技巧，当然会使客户产生反感。

5 □非常同意

4 □同意

3 □不能确定

2 □不同意

1 □非常不同意

计算你的成绩

为了计算你的成绩，请将你在方框中勾出的 1~5 的数量计算出来，然后把这 15 个结果加在一起。

从理论上说，45 分的成绩是平均成绩。一个高分表示你对收场白技巧的使用持积极的态度，一个比较低的分数表明你持消极的态度。在测试中，大部分销售人员的成绩都会略高于此分数。在我们的研究中，我们把成绩高于 50 的人看做是收场白技巧使用的拥护者。

成绩意味着什么

在第 2 章提到的研究中（如图 2-2），销售业绩很好的销售人员就是那些分数很低的人：成绩低于 50 分。

如同第 2 章中解释的一样，收场白技巧的有效性依赖于你所从事的订单销售类型。如果你的生意是销售低值产品或服务，客户不是很精明，与客户也没必要保持售后服务关系，那么对收场白技巧持很满意态度的人（成绩高于 50 分），在你的销售中也许是很适合的人选。但是在这次测试中你的成绩高于 50 分而你从事的是大订单销售，客户又很精明，而且又要与客户保持售后服务关系，那么你一定要仔细阅读第 2 章。在大订单销售中，收场白技巧对你来说是一种债务，而不是一种财富。

下篇 实践篇

第9章

实践手册的使用说明

我是在婆罗洲的丛林中长大的，婆罗洲位于现在的马来西亚西部。我的父亲在乡村建起一座学校，在那儿教育根本还不为人知。我记得曾与父亲去远方一所国立学校购买能供学生们写字的笔记本。一个月后，当我们回来时，在老师的桌子上原封不动地放着我们走时留下的笔记本。老师解释说："这些笔记本太漂亮了，让孩子们在上面乱写乱画太可惜了，等他们长大了离开学校时再把这些笔记本给他们。"这在当时只有 8 岁的我听起来还觉得蛮有道理的。书并不是仅仅因为其中有内容而重要，而是因为能够帮助读者而重要。

SPIN®实践手册的两大任务

显然，童年的我从来没听说过一本像你现在读的这样的实践手册。这不是等你有了技能后才能用尘封在老师桌子上的漂亮笔记本。本书是为你设计的，开卷就可以灵活地使用它，这就意味着可以在里面涂涂画画。这本书中读到的所有文字充其量只是这本书价值的 10%，而真正需要的是你去写那些更有价值的东西。这本实践手册充满了我们所谓的"练习"。用这些工具、测试和模型来帮助你更成功地销售。试一试吧！一定要试一试！仅仅看这些练习不会让您销售得更好。无论你是多么仔细地读每一个练习，如果不把你的答案写在这本书上，那你也不会得到这本实践手册中真正有价值的东西。把你的答案写入这本手册，其重要性就表现在以下两个方面：

转换

许多练习的目的是帮你把一般的概念转换成自己切身的情况，即普通到个体的转换。通过访问成百上千我们培训过的销售人员，显然，在使新的销售观念转变为实际操作的过程中，一个不易发现的障碍就是转换问题。对于精明的销售人员来说，理解和掌握基础概念是很容易的，如同我们在这个实践手册中描述的一样，只是停留在显示智力兴趣的水平上。最难的事情是如何让这些概念在产品 / 服务销售时真正起到作用。把书中读到的主意、观点转化为实际行动的第一步是：要在这本书的观念和自己的销售实际中间建立起一座桥梁，这就是我们所说的“转换”，它就是把一般的观点、看法转化为具体的与你的产品和客户有关的行动和过程。把概念转化为真实的行动对于提高销售技巧来说是很重要的一步。通过做这本实践手册中的练习及写下你的答案，可以帮助你快速实现转换的过程。

计划

在成功销售人员身上发现的共同点是：他们都在计划方面下了很大的工夫。托马斯·爱迪生描述天才是99%的汗水加1%的灵感，这在销售中也同样适用。伟大的销售人员只凭纯粹的灵感是一个神话，严格说是一个被证据推翻的神话。好的销售更依赖于好的计划，而不是什么别的因素。

> **SPIN® Tips**
>
> 周详的计划是成功销售的前提。

因此，纵观这个实践手册，也有几十个计划练习。即使有些时候它们会让你感觉重复，你也还是要做这些计划以供练习。记住，有效的计划对有效的行为可以起到事半功倍的作用。真正的销售人员应把这些计划练习当作一个必不可少的过程，没有它我们就不能出去谈生意。一旦你已经与那些重要的客户或当事人面对面，我们就再也帮不上什么忙了，但我们可以帮你计划！在销售中，许多重大的提高都应归功于SPIN®模式中更好更系统的计划。

SPIN®实践手册的两大目标

在你投入时间干任何事（包括读这本实践手册）之前，你应该思考两个问题，它们可以帮助你更好地销售。这两大目标问题是：

它能教我什么？

它介绍了什么观点、概念、框架和模型？

我怎么知道这些会在我的销售中起到作用？

它如何教我？

介绍这种观点和这些模式用的是什么方法？

这些方法是不是实际和现实到足以帮我更好地进行销售？

我们已经开始回答第二个问题了。实践手册设计了一系列实际的练习来帮助你把这些观点转化为计划和行动。我们采取了一种方法，这种方法以实际的经验为基础，帮助了成千上万个销售人员，因此这种方法已经经过实践的检验了。但是第一个问题又如何呢？它们会教你什么？我们要传达的基本观点是什么？它们从哪儿来？你怎么知道它们会起作用？我们在这本书中教授的成功销售最基本的理论，是以被称为 SPIN®模式的东西为基础的。

你会在下一章中读到更多关于 SPIN®这个模式的内容。如果您以前从未见过 SPIN®模式，这里是一个简要的介绍：

■它是一系列在大订单销售或复杂的生意中如何成功销售的观点。

■它以对有效销售最广泛的研究为基础。

■全球 500 强企业中有半数以上企业用它来培训它们的销售队伍。

SPIN®实践手册的四点学习建议

如上所述，实践手册主要是练习，因此，你会从你写的东西中得到很多收获，而不是从你读到的东西中收获些什么。如果你听从我们在这儿给你的建议，完成这些练习，并在你自己的销售中把它们转化为现实操作，那么最大的一种可能性就是你的销售业绩会显著增长。我们之所以这么说，并不是胡编乱造，而是建立在我们培训过的使用 SPIN®的第一批 1000 名销售人员的经验基础上的。当把他们的成果与一个规模与之相当但没有受过培训的参照组作比较时，研究结果表明，销售额平均增长了 17%。

你能不能也有 17% 的销售额增长呢？不幸的是，这是一个无法回答的问题。这就如同说 1000 人组成的一个小组通过锻炼和履行一个节食计划，平均减掉了 17 磅的体重，这的确表明这个节食计划是有效的，但这并不意味着如果你同样节食，必然也会自动减掉 17 磅。这种计划对你起什么样的作用取决于你目前的体重、你目前的饮食习惯和练习习惯、你的决心,甚至还有你的遗传基因。你可能减掉 30 磅或者有可能体重继续增加。没错，我们的目的是相同的：希望可以通过这些练习提高销售。当然，这种提高依赖于你现有的销售技巧水平、你对改变销售习惯的接受能力，当然，最重要的是你是否愿意去学，是否愿意去做出改变。就像节食和锻炼计划一样，它也取决于你是否采取了系统化和切实的能产生变化的战略。例如，我们知道，那些急功近利急于求成的节食者，几乎是必然不会像以缓慢的步伐逐渐减肥的人那样成功。在你销售习惯的变化中也是同样的道理。如果你试图在一天内读完这本书，然后在接下来的销售会谈中应用所有这些东西，你的下场就会像急于求成的节食者一样。你寻求的变化速度太快，从而很有可能会导致失败。

因此，如果你不愿意像急于求成的节食者那样对待这本书，那么为了你能从这本书中最大限度地学到知识，应该怎样做呢？下面是四点建议：

欲速则不达

采取一个适当的进度。实践手册不能与你看了就放不下的小说一样，你放不下小说的原因是想知道故事的最后结局是什么，而在这本实践手册中，我们马上就能告诉你故事的高潮所在。这就是：通过系统地做这些练习，可以提高你的销售业绩。不必快速浏览这本书，一直到末尾再找到这条信息。相反，一旦你已经读了那些介绍性章节，就可以对 SPIN®模式有一个大概的了解，仔细咀嚼一下。一次读一章，做完练习，再试试这些观点。没有太大必要快速浏览这本书。

夯实基本功

如大部分教材一样，这本书也是随着章节的增多而越来越复杂。开始的几章看起来似乎比较基础，这很容易让人产生它们是基本技能的错觉，从而忽视它们，甚至跳过这些基础章节，去看后面更能令人兴奋的部分。如果这么做，你就是在欺骗自己。前面的几章并不是浅显的和不重要的，它们是很重要的一部分。不论是在运动、艺术或者销售方面，表现杰出者都坚持练习基础部分。一个专业高尔夫球员从不停止练习基本的放球动作，一个出色的钢琴家仍然坚持练习音节，一个高级销售人员不断磨练基本销售技巧。相信我，我已与全球许多出色的销售人一起工作过，所以我知道。

我第一次知道这个道理是在40年前，当我有机会与一组来自施乐公司的高级销售主管一起上销售培训课时。培训课内容之一就是让参与者挑选任何一种他们想进一步练习的技能。我看到很多在施乐公司任职的人参加同样的课程，他们通常都选择练习在培训中教的“基础”技能之一，例如提问技巧。因此，我很惊讶于大部分高层主管不选择“高级的”技能，例如价格谈判。现在的我不再惊讶了，因为我与那么多世界级销售人员一起合作过，他们不会忽视基本功，同时，他们也不应该忽视它们。

理论联系实践

当你读完一章后，试着做一下其中的练习，花上几天把这些概念在你的一些实际销售会谈中应用一下。第8章“理论转化为实践”中提出的建议之一就是没有任何事情是你在第一次尝试时就会觉得很自然。于是，应该在判定一种新观念是否对销售有作用之前，至少尝试三次。因此我们建议你，读完一章后，把这章的观点试验几次，然后再进行下一章。通过这种方法，你会使这些新观点充分发挥出价值来。给每一章里的内容以充分试验的机会，这是最精明的一种学习策略。

反复练习薄弱环节

当你研读这本书时，自然会有一些对你和其他人来说很困难的部分。一定要坚持再回过头来看一看这些困难的部分。如果你的确发现了困难的地方，别管它，几周之后再看。通常，只要保持足够的耐心去攻克这些难处，销售业绩就会有意想不到的变化。这就应了那句话：多劳多获，少劳少获，不劳无获。培养、提升一种技能越难，它带给你的价值就越多。

实践手册的目的是帮助你学习和应用 SPIN®概念和技巧，既可以用在你的办公室，也可以在“其他领域”应用。我们的目的是让你可以应用实践手册中的练习、工具和计划，进而在实际销售中应用于你的当事人和客户。介绍的已经够多了。这是一本很有实际意义的书，到现在我们一个练习还没有遇到。在接下来的各章中，我们会让一切步入正轨。

第10章

重温 SPIN®模式

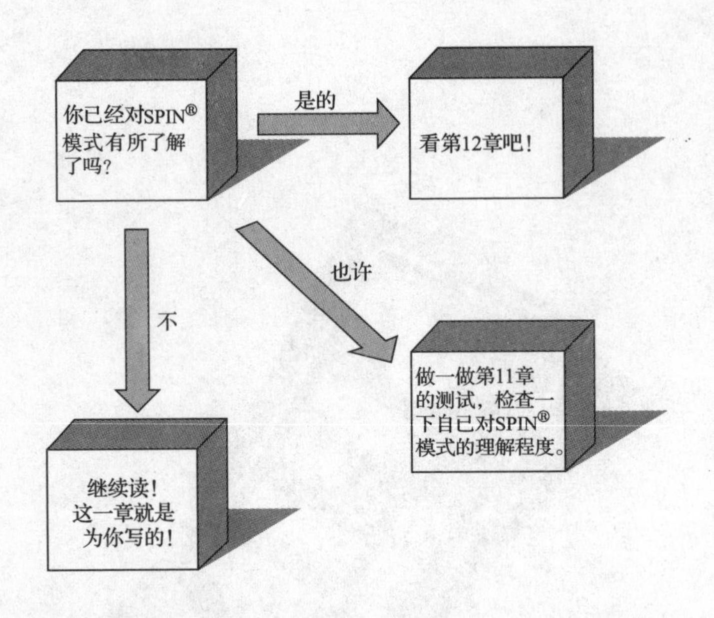

这一章的目的是让你迅速了解 SPIN®模式，这并不意味着它是最优秀的、信息量很大的本书上篇的替代物。如果你没有读过本书上篇，那么你真的应该读一读。本书上篇回答了许多问题，而我们在这儿不能一一涉及，特别是本书上篇介绍了许多事例和例子，使得这个模式更生动有趣。最重要的是，如果你是那种会对没有依据的断言和许诺感到不耐烦的人，如果你要寻找可以替代的实质和证据，那么你会发现，你需要的证据就在本书上篇中。

SPIN®模式的起源

SPIN®模式是由哈斯韦特公司通过对 35000 个销售案例进行广泛调查研究而开发出来的，这项研究始于回答一直困扰许多从事高端 B2B 销售的人提出的一个问题。他们的问题是：这些特殊技能使一些人在大订单销售中成功了吗？或者销售就是销售，因此无论生意大小，基本技能都是相同的吗？施乐和 IBM 等公司都资助过哈斯韦特公司的研究，它们都在为未来做准备，它们预测到未来的销售会变得更复杂、更先进。这些公司已经开始重新招募新人，并且为复杂销售这个新领域培训高端销售人员。它们发现许多新人在小订单销售中一直是很杰出很成功的，而在新的大订单销售环境中却惨遭失败。究竟是哪儿出了问题？哈斯韦特公司的工作就是要找到结论。我们与它们成百上千的销售人员一起到各地去工作，使用了一种新开发的客观研究工具，我们称之为行为分析方法。我们用这种方法评估销售人员的技巧，并且找出效率最高的销售人员在做什么。我们发现在大订单销售中出色的销售人员的确有一套特殊的技能。这些成功销售人员所拥有的最重要的一套技能就是我们通常称为 SPIN®的技能。

SPIN®的基本发现

在介绍 SPIN®技能之前，让我们看看一些来自于大量研究结论的基本发现。通过这些研究可以回答的简单问题是：

成功的销售会谈中谁说得最多？

□买方？

□卖方？

> **SPIN® Tips**
>
> 成功的销售会谈中谁说的最多？是买方而不是卖方！

通过计算每一个人在成千上万次销售会谈中说过的东西，我们可以确认高效销售人员长期以来一直疑惑的事情。在成功的销售会谈中是买方说得最多。你怎样才能使买方开口说话呢？提问。因此不必惊讶，研究小组找到的最成功的销售人员就是那些提问题最多的人，但不是提任何问题。很快结论就变得很清晰了，成功销售人员会提出很精明的问题，并且趋向于以一个特殊的序列提出这些问题。

提问自测

写下你在一次销售会谈中通常会问的四五个典型问题。

表 10-1　典型问题

1
2
3
4
5

现在把你的样板问题归纳为以下两种类型：

1．关于买方现在运作方式的实际问题，例如：

○在这个地方有多少人？

○装卸需要多少时间？

○你如何评估质量？

2．关于难点、困难和不满的问题，或关于买方要解决这些问题的需求，例如：

○你担心竞争的影响吗？

○那个问题对产量有什么影响？

○你是不是在寻求一个更快的程序来克服这个瓶颈问题？

背景问题

第一种类型的问题主要是询问事实或买方目前的状况，称之为背景问题（Situation Questions）。背景问题是一类很有必要的问题，没有它们你不可能实现销售。但是看看你自己的例句，并且问问自己：

谁从这些背景问题中获利更多？是卖方还是买方？

大多数背景问题是要得到销售所需的信息。看一看我们的例句，“在这个地方有多少人？”或“装卸需要多少时间？”，这些信息对卖方也许很有帮助，但它对买方几乎没有什么用。背景问题通常使卖方获利。这就是为什么我们的研究表明：

■在一次会谈中，使用的背景问题越多你成功的可能性就越小。

■大多数销售人员提问的背景问题比他们自己意识到的要多。

成功销售人员也提问背景问题，只不过他们的提问既有必要又有意义。他们先做好准备工作，从其他来源找到与事实有关的基本信息，而不是从买方那儿得到信息。在销售行业中，有一个被广为遵从至少达一个世纪之久的信仰，即买方喜欢谈论他们自己和他们的生意，因此，如果你通过让客户谈谈他们自己的情况来开始会谈，一定不会错。如果这种信仰是正确的，那么你会联想到背景问题，因为它们经常被用来收集买方和他们生意的事实，所以它们应该对成功销售有积极的作用。不幸的是，这种信仰是一个纯粹的神话。的确，许多买方宁愿谈论他们自己和生意的情况，也不愿听那些令人讨厌的卖弄产品的陈述。研究表明，买方越精明，他们越不喜欢别人提问与事实有关的问题。如一个采购公司的副总经理告诉我们的那样："当一个销售人员想占用我的时间来讨论爱好，或想让我告诉他们关于我生意的基本情况时，我就感觉很恼火。在今天这个社会中，我实在是太忙了，根本没时间来说这些。告诉这些销售人员那些事情又不能让我获利。他们的大部分问题都不值得我花时间来回答。"

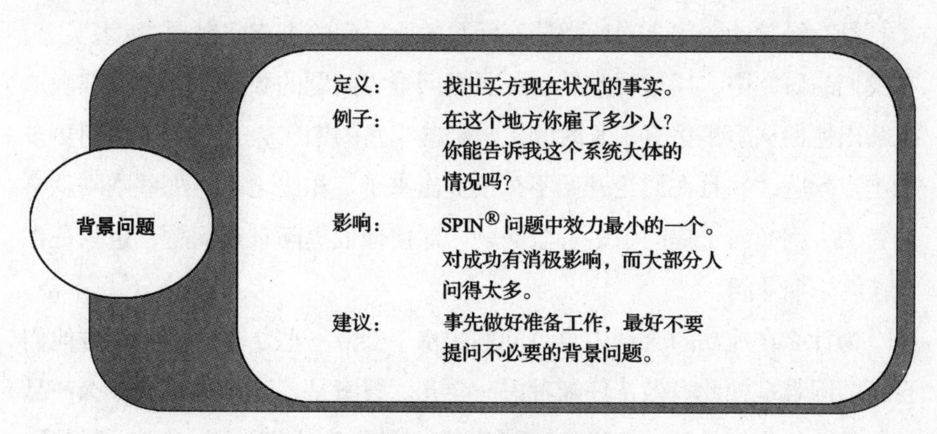

图 10-1 背景问题一瞥

因此，尽管一定要提问背景问题，但要问那些既经济又有效的。买方不用从告诉你他们现在的具体状况中受到一点点触动。做好你的准备工作，最好是从其他来源和地位比较低的人那里收集与事实有关的信息。

难点问题

不幸的是，我们的研究小组发现，你问的背景问题越多，销售会谈成功的可能性就越小。我们说“不幸”是因为背景问题在所有销售问题中是使用率最高的一种，并且它们也是最容易问的一种。令人欣慰的是，研究发现了其他三种有效的问题，并且它们与成功的联系非常紧密。换句话说，这三种类型的问题中的任何一种，你在销售会谈中问得越多，会谈就将越成功。这些类型中的第一种，我们称之为难点问题（Problem Questions）。难点问题是买方目前存在的问题、困难和不满，并且这些都是你的产品或服务可以解决的。下面这些问题就是典型的例子：

你对现在的系统有多么得不满意？

是什么阻止你达成那个目标？

在这个领域中，你正面临着什么问题？

没有经验的销售人员比那些有经验的所提问的难点问题要少。事实上，在我们的研究中，通过观察销售人员提问难点问题的数量，就可以准确地推断出他们从事销售有多长时间了。经验丰富的销售人员倾向于提问更多的难点问题，并且在讨论开始不久便提出来了。相比之下，那些刚刚从事销售的人则倾向于提问很多背景问题，即使他们提问难点问题，也只是在会谈的末期才问。

为什么在成功的会谈中难点问题的水平会高一些？为什么问买方他们自己的困难是如此有效？仔细考虑一会儿。答案是，无论是销售什么产品和服务（从化妆品到计算机），所有销售都是因为他们为买方解决了问题。

产品和服务的一个不错的定义是它是某人难题的对策或解决方案。如果你更仔细地看一下，就会发现那些你起初看起来并不能有效解决问题的产品也是如此。试试下面（表 10-2）这些表面看起来并不是明显能解决问题的产品实例，看一看你是否可以判断出它能为一个潜在的客户解决什么问题。

表 10-2

产品或服务	能为买方解决的问题
劳斯莱斯	
游戏机	
印有猫王头像的领带	

乍看上去，所有这些产品都不能解决什么真正问题。一辆切诺基都不能做什么，那么一辆劳斯莱斯又能做什么？劳斯莱斯听起来纯粹是炫耀和虚荣。其实，它当然是这样。不过这正是它能解决的问题。它能让所有者显示其地位和身份，支撑了那些成功但缺乏自信的人萎缩的自尊。所以，许多客户排队等着付 25 万美元来买一辆劳斯莱斯，以验证劳斯莱斯能帮他们解决多么严重的自尊问题。游戏机又怎么样？它解决了厌烦的问题。印有猫王头像的领带能帮助戴它的人解决需要看起来与众不同的问题，告诉世界这位国王仍然活着，或如何开始一次谈话。尽管没有一个是“有用的”商业问题，但所有这些产品，如销售劳斯莱斯、游戏机、猫王领带都表明它们真的可以为一些人解决问题。

以能解决难题为条件，想一想你自己的一种产品或服务。试着想出至少五个它能解决的问题。少找一些明显的困难，因为它们经常是可以做成或搞砸一笔生意的那些。

SPIN® Tips

客户的难题是销售成功的源泉。

表 10-3

一种你的产品或服务	它能为买方解决的至少 5 个问题

难点问题是做成生意的源泉。在后面部分的章节中，你将看到许多练习和事例，来帮助你策划和练习难点问题。

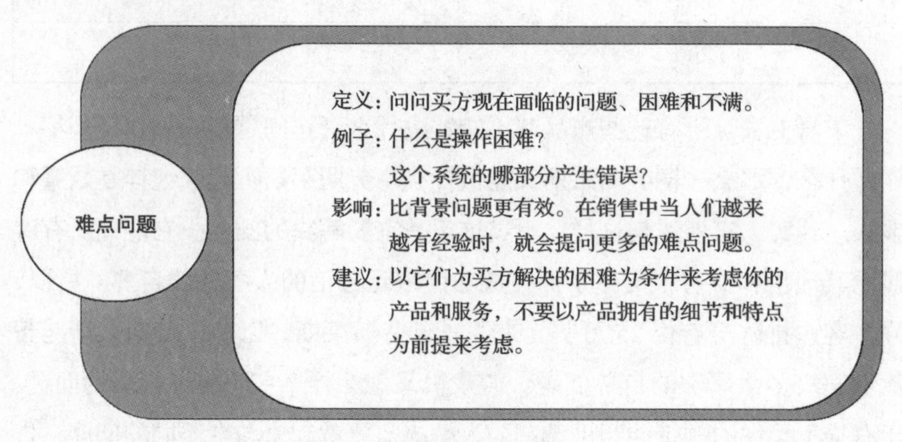

图 10-2　难点问题一瞥

暗示问题

如上所述，仅仅是经验就足够让销售人员知道提问题是如何重要了。如果你做销售已经很多年了，你一定已经有机会了解难点问题的价值。如果你刚刚开始从事销售，或者只是偶尔做一次销售，那么练习难点问题也许是你要提高销售唯一可以做的事情了。然而，下面这种类型的问题是一种与经验没什么联系的问题，在这个领域中，许多很有经验的销售人员的提问技巧都有很大的差距。我们在研究中发现，使用在所有问题中最有力度的问题——我们称之为暗示问题（Implication Questions）的技能，并不会随销售经验的增多而自动提高。出色的销售人员使用许多暗示问题，但我们研究过的成千上万的有经验但并不很成功的销售人员根本就不提问这些问题。

在我们看暗示问题的细节之前，让我们先以 SPIN®研究中发现的一件古怪的事情作为开始。我们发现出色的销售人员趋向于在讨论的末期引入对策、产品或服务。与之相对照，他们不很成功的同事们则迫不及待地开始讨论他们可以提供的解决方案。我的许多次调查都证实了这个发现是正确的。在高科技产品的销售中尤为明显，销售人员经常忍不住滔滔不绝地谈论他们那些令人激动的革新产品。在咨询和服务销售中，这也很明显，因为这些咨询顾问经常感觉，除非他们正在谈论对策和方法，否则就不能证实其价值。在讨论中过早地引入产品或对策为什么是错误的呢？或者换句话说，直到讨论的末期再谈论所能提供的东西为什么是正确的呢？

让我们检查一下引入对策与成功销售之间的关系。设想你是一个新销售人员。

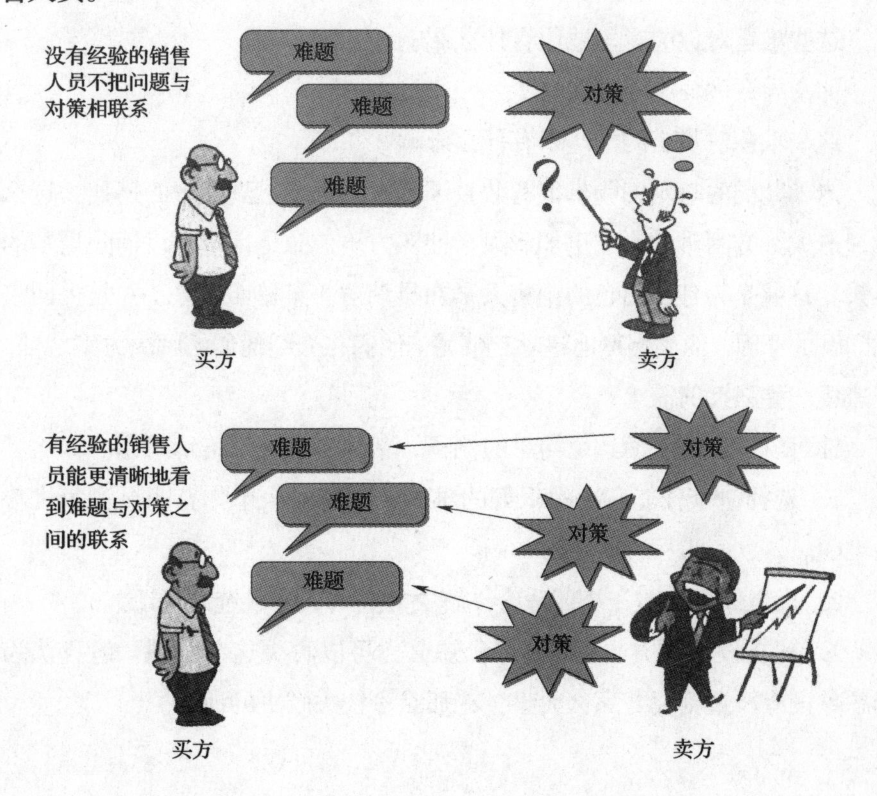

新销售人员因为缺乏经验，可能看不到买方的问题与他们能提供的对策之间清晰的关系。结果，他们也许会认为提供解决方案是很勉强的。然而，当销售人员变得越来越自信时，当他们明白他们的产品如何解决难题时，当他们问买方更多难题时，难题与对策（解决方案）之间的联系在他们的头脑中就会变得越来越清晰。

没有经验的销售人员看不到对策可以怎样适合买方的难题，所以他们经常在买方准备好之前迅速地切入对策。与之相对照，我们研究的最成功的销售人员在谈论产品和对策之前，停留在讨论难题的影响方面。关于买方难点的结果和影响的问题称之为暗示问题，因为它们可以帮助买方看到问题已经严重到解决对策要经历的困难、要花费的资金都非常必要，所以它在所有销售问题中是最有力的。典型的暗示问题如：

这些难题对你的竞争地位有什么影响？

那会导致你成本的增加吗？

这个难题对员工的生产率有什么影响？

诸如此类的暗示问题都很有效，因为它们可能触到买方的痛处。这么做，造成买方困难的影响更加彰显，使买方更焦急地渴望可以消除痛楚的对策。这就是为什么出色的销售人员在早期对答案秘而不宣，并且提问暗示问题的原因。他们娴熟地建立起痛楚。他们在介绍他们的解决方案之前，先造成一种强大的需求。

你可以试一试下面这个简单的例子，帮你考虑一下暗示问题：

1. 选择一个你能解决得很好的难题，最好是一个你有明显竞争优势的难题。

2. 设想你正在与一个最适合你解决方案的买方候选人谈话。

3. 现在设想买方告诉你：“我知道你可以解决这个问题，但我认为问题并没有严重到要费那么大事，花那么多钱去解决的地步。”

4. 考虑一下为什么买方是错的，为什么它值得这么费钱费力去做。这些原因都是买方还没有考虑过的暗示，在现实生活中应该提问暗示问题来让买方明白这些原因。但是，在你可以提问暗示问题之前，你必须先弄明白那些暗示问题会是什么。这个练习是发现那些暗示问题的好方法。

例子

表 10-4

你有好对策的问题	设想买方说："当然，不过它不值得我们花那么多的钱，费那么多事。"为什么买方是错误的？
我们的软件可以使设计程序的速度快于你现有设计程序的速度。	●在产品开发过程中致使整个进程放慢的重要原因是设计修订。 ●在竞争激烈的今天，延迟推出的产品是一个根本没有希望的产品。 ●修订占用的时间越多，整个设计的成本就越高。 ●设计周期最短的竞争者将夺走你的市场。 ●如果你不能给你最好的设计师提供他们希望的强有力的工具，那么他们也无法忍耐。

这些原因允许你策划如下面这些暗示问题：

如果这种新产品的推出延误了，它会对你的竞争地位有什么影响？

你的修订程序特别慢对你出色的设计师有什么影响？

如果竞争者有一种较快的修订程序，这会有什么影响？

用你自己的一种产品或服务试一下：

表 10-5

你有好对策的问题	设想买方说："当然，不过它不值得我们花那么多的钱，费那么多事。"为什么买方是错误的？

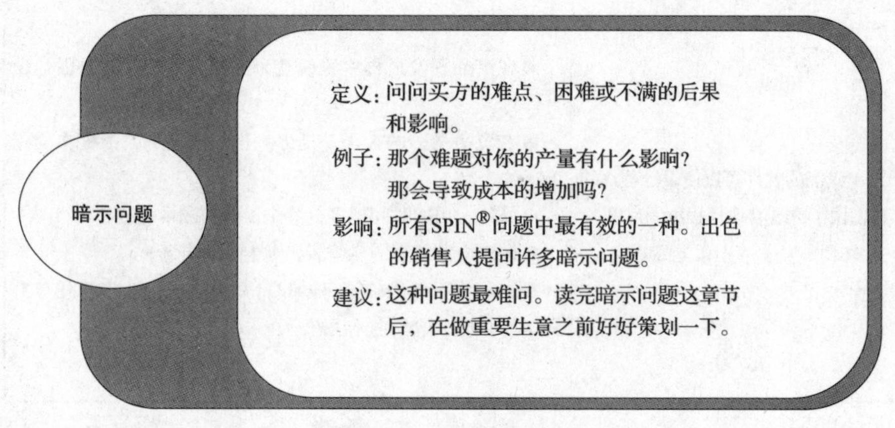

图 10-3　暗示问题一瞥

一个努力提问暗示问题并且发现其很难的顾问曾告诉我们："似乎直到有一天，被一个客户拒绝之后，我才知道我一直在建议的事情正是正确答案。很明显这个客户是错的。所有他之所以错的原因在我头脑中闪过，并且那时我意识到，每一个原因都是一个我没问过的暗示问题。因此，我做了一个深呼吸，并且说：'在你拒绝这个观点之前，我可以问您几个问题吗？'然后我把他错的原因转变为问'如果……会发生什么事情'。整个情况都有所转变，我做成了这笔生意。"

其他许多人都谈到过类似的经历，他们提问暗示问题的能力是从列明买方是错误的原因开始的，这也是我们设计这个练习的原因。

需求—效益问题

成功销售人员问一个对策（解决方案）的价值意义时用的最后一种类型的问题，我们称之为需求—效益问题（Need-payoff Questions），一个不太文雅的单词，但我们无法找到另一个以“N”开头的更好一点的单词来作为 SPIN®中的首字母缩略词。典型的需求—效益问题包括：

为什么解决这个问题很重要？

这个对策（解决方案）对其他方面有帮助吗？

如果我们可以把这项操作的速度提高 20%，那么你可以节约多少钱？

类似于这些问题的共同点是它们都十分注重对策（解决方案），这与背景、难点、暗示问题不同。因为需求—效益问题注重对策（解决方案），所以买方把需求—效益问题应用很多的会谈称之为积极的、建设性的、有意义的会谈。

需求—效益问题经常是暗示问题的映像，因此，如果一个买方可能有现在的系统不太可靠的问题，那么开发这个难题的一个方法可能是提问一个暗示问题，如“那种不可靠性造成的浪费有可能增加你的成本吗？”。但是，用一个需求—效益问题同样可能开发出来，“如果有更高的可靠度，是不是会减少浪费并且降低成本？”。每一种方法都是有效的，并且技术熟练的销售人员通常都把暗示和需求—效益问题一起应用，来开发难题的影响和对策。

然而，需求—效益问题远远不只是暗示问题的一种积极问法，它们有一个无与伦比的功能，用这个功能可以使买方告诉你你的对策（解决方案）可以提供的利益，而不是强迫你对买方解释利益。例如，不说“我们速度更快的系统可以帮你减轻目前产生的瓶颈问题”，取而代之，你可以说：“我们速度更快一点的设备可以如何帮助你呢？”作为回应，买方可以告诉你，速度更快的机器可以解决瓶颈问题。通过使买方谈论你提供的利益，你可以对他施加更大的影响，而不是听起来就像是强力推销。

用问题让买方告诉你利益的方法是很有效的。通过做一些有关你自己产品的如下例子试一试。

表 10-6

你的产品或服务提供的潜在利益	使买方告诉你这些利益的需求—效益问题
我们的操作系统很简单	你认为一个没有受过培训的操作者也能用的系统对你有什么帮助？
安装只需要很少的时间	如果你可以把现在安装时间缩短一半，这对你的产量有什么影响？
我们的租赁条件很有吸引力	如果你不用付出资金成本就可以得到一种新系统，这对你的现金状况有帮助吗？
我们能提供在线诊断	在线诊断对你有怎样的帮助?

以你自己的例子试一试：

表 10-7

你的产品或服务提供的潜在利益	使买方告诉你这些利益的需求—效益问题

经常听到有人说销售不是使买方相信，而是创造适宜的环境允许买方相信。这句话说的就是一个真理。需求—效益问题在于营造一种氛围，在让买方告诉你利益所在的过程中起着很重要的作用。这样做也使他们自己更信服了。当我们开始最终以 SPIN®模式为结局的研究时，有机会与施

SPIN® Tips

销售不仅是使买方相信，更在于营建一种氛围让买方自己信服。

乐公司分公司的一些出色的销售人员一起到各地去工作。我们发现施乐公司的客户似乎经常这样说："让我告诉你施乐公司可以帮助我的另一种方法……"我们经常开玩笑地说，他们并不是伟大的销售人员，而仅仅是因为有那么多伟大的客户。严谨的分析家阐明了之所以施乐公司的买方遇到那么多种可以帮助他们的施乐公司的产品，是因为这些出色的销售人员问了许多可以鼓励他们的买方讲出施乐公司的产品可以提供利益的需求—效益问题。

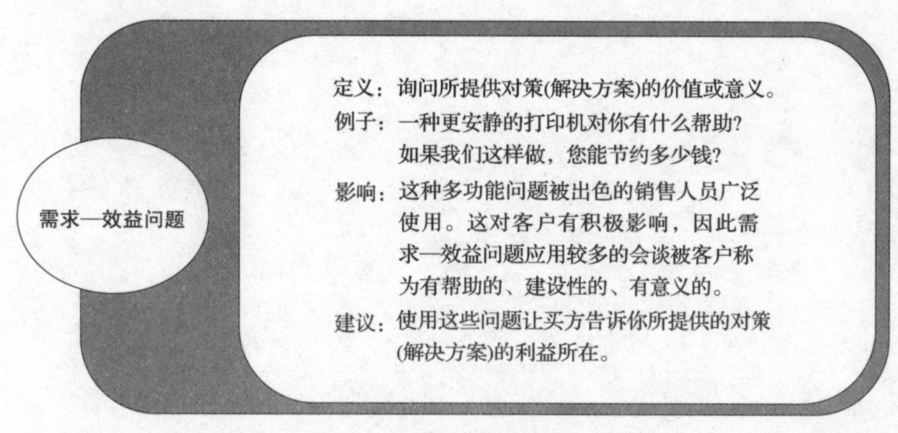

图 10-4 需求—效益问题一瞥

关于 SPIN®模式的最后几点说明

> **SPIN® Tips**
>
> 灵活提问是成功销售的最高境界。

如果你试图用一种僵硬的公式化方法去从事销售，那么再高效的销售技巧也不可能获得成功。把 SPIN®模式看成一个公式，你会失败的。这个模式只是成功销售人员如何销售的一种描述。它是以仔细并且广泛的深入研究为基础，是迄今为止进行过的销售方面最具综合性的研究。

SPIN®模式有一个大概的提问顺序。总的来说，例如，大部分销售讨论是用背景问题建立一些背景信息，然后卖方通常发现一个或更多的难题。除非买方自愿说出这些难题，否则就需要卖方用难点问题揭示它们。如我们所见，出色销售人员不会在这时就揭示对策。他们开发难点，他们使痛楚一点点建立起来。要达到这个目的，他们很可能提问暗示问题。最后将讨论转向对策（解决方案），就在这时，成功销售人员会提问需求—效益问题。因此 SPIN®模式通常成一个序列，但绝不是一个僵硬的序列。没有人可以通过最初问所有的背景问题，然后转移至所有的难点问题等而成功地进行销售。灵活性是成功销售的最高境界。把 SPIN®模式看作是一个灵活的会谈路径图，它就可以如帮助成千上万个销售人员一样帮助你。

第11章

自我测试

如果你认为已经知道 SPIN®模式，但不是特别确定，或者读过本书上篇，但在实际中没有试着用过，或者已经受过 SPIN®培训，但目前还没有完全消化吸收，那么这一章就是为你而写的。

这章中的问题（和答案）可以帮助你用这本书剩余章节中所写的内容更新、开发并且磨练你有销售知识和技巧，使你的努力更有针对性。

如果你发现这些问题中的有些比较难，也不用担心。用这些结论指引你转向这本书的下一个部分。当你读过每一章后，你会对你知道的东西了解得更深。当你把我们提出的概念和方法应用到一些事例中给出的情况和你自已的事例后，每章中最后的练习会给你另外一个检查所学内容的机会。

本章中的每一套问题都有一套对应的答案。

自 测 一

练习

接下来的这些问题通常在销售中都会问到。你会在第 4、第 6 和第 7~9 章中找到关于这些主题的更多信息。

正确或错误

1. 如果你想劝说别人，提供信息比寻找信息更好。☐
2. 试图劝说别人时，大部分人提供的比寻找的信息更多。☐
3. 在大部分销售会谈中，调查买方的需求是很重要的内容之一。☐
4. 在销售会谈中提问的主要原因是发现并开发买方的需求。☐
5. 隐含需求是由可能的买主提出的愿望和需求的陈述。☐

下面每一个问题是隐含需求（客户的难题的陈述）还是明确需求（客户的愿望或需求的陈述）？

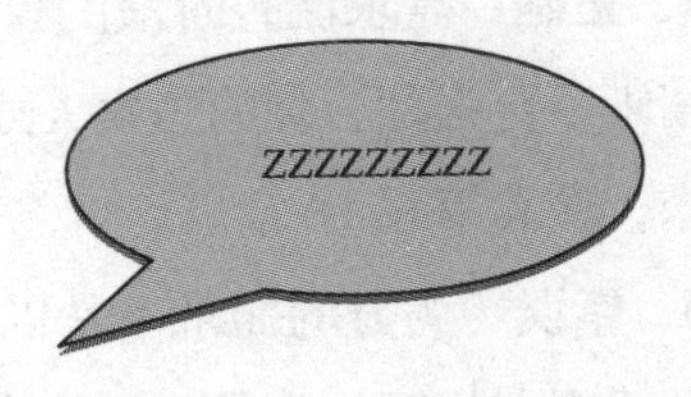

隐含或明确

6. 我目前的系统太慢了。 __________
7. 我们仍在寻找一种既能减产又能增产的设备。 __________
8. 在这个办公室中，存放文件的空间是一个问题。 __________

答案

1．错误　绝对不！我们之中很少有人是通过听其他人的意见而被说服的。研究表明，把你的观点、论点、意见提供给别人，对其他人只有很微弱的影响，并且几乎不能成功。很难说服另一个人接受你的观念，如果是一个大决定，那就更难了。更有效的是提问，这样就可以让人们在解释的过程中说服自己接受。

记住，提问是销售成功的一个秘诀。研究表明，水平高的人提问也多。如果你不提问，那你就不能有效地销售。这本书将帮助你培养自己寻找信息的技能。

2．正确　这很令人难过，但它是正确的。人们互相劝说时，通常使用的方法就是给出观点、意见和论点。给予比寻找容易得多，因此，我们习惯于那种劝说的方法。不幸的是，它不是很起作用。如果建立一个以寻找信息为基础的销售方式，可以比现在有效得多。

3．正确　调查买方需求是很重要的销售内容之一。失败的销售都是因为这个阶段工作做得不够，而不是因为其他什么别的原因。需求调查阶段处理得好不好，是成功和不成功销售人员之间最主要的区别。为了更多了解销售会谈中的这个阶段，请读一读第4章。

4．正确　需求调查阶段的目标是发现、开发买方的需求。使那些需求更清晰、更强烈，你的当事人或客户就会准备购买。要知道如何开发买方需求，请看第6~10章。

5．错误　买方的需求不是以需要和愿望的形式开始的。隐含需求是买方关于现在状况的难题、困难或不满的陈述。需求调查阶段的目的是通过提问揭示隐含需求，并且在把它们开发出来之后，以清晰强烈的明确需求和愿望的形式表达出来。读第6章来学习所有的隐含和明确需求，并且了解它们为什么重要。

6．隐含需求　用现在的体系陈述一个难题，而不是一种欲望或愿望。

7．明确需求　“我正在寻找……”是一种想要的陈述，不是关于一个难题或困难。

8．隐含需求　需求以一个难题的形式陈述，而不是欲望或愿望。

自 测 二

练习

现在试一试其他问题。关于这些主题的更多信息，你会在第4章、第7章和第8章中找到。

正确或错误

1. 开启销售会谈时，介绍产品的所有细节是很重要的，这样买方才能确切地知道你能提供什么。□

2. 正确开启会谈的标志是买方知道你是谁，知道你为什么在这儿，并且同意你提问。□

3. 开启销售会谈后，应立即通过提问难点问题来开发需求。□

4. 提问的背景问题越多，客户和当事人就越有可能购买。□

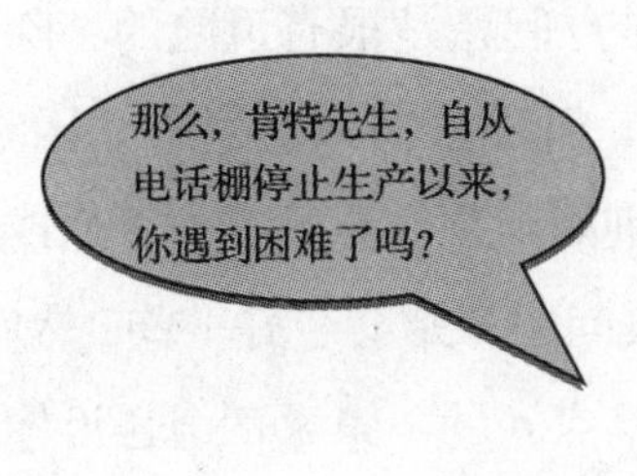

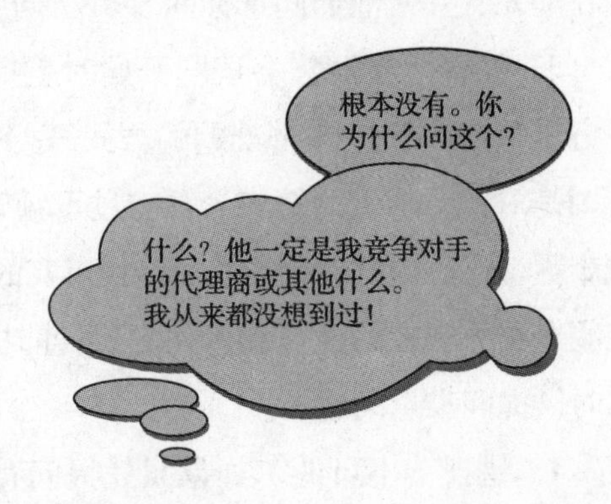

下面哪一个是背景问题，哪一个是难点问题？

背景或难点问题

5. 你平均一个月用多少？ ________

6. 你对现在的服务合同满意吗？ ________

答案

1. 错误 许多人都这么做，但这并不能帮你做成生意。为什么你不能在会谈的开始就谈论你的产品或服务呢？因为：

■ 提供不如寻找更有效。告诉买方你的产品或服务，是影响买方一种比较差的方法。

■ 过早介绍产品或服务就如同过早地提供对策（解决方案）一样，这是常见的能给大订单销售以消极影响的错误。

■ 因为你并不是很了解买方的需求，所以你的对策（解决方案）可能不合适。

■ 过早介绍产品或服务通常会导致买方提问，特别是关于价格的问题，产生不必要的价值异议。

试着在你的开场白中“设置这个程序”，那么你就能提问。

2．正确　每一个开场白需要保证买方知道你是谁，知道你为什么在那儿，并且同意让你提问。当然，如果你已经很了解买方，这也许会很自然地发生。但是如果是新客户，你就要介绍一下你自己，解释一下你为什么在那儿，并使他们同意你问 SPIN®问题（看一下第 12 章）。

3．错误　在销售会谈刚开始时就提问难点问题是很有风险的，除非买方是以向你描述一个难题的方式开始会谈。几乎没有人愿意承认困难，特别是对一个陌生的销售人员。过于频繁地询问难题会导致买方否认或掩藏难题。通过提问几个中性、寻找事实的背景问题开始会更好一些，然后，在明白买方现在的业务和操作之后转向提问难点问题（第 8 章会告诉你什么时候提问难点问题）。

4．错误　不可能。如果只凭提问背景问题就可以使人购买，那做销售也太容易了！问得太多并且一直关注于提问背景问题会使会谈成功的可能性下降。想知道为什么以及为什么大部分人提问太多的背景问题，请看第 7 章。事实上，提问难点问题，特别是提问暗示问题对会谈成功有更大的正面影响。

5．背景问题　背景问题询问关于现存状况的事实。

6．难点问题　难点问题询问关于现存状况的难题、困难和不满。问买方是否满意是一种间接但有效的提问难点问题的方法。

自 测 三

练习

现在这些问题有点难了。但是，如果你不能得出全部答案，也不要着急。这也正是你在读这本书的原因。同时，你在第 8 章和第 9 章中将找到更多的信息。

正确或错误

1. 当买方说明一个难题，而且这个难题正是你可以解决的时候，你应立刻提供你的对策（解决方案）。□
2. 暗示问题的目的是拓展和开发买方对问题的结果和影响的理解。□
3. 在会谈中提问暗示问题的最好时间是在发现问题之前。□
4. 大部分人发现暗示问题比难点问题更难问。□

早上好，赖斯先生，现在你的困难暗示着什么？

区别难点问题和暗示问题 **难点或暗示问题**

5. 替换你们设备中的卡式胶卷盒有多难？ ________
6. 产量如此低会不会引起客户的抱怨？ ________
7. 如果存在可靠度问题，那么确切地说，在一年时间内会花去你多少成本？ ________
8. 你对现有摆动臂的活动范围满意吗？ ________

答案

1. 错误 不，不，不！它是一种诱惑，当买方提供一个你轻而易举就可以解决的问题时，你就立刻满心欢喜地把对策直接投给买方。想要给对方提供帮助有什么错？而且又同时把你的对策卖出去了？简单地说，它根本不起作用。事实上，太早给出你的对策可能使你丢掉生意。这是我们经常提醒而你又经常会犯的错误。

对策（解决方案）的影响基本上依赖于买方需求的大小。成功销售人员知道他们必须在提供对策之前开发买方的隐含需求（难题），并把它转变为明确需求。

2. 正确　当你提出对策(解决方案)时,买方的需求欲望就会停止增长,因此，你必须在提供解决方案之前首先找到一种方法，开发买方对一个问题的大小和重要程度的领悟能力，做这件事最好的方法就是提问。暗示问题是帮买方理解问题的后果和影响的最有效的方法（温习第9章学习更多地使用暗示问题）。

3. 错误　由它们的本质决定。在发现一个问题之前，你不能问暗示问题。问难点问题可以帮助你和买方理解买方的难点、不满和困难。暗示问题是在难点问题之后问出的，以便于买方更能意识到它们的严重性和重要性。要对难点问题了解更多，请看第8章。

4. 正确　不幸的是，暗示问题比背景问题和难点问题都更难问，它们要求事前有策划和业务知识，这样你才能明白为什么某种类型的难题很重要，什么因素会使它们比买方能意识到的更重要。你也需要知道你的产品和服务能解决什么类型的问题，以便能集中精力开发那些隐含需求。

5. 难点问题　在这里，卖方直接提出隐含需求。

6. 暗示问题　与问题5相对照，这个问题寻求拓展或开发一种已经被买方确认的难题。

7. 暗示问题　这个问题通过让买方测出它的量来开发一个难题。

8. 难点问题　这个问题只是简单地对困难的一方面提问。

自测四

练习

让我们沿着正确的轨道继续前进。关于下面这些主题的更多信息你会在第18章中找到。

正确或错误

1. 需求—效益问题的目的是让买方注意力从问题上转移开，而注重对策（解决问题）和对策的价值。□

2. 在买方的问题还没被弄清或还没被开发出来之前，不应该提问需求—效益问题。□

3. 在买方表达出明确需求之前，你不应该提问需求—效益问题。□

区别暗示问题和需求—效益问题 **暗示或需求—效益问题**

4. 那么，很理想的情况就是在没有增加雇员数量的情况下提高你出文件的速度？ ________

5. 原材料质量的难题导致更高的排斥率吗？ ________

6. 低香型的溶剂会以怎样的方式帮助你提升市场份额？ ________

7. 因此那可以对你的月末调解有帮助。这种新方法对你还有其他好处吗？ ________

答案

1. 正确 当买方的注意力还在问题上时，谈论对策（解决方案）是无效的，因此，你需要转移买方的注意力。怎么做？通过提问使买方开始考虑对策（解决方案）的价值或意义。需求—效益问题就可以起到这个作用。它们请买方：

■ 把注意力从难题转移到对策（解决方案）上。

■ 考虑这个对策（解决方案）有什么帮助。

■ 介绍产品或服务能对买方有价值或意义的方法。

需求—效益问题在销售中如此有效一点也不奇怪，它们使买方告诉你所提供的利益，详见第18章和第19章。

2．正确　太早提问需求—效益问题是一个经常犯的错误,类似于“速度更快的系统有用吗”或“在你们的这种操作中，我们的方法不值得你采取吗”等问题都很危险。如果在会谈中问得过早，买方可能会说“是的”，但并没有真正感兴趣或同意。在买方承认一个难题以及它的重要性之前，过分注重对策（解决方案）也有很大的风险。在你开发过买方的难题和他们的隐含需求之后再问需求—效益问题会更有效。

3．错误　相反，一些最好的需求—效益问题是在明确需求被表达出来后才问的。需求—效益问题可以：

■ 证实现存的明确需求，这一点是通过问买方是否想要对策（解决方案）或对对策有兴趣做到的。

■ 澄清明确需求，做到这一点要通过问需求为什么重要以及如何重要，或评估对策的价值。

■ 扩大需求的价值，做到这一点要通过发现对策（解决方案）中其他可以帮助买方的方法。

4．需求—效益问题　试图鉴定明确需求。

5．暗示问题　这个问题是在转向对策（解决方案）之前，以难题为中心开发隐含需求。

6．需求—效益问题　与第5个问题相对照，这是一个以对策（解决方案）为中心的问题，让买方澄清效益的区域。

7．需求—效益问题　这个例子表明需求—效益问题能如何扩大效益的范围。

自测五

练习

第11章会专门向你阐述能力证实阶段，第4章使你懂得如何从买方那儿获得晋级承诺。

正确或错误

1. 在销售会谈中，你向买方介绍的特征陈述越多，越有可能做成这笔生意。□

2. 利益陈述是你向买方描述你的对策（解决方案）时，可以用的最有力的方法。□

3. 利益陈述表明一个产品或服务如何可以满足买方的隐含需求。□

4. 异议是买方感兴趣的一个信号，因此你收到的来自客户的异议越多，做成这笔生意的机会就越大。□

5. 提问许多暗示问题和需求—效益问题可以减少客户提出的异议。□

6. 不要以让买方承诺为开始；永远要让生意自行结束。□

7. 在一次销售会谈中，你使用收场白技巧越多，你越有可能做成这笔生意。□

答案

1. 错误 特征陈述介绍的数量对生意的结果几乎没有影响。事实上，研究表明，通常在失败的会谈中比在成功的会谈中给出了更多的特征陈述。花时间用难点、暗示和需求—效益问题开发买方的需求，以及用利益陈述表明你如何能满足已经开发的明确需求，这样做要好得多。想多了解一些关于第1~5个问题的信息，请看第19章。

2. 正确 利益陈述绝对是你向买方介绍产品或服务的最有力方法。销售中成功的关键是有一种能力，即：用背景和难点问题发掘隐含需求，用暗示和需求—效益问题把隐含需求转变为明确需求，然后用利益陈述使那些明确需求得到满足。

3. 错误 小心：利益陈述表明一种产品或服务如何满足买方表达的一种明确需求。隐含需求只是一种半开发的需求。首先应该建立起需求的紧迫性，使买方表达出对对策（解决方案）的一种清晰而又强烈的需求。

4. 错误 得到的异议越多，你做成这笔生意的可能性就越小。异议是你与客户之间的障碍，研究表明，异议主要是由销售技巧太差引起的。

成功销售人员注重异议的防范，而不是异议的处理。

5．正确 通过使用暗示问题和需求—效益问题来开发明确需求，你可以减少收到的异议数量，并且增加成交的可能性。关键是在你提供对策（解决方案）之前，先开发客户的强烈而明确的需求。第19章解释了“利益”之间的不同，这对成功销售大有帮助，“优点”却可能增加异议的数量。

6．错误 收场白技巧使用过多当然会对你的销售有伤害，但是，完全缺乏收场白技巧则更危险。生意不会自行结束，因此你应该采取一些行动。研究表明，在有效开发客户需求后，就能最成功地结束一次会谈。

7．错误 许多经验丰富的销售人员认为，频繁使用收场白技巧会提高销售成功的机会，但研究结果恰恰相反：增加收场白在每一次会谈中的使用次数，实际上会减小你的销售成功率。如果你没有开发客户需求，那么没有任何收场白技巧能保证你的销售成功。温习第2章，你会了解更多关于晋级承诺阶段的知识。

第12章

销售会谈的四个阶段

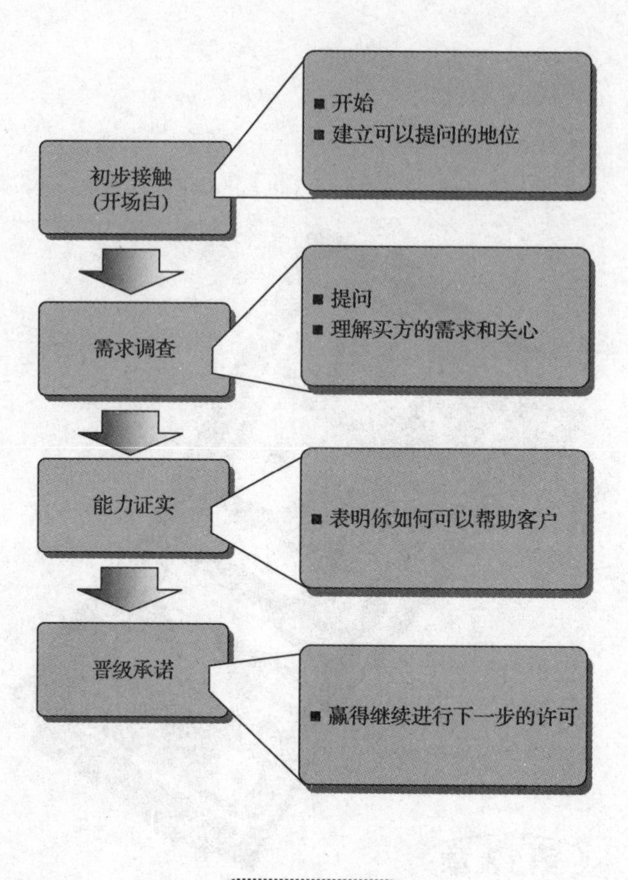

概　述

销售会谈的四个阶段是什么？

初步接触（开场白）——初步接触，包括进入并开启销售会谈。

需求调查——发现、澄清并开发客户的需求。

能力证实——阐明你的对策（解决方案）如何满足客户的需求。

晋级承诺——保证同意，使销售可以向最后成交的方向有进一步的行动。

哪一个阶段最重要？

研究表明，需求调查阶段在大订单销售或复杂销售中是通向成功最关键的一步。

几乎所有的销售，从最简单到最复杂的，都要经历这四个阶段，导致最后相同的结论或结果：

■订单成交或成功销售——有一个要买的承诺。

■没有成交或失败销售——拒绝购买。

但在大订单销售或复杂销售中，因为需要一段时间才可以完成交易，所以还有可能有另外两个暂时的结果：

■进展晋级——买方同意一个使生意向前发展的行动。

■暂时中断——买方没有同意一个使生意向前发展的行动。

这到底意味着什么？

那么，在大订单销售或复杂销售中：

■整个周期通常要求形式多样的会谈。

■在晋级承诺阶段的成功依赖于需求调查阶段具备高超的销售技巧。

■建立现实的会谈目标并且达到使生意向前发展的会谈结果是很关键的。

销售会谈中最重要的阶段

研究表明，需求调查阶段是整个销售过程中最重要的阶段。然而，多少代以来传统的智慧并不承认需求调查阶段的重要性。许多销售经理强调获得晋级承诺即“收场白”是最重要的。

在小订单销售中，有许多证据表明，“如果你不会收场，那就说明你不会做销售”。但在大订单销售或复杂销售中，成功依赖于卖方在需求调查阶段使用的技巧，而不是依赖于其他事情。

需求调查阶段究竟是什么？在一笔生意中，需求调查意味着系统地发现、开发、澄清并明白买方的业务需求和难题。为了调查，你必须提问，提问就是一切。

SPIN® Tips

在需求调查阶段，提问就是一切。

提问、提问，各种各样的提问

提问是你能用来劝说别人的最有效的口头行为。这并不只是在销售中适用。各种各样的研究已经有了决定性的证明：在成功的谈判、日常管理、分组讨论和其他相互影响中，提问比在不成功情形下要多。

哈斯韦特公司的研究进行得更深入。我们很科学地检验过像"开放型"问题在销售中比"封闭型"问题好这样的结论。首先让我们给它们各下一个定义：

- 封闭型问题可以用一个单词来回答，通常是"是"或"不是"。
- 开放型问题要求更长、更有描述性的回答，通常是"你可以讲述关于……吗"或"为什么它对你那么重要……"。

既然开放型问题可以使买方开口说话，传统智慧认为它应与成功销售有紧密的联系。然而，我们的研究发现，问题是开放型的还是封闭型的与成功销售之间没有什么联系。

但我们的确发现，某种其他类型的问题被以一个特殊的序列问出时，会与成功销售有直接的联系。如我们可以看到的，那些就是 SPIN® 提问。

为什么需求调查阶段如此重要

人们购买一些东西是要满足需求或重新解决一些难题。当难题给他们带来的痛楚以及对解决方案的需求已经被营造得比对策成本要高许多时，他们便决定购买了。正是在需求调查阶段，SPIN®提问被用来帮助你发现和开发客户的难题。

SPIN®初步接触和会谈开启

在大订单销售中，销售人员对开场白阶段的了解要比对其他阶段的了解少得多，这是出于一个简单的原因：大部分规模大一点儿的生意涉及的是现有客户或当事人，也就是说买方和卖方已经非常熟悉了。在生意中不到 5% 的卖方第一次会谈是与新客户进行的，但对于这种类型的销售，开场白的确还有一些意义和价值。

本书介绍了传统销售会谈开启方法是怎样操作的，以及为什么在小订单销售中起作用，而在大订单销售中却没有效果。这种方法之一是使用一种“利益陈述式开场白”。在这种方法中，卖方以产品或服务如何帮助买方的一系列陈述开始。在很简洁的会谈中，会谈时间都少于10分钟，利益陈述式开场白可以帮你使买方对你的产品或服务产生兴趣。但在长一点的会谈中（一次B2B会谈的平均时间为40分钟），利益陈述式开场白与成功销售之间没有什么联系。事实上，它还会有一些风险。

不要太早介绍你的对策

没有经验的销售人员时常会落入的最大的一个陷阱是太早说出对策（解决方案）。这种现象是如此普遍而又如此有诱惑力，因此我们需要一次又一次地提醒你。我们的研究反复证明：成功销售人员直到会谈末期才会谈论他们的产品、服务或对策（解决方案）的利益。

既然利益陈述式开场白是一种过早地介绍你的产品或者服务的方法，那么它很有可能破坏你的会谈。为什么？因为：

- 它强迫卖方在建立起价值之前就讨论产品或服务的细节。
- 它允许买方提问并控制销售的进程。

开场白的目的

开场白的目的是为你赢得买方的同意，给你提问的权利，进而可以进入到需求调查阶段。

一个好的开场白应确立以买方为中心的目的。这是什么意思？它意味着注重买方的想法，而不是注重你的产品或者服务。它也意味着要灵活，考虑诸如谁召集的会议，你对客户或者当事人了解多少，有什么时间限制等因素。

开场白应以买方为中心，其终极目标是为了获得提问的地位和提问的认可。

> **SPIN® Tips**
>
> 开场白应以买方为中心，其终极目标是为了获得提问的地位和提问的认可。

尽管你也需要叙述你是谁，你为什么在那儿（而不是讲你的产品或者服务的细节），以及为问 SPIN®问题奠定基础，但也一定要注意应以买方为中心，而不要只注重你自己的需要。以买方为中心可以帮你建立买方对你的信任并使买方易于接受新的思想，确立你的信誉。

有效开启销售会谈

1．迅速切入生意。要表现出对公司和文化的尊重，最大的危险就是浪费一位繁忙总经理的时间。作为一个通行守则，在开场白方面要尽可能少花时间。

2．不要过早地讲出对策（解决方案）。利益陈述式开场白是介绍产品的一个基本模式。在你提供对策（解决方案）或说出你的能力范围之前，开发客户需求以积聚价值是至关重要的。过早地讨论对策（解决方案）会引起异议，并减少交易成功的可能性。

3．注重提问。不要过于担心在会谈初级阶段不能表现得很流畅、很优雅。在会谈之前策划一些合适的问题并且利用开场白阶段的时间来赢得买方进入需求调查阶段的许可。如果你发现买方在提问，而你正在被问到一些事实和解释，你应该改变开场白的方式，以确立在这个阶段的提问者地位。

如果坚持练习 30 秒钟完成一个开场白，直到你确信在听起来并不“机械”的情况下涵盖了所有的关键点，这种练习对你会很有帮助。测试你在开场白阶段是否有效的最好方法是看客户在多大程度上愿意接受并回答你的问题。

SPIN®的需求调查

既然需求调查阶段对买方决定购买你的产品或者服务有很大影响，那么有效地使用 SPIN®问题，正如你会看到的，是面对面销售成功的关键。下一章会告诉你在需求调查阶段如何使用 SPIN®问题发现、澄清、开发买方的需求。

SPIN®的能力证实

迟早，你必须证实你有能帮买方解决问题的对策。你可以使用各种各样的方法来证实所提解决方案的价值，但是在简单销售中起作用的方法，随着销售的规模和复杂程度的增长，就不起作用了。一个例子是在大订单销售中，迟些介绍你的对策（解决方案）显然比早一些更有效。第 18 章包括，在这个阶段，需求—效益问题如何帮助买方认清解决方案的价值和意义，并且扩大所提对策（解决方案）的价值，第 19 章将致力于能力证实。

SPIN®的晋级承诺

一般人都强烈支持晋级承诺，毕竟收场白是销售中最重要的阶段。本书第 10 章介绍了我们经历过的奋斗以及最后得出的决定性结论：传统的关于收场白重要性的名言显然是错的。

在大订单销售或复杂销售中，最重要的是卖方如何做好需求调查。

本书帮助人们明白传统收场白技巧是如何确实无效或有负面影响的，尤其是当：

- 生意很大或很复杂，或涉及贵重物品或服务。
- 向很精明的客户或者当事人销售，例如向专业采购员开展销售。
- 在生意结束后还要持续保持关系。

SPIN®销售不仅仅指出了收场白的危险，还指出了你必须获得来自买方的某种类型的晋级承诺，否则你不会做成一笔生意。在一笔简单的生意中，你或是得到一个购买承诺、一份订单，或是被买方拒绝，也就是没成交。无论是哪一种，如果销售成功的话，都能很容易并且很快地判断出来。但在大订单销售或复杂销售中就很不同了。在大订单销售中，关键是得到正确的承诺。

获得正确的承诺

大订单销售会涉及许多轮会谈，并且有些时候要好几年才能完成。在大订单销售中，不到10%的会谈实际上是以订单是否成交为结局的。既没有明确的拒绝，又没有一份合同到手，应如何判断一笔生意是否成功？在大订单销售或复杂销售中还有其他什么会谈结果吗？

会谈结果

在简单的生意中，只能有两种真正的结果：你要么得到一份订单成交，要么就是没有成交。在大订单销售或复杂销售中却大不相同，也许要几个月或者几年才能得到订单。因此，你需要用这种方法分清其他成功或者不成功的会谈结果。

在大订单销售中，如果一个轮次会谈结束时得到了一个使你更靠近生意结果的行动（我们称之为进展晋级），就是一个成功的结果。重要的衡量标准是使买方同意一个使你朝生意最终结果前进的行为。这种“行为”也许是由买方做出的，也许是由卖方做出的。但是一种买方行为总是一种清晰而强烈的进展，因为它表明买方使交易向前推动的承诺，例如，买方同意参加一个产品演示会，或为卖方安排一次与其他决策人员的会谈。买方的要求不都是一种清晰的进展晋级，除非买方也同意采取一些使生意前进的行为，例如，在你写计划书之前重新审视选择标准，或在最后定论之前讨论汇款方案。

如果销售会谈的结果不能达成使生意向前推进的一致（即暂时中断），那么就是不成功的，不论买方看起来多么愉快、多么满意。

高级销售人员通过如下方式更有效地结束会谈：

- 使暂时中断转为进展晋级。
- 了解哪种进展晋级可以使销售会谈迈向成功。
- 确立切实的近期目标，把销售向前推进。

小订单销售和简单销售		大订单销售和复杂销售	
			四个可能的结果
订单(成功)	成功的	订单成交(成功)	■ 承诺购买
		进展晋级	■ 同意一种可以使生意向前推进的行为。例如，下周我想让你与我的搭档谈谈
没有成交(失败)	失败的	暂时中断	■ 谈论继续但没有行动协议。例如，很棒的一次讨论，有时间再给我打电话
		没有成交(失败)	■ 拒绝购买

图 12-1 会谈结果

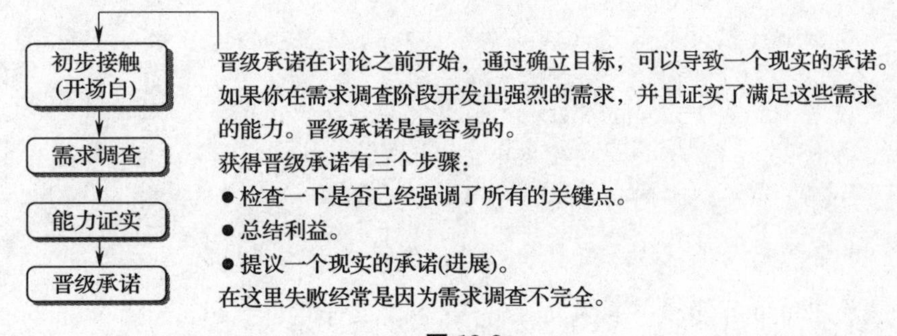

图 12-2

谋划进展晋级

进展而不是暂时中断

高级销售人员通过不断计划和实施会谈，有步骤地推动销售进程，直至达到最终目标。他们究竟是怎样做的呢？首先，他们集思广益，找出能够促成销售行为的各种进展晋级。然后，真正经验丰富的销售人员选择那些买方可以接受的巧妙的小步骤。安排好有用进展晋级之后，卖方就可以确立一次实际会谈的目标了，但在实际会谈中要注意根据需要灵活变通。

这种方法增大了会谈取得进展晋级的可能性。

案例

卖方公司提供移动电话系统组合服务，包括设备、维修服务、通话天线、声音传递和其他服务。客户方的联系人是公司通信部的高级项目经理，也是拥有购买最终决策权的六人委员会（由部门主管任主席）的成员。该客户在全国拥有六个分部。卖方正在策划与这位联系人的第二次会谈。

可能的进展晋级

■由我们的销售副总出面，与买方部门主管进行会谈。

■让这位项目经理与我们满意的两个客户联系。

■与六人委员会的所有成员举行一次会谈。

■在亚特兰大电信会议期间向该公司六个分部的主管作一次正式的演示介绍。

■弄清他们的卖主选择标准。

■请联系人到我们的办公室参加一次演示。

■请联系人提议六人委员会的其他人进行一次实地测试。

■介绍给其他部门首脑。

不很成功的销售人员会得到更多的暂时中断，而经验丰富的销售人员却得到进展晋级。这是怎么回事？

许多不很成功的销售人员对“收集客户的信息”、“与买方建立密切融洽的关系”或者“使买方说他们喜欢我们的系统”的目标很满意。这些目标并没有什么错。找到更多的信息并建立良好的关系是件好事情。但是，这类目标不会有使生意向前推进的行为。它们是暂时中断。销售要求得到更多信息，更需要行为、进展晋级，使生意向前推进。

练习加快可能的进展晋级

1. 选择一个你可能在下几周要会见的客户或当事人。

2. 以你现在所处的销售周期中的阶段为基础，并且使用你现有的买方需求的知识练习加快潜在的进展。注意数量和不同点。包含所有可能的行为，如果买方同意，那便能使生意向前推进。

3. 在下面的空白处列明你可能遇到的进展晋级：

表 12-1

关于客户的背景注释	
可能的进展晋级	它一定是一个进展晋级而不是暂时中断吗？
■	□
■	□
■	□
■	□
■	□

4. 检查每一个进展晋级，以确保它会有一种向前的行为，否则它只是一种暂时中断。

5. 选择进展晋级，包括你认为现实中可以达到的最高行为。把它当作销售拜访的会谈目标。

6. 这次拜访后，重新审视一下实际的会谈结果。你取得进展晋级了吗？

会谈结果的自测

练习

你清楚会谈可能有的结果吗？试着判断下面这些是订单成交、进展晋级、暂时中断，还是没有成交。

会谈结果

1. 今天我要签一份购买订单，因此我们现在就开始吧。 ________

2. 不，尽管我很喜欢你给我们展示的东西，但我已经决定与布罗德公司签约了。 ________

3. 我喜欢你提供的东西，我也欣赏你的提议。 ________

4. 让我们在下个月找一个时间再谈一次，继续这次讨论吧。 ________

5. 我自已不能做这个决定，但下周我会安排你与我的搭档见面。 ________

6. 我们会考虑的，在下几个月可能会打电话给你。 ________

7. 如果你在提案中可以包括那些时间安排上的修改，我会把它提交给我的公司。 ________

8. 我需要的只是我的会计可以通过，我们将再与我们的财务标准相比较，如果通过，那么就算成交了。 ________

9. 我们真的需要看一下系统的实际运行。你能于下星期二在本地为我和我的生产部经理安排一个产品演示会吗？ ________

答案

1. 订单成交 如果买方准备完成书面文件了，那么无疑你已经得到了这份订单。

2. 没有成交 客户或当事人已经给了你一个很清晰的陈述，他们不会同意从你那儿购买。

3. 暂时中断 买方说那是一件好事。但是因为没有可以推进生意的行为，这只能算是暂时中断。

4. 暂时中断 只是同意再约一次会谈，没有行为，只是继续了这笔生意，而不是向购买的决定前进一步。例如，如果这个人补充道，“我将在选拔委员会中再找出一位副经理”，那么这就可能是一个进展晋级了。

5．进展晋级　这是一个行为，与搭档的一次会议，推动生意朝决定购买的方向进了一步。

6．暂时中断　门没有关，但这是一种没有实际说“没有成交”，但却是拒绝了卖方的典型做法。“考虑一下”在这个事例中不是一个行为，并没有推进销售。

7．进展晋级　在这儿买方提议两个行动：一个是针对卖方（包括提案中的条款），一个是针对买方（向公司提交议案）。

8．进展晋级　这不是一个订单或销售，也不是“确切的99%的”许诺。除非有一个没有丝毫动摇的签约承诺，你应把这种类型的承诺降级为进展晋级。

9．进展晋级　买方提议三个行为。在这个事例中，卖方的行为是安排产品演示会，买方的两个行为是参加演示会并把生产部经理带来。

第13章

SPIN®发挥效力的基石

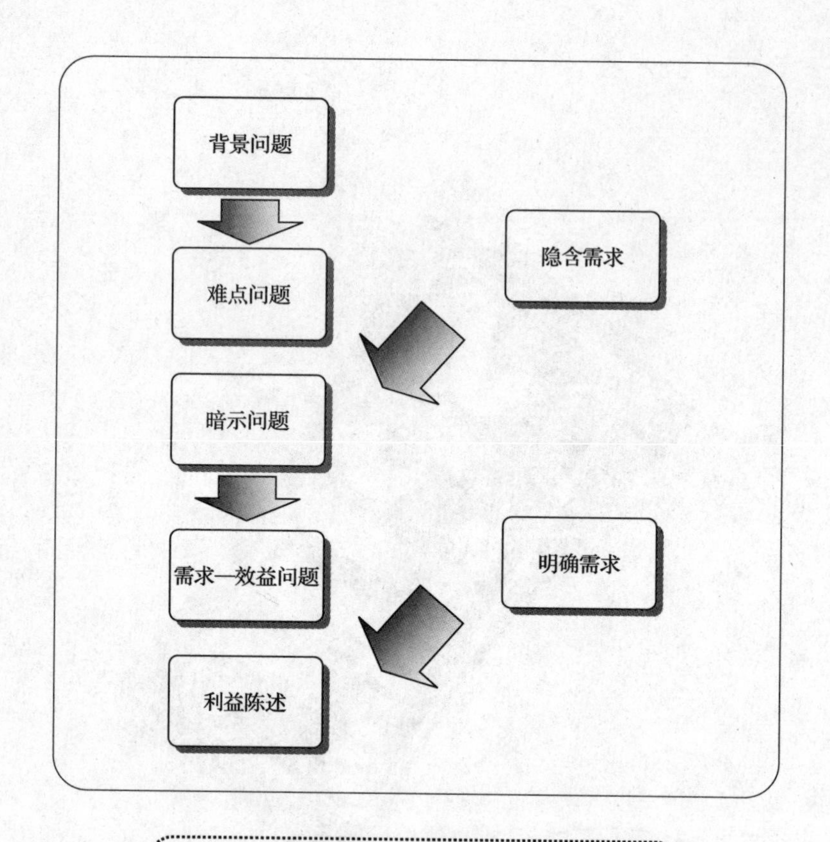

关于 SPIN®的好消息和坏消息

全球有 100 多万人都曾经接受过 SPIN®模式的培训，以此来帮助他们更有效地进行销售。你能想象得到，如此多的人中一定有成功销售高手的故事，也有悲痛的传闻，以及一系列对什么使 SPIN®模式更有效的真知灼见。在这一章中，我们将重温一些课题，这些课题是由那些希望他们的经验能使执行方法对他来说更简单的人做的。

如果我们可以把这些人聚集在一起，邀请到一个地方，让他们把他们所有的经验加在一起，他们要说的就是下面这些。

好消息

好消息就是 SPIN®确实大有作用！

无论你是在图尔莎还是在东京，在雅典还是在阿姆斯特丹，都会完全同意 SPIN®有着成功的测试记录。我们在 30 多个国家的研究表明，使用这种模式后，销售人员的销售业绩都有所增加。无论在世界上什么地方进行的大订单销售，都有比文化差异还重要的东西，它们是一些文化习惯。例如，在日本提问难点问题的很容易被误认为不太礼貌。然而，当以一种间接的方法提问时，就与日本的文化相一致了，难点问题也就会很成功。在其他文化环境中也可以问同样有用的问题，并且难题可以被很不客气、很直接地揭示出来。因此我们的百万参与者告诉我们，尽管在如何有效地提问等方面有些差距，但 SPIN®在全球都有很好的效果。

另一个好消息是 SPIN®这种模式在工业、银行业以至面包厂中都有很好的效果。咨询顾问公司发现可以帮它们销售服务，建筑公司用它可以销售大的项目。在所有你能想象到的行业中，SPIN®模式都在被人们很成功地应用于发现和开发需求。对于我们这些开发这个模式的人来说，这是个令人高兴的消息，但并不令人吃惊。毕竟，复杂的产品或服务的共性是为买方解决难题。无论我们讨论的是一项咨询服务、一种不妨碍排水的产品，还是一种电话修理服务，它们之间都有一种普遍的联系，就是每一种都可以为买方解决难题。因此一个能帮助发现、明白开发问题的模式就很可能对销售任何复杂的服务或产品有益。销售简单产品又怎样，例如低值零售业？ SPIN®模式被一些零售商店用来销售家具等高值物品，并且我们也介绍过它能很好地起作用。我们也见到过它被用来销售诸如存储订单一样低值的银行产品的简单服务。坦率地说，尽管这个模式可以起作用，但它也太有点大材小用了。销售这种简单的、一个电话就可以成交的产品，即使没有像 SPIN®这么复杂的模式也可以。

因此关于 SPIN®模式的好消息是：

- 已经被证明是有多种功能的销售工具。
- 在所有的文化环境中都起作用。
- 适用于各种行业。
- 对销售产品和销售服务都同样适用。

坏消息

那么坏消息是什么呢？我们的百万使用者会异口同声地诉你：SPIN®比表面上看起来要难得多。

SPIN®并没有什么神奇魔力，也不是你一吃就可以成功进行销售的药丸。它是一项很难的工作。生意中一个不可改变的规则是，在奉献与回报之间总有联系。回报越大，就越难得到它。如果SPIN®很简单又能自然而然地掌握，那么每一个人早都已经会用它了，这个模式也就没有什么可炫耀的价值了。现实中，一种好的提问方式是需要几年时间的练习才可以完全掌握的复杂技能。结果，许多人在开始时满怀热情，在中途却放弃了。像其他你企图做的事情一样，它比开始看起来的那样难得多，因此放弃者的百分比很高，特别是在努力自学而没有系统的培训或讲授帮助他们的那些人中。就像锻炼计划，你知道你应得到健康，也知道这对你有好处，但是你经过一个星期的锻炼，做了各种努力却都没有见效。因此你放弃了。有许多人，全加在一起太多了，已经采用了SPIN®练习计划，却又固态复萌，犯起了懒惰毛病，占用客户的许多时间，只讲不问，在没有弄明白、没有开发问题之前，毫无秩序地提出了他们的对策（解决方案）。

我们从那些努力学习SPIN®以及让它们起作用的人们那儿能学到什么？那些开始了健康计划但最后又放弃的人又给我们什么教训？更重要的，我们从那些坚持学习这种模式并且现在已经适应，可以有头绪地销售，已经提高了的人那儿又得到了什么启示？

SPIN®第一课——策划

这是一节最重要的课。想要销售好，就必须策划好。

成功执行SPIN®的第一个秘诀是多花时间去策划。如果我们必须设计一条标语，放在每一个在销售会议中必须要发的T恤上，可能会是这样的：

在复杂销售中，策划并不仅仅是在通向买方办公室的路上，在电梯中的一种焦急开始着手的方式，也不是关于开启会谈的几条漫无边际的想法。策划是系统地、有目的地对销售会谈有作用的行为。没有好的策划就没有好的销售。许多人发现SPIN®很难执行的根本原因，不是他们根本就没有策划，就是他们没有策划好。

人们一次又一次告诉我们，使他们在销售中更成功的突破，是理解策划销售会谈的重要性以及如何去做。第12章着重讲策划。仔细读一读。如果你能够策划好，那么，在通向成功销售的路上你就已经走了一半了。来自一个小咨询公司的人告诉我们：

> 起初我错误地认为SPIN®只是关于销售的。它是你与一个可能的买主面对面会谈时才会用，甚至才会想起的东西。对我来说，最大的帮助是把SPIN®看作一个策划工具，从那时起事情才真正好起来。

定位解决难题

策划是把SPIN®变为现实操作的关键第一步。对大部分人来说，很重要的第二点是把他们的看法从产品和服务移开，转到以定位解决难题为基础的康庄大道上。这是什么意思？SPIN®模式最早执行是在施乐公司，在那儿我们得到了一个很好的例证：以产品能解决的问题来代替产品本身这种想法是多么有效。

案例：一幅可值100万美元的图画

早期的传真设备称为远距离复印机，因为它们太贵（价格在25000~30000美元之间），所以销售不了多少。施乐是一个远距离复印机的先驱者，并且提供了经济便利的设备。它的销售一直很平缓，因为它很难与广泛应用的打字电报和交换电报设备相比，而且后者的市场价格也很低。我们遇到了施乐公司远距离复印机的一组销售人员，并且让他们谈谈正在销售的东西。这些销售人员告诉了我们许多关于传输率、回位能力、远距离自动操作等方面的知识。换句话说，他们告诉我们的都是关于产品的情况。

我们用SPIN®销售方法培训了一个小组，并且帮助他们建立了一个新的产品介绍方法，以它们能解决的问题为条件去考虑产品介绍。来自这个方法的很有趣的观点之一是，一台远距离复印机解决了一台打字电报不能解决的问题：它可以传送一幅图画或一张图表，而不仅仅是文字。因此我们问，哪一个客户可能仅凭传输一幅图画就可以解决问题。经过一段时间的考虑，这个小组列出了一个名单，包括公安部门、大学、医院和石油公司。

石油公司的事例特别有趣。小组中的一个成员读到英国石油公司正在开发北海石油，还读到关于地震仪和其他一些东西的读物。有一架直升飞机一天两次降落到正在钻井的石油平台上收集数据，并把它带回到海岸，在海岸上由地理学家来解释它。因为地震仪的数据是以复杂的图表形式记载的，因此没有办法把它转化为文字，再由交换电报或打字电报设备传到海岸上。“仔细想想，”远程复印机小组的成员说，“如果他们有远程复印机这种装备，那么他们就不需要直升机飞来飞去了。他们可以把数据更快地传送到海岸上，并且成本只是原来的一小部分。”这种想法出现后的几个星期内，他们便与英国石油公司和其他石油公司做成了几笔生意。这些订单价值几百万美元，并且节约了石油公司的许多时间。

突破点很简单：**以产品能解决的问题为条件来考虑产品介绍。**

试一试

以产品能解决的问题为出发点来考虑产品介绍，是 SPIN®通向成功的一个重要步骤。它并不像听起来那么简单。试一试。

1. 拿出一种能提供的服务或产品。

2. 选出一个特殊类型的可能购买这种产品或服务的买方。

3. 列出产品服务的特征或特点。特别注意可以使你的产品在竞争中与众不同的卓越特征。

表 13-1 例子

产品或服务：微型抽水机　　**买方类型：**研究实验室

产品或服务的特征	它能为买方解决的问题
精确的仓室容量	实验室人员发现很难测量并明确表达式中添加剂的确切量。精确的仓室容量使他们不需再用其他测量仪或工具。
杰出的构造	传统的钢质抽水机很容易被腐蚀物质（如浓缩酸剂）破坏。而这种微型抽水机能处理在过去只能冒着被腐蚀的危险由人工测量的腐蚀剂。
安全的操作	实验人员经常需要指示助手记录数据并读出结果，那么噪声太大就会产生干扰，这是一个难题，微型抽水机的低噪声就使得设备指令或数据读取变得容易了。
单体构造	要清洗传统的抽水机需要半个小时。微型抽水机的单体构造使其可以在不到 1 分钟内就被清洗完，节省时间和成本。

该轮到你试一试了

现在用你自己的产品或服务试一下。

表 13-2

产品或服务：________　　**买方类型：**________

产品或服务的特征	它能为买方解决的问题

现在检查一下你列出的可以为所选出的客户解决的问题：

■ 你描述你能解决的具体问题了吗？（像“低噪声使得设备数据读取和记录变得容易了”而不是“安静的抽水机解决了噪声难题”。）

■ 你是不是站在买方的立场上描述难题呢？（像“实验室人员发现很难测量在表达式中添加剂的确切量”而不是“确切的仓室容量增加了精确度”。）

■ 你有没有描述至少一个难题，而对这个难题你的产品或服务能提供比你的竞争者更优越的对策？

以你的产品可以解决的难题为出发点，考虑一下所提供的对策（解决方案），你会赞同策划并提出 SPIN®问题有用的观点。

正确定位你的想法

正确定位你的想法对提高提问技巧来说是最重要的。对大部分人来说，能提出问题并不是很容易的事，特别是当提问与强烈的以产品为中心的“讲述”习惯相反时。许多人都告诉我们，他们发现要提高提问技巧比预料的难。下面有一个典型的事例，可以说明改变许多年以来一直存在的习惯是多么难。这个事例是一位在巴尔的摩的读者给我们的信中写的：

我做销售已经有 10 多年了。当读过本书上篇时，我深刻意识到它是一种好的销售方法。我并没有把你们所有的研究都记下来，因为它看起来似乎是那么普普通通。但是，把它转化为实际行为的过程却比我想象的难得多。会议开始后的 2 分钟内，所有的问题都消失得无影无踪。相反，我还是会回头去讨论我们的产品或服务。我意识到我还在任由那些老套的销售方法摆布。它像一种毒药，我就是不能阻止自己说那些。可以猜想，老话说的对，老的习惯很难改变。我努力地去改变，但我需要帮助。我怎样才能停止使用老的套路呢？

这是一个好问题。老的习惯的确很有力。对我们之中的大部分人来说，讲述企图而不是主动提问的方式的确很难抵制。毕竟，讲述有许多优点。

例如：

■ 讲述更快一些。它给人们造成一种错觉，即讨论进行得更快，并且可以取得进展。

■ 讲述更容易一些。它几乎不要求有什么策划，甚至都很少用得着去思考。

■ 讲述更安全一些。讲述者犹如坐在驾驶员座位上，并控制着讨论进程。与之相对照，提问使买方坐在驾驶员座位上，这会让人感觉有些危险。

难怪许多人都发现在销售中讲述比提问更舒适，麻烦的是讲述很容易却很无效。更糟糕的是，就如同来自巴尔的摩的读者写的那样，它是一种毒药。讲述的习惯很难去掉。许多人努力了，但失败了。你如何能抵制老的销售习惯，特别是对那些以讲述为基础，还想得到更有效的销售技巧的人？

有效地去掉老的讲述习惯的方法是导入一种理念，使其定位在鼓励提问上。从这则T恤上的标准开始考虑：

为什么这样一个深奥的想法有那么大的荣耀呢？

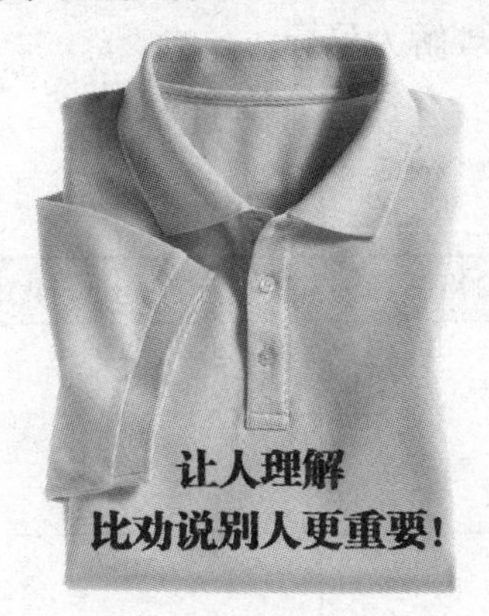

一个简单的试验

这儿有一个简单的试验，你可以自己试一下。

1. 选择一个你知道的愿意成为这个小试验“牺牲者”的人。

2. 选择一个你的“牺牲者”比你了解得多的话题，例如一个话题或者一些专业知识和技术领域。

3. 拿一个录音机，录下你们之间大约10分钟的谈话，你的目标是理解你的“牺牲者”的话题。

4. 下一步，选择另一个话题，这次你的目标是劝服你的“牺牲者”一些什么事情，例如接受一种你感兴趣的习惯，或做一些不同寻常、新鲜的事。也录下10分钟这种谈话。

5. 最后，重放并分析每一段对话，使用提供的分析形式。每15秒做一个检查记号，这取决于谁正在说话以及他们是否正在讲着什么或提问。你的结果看起来会像：

表13-3　例子

每隔15秒做一个检查记号，当……	我正在说	我的“牺牲者”正在说
讲话者正在陈述	24　卌 卌 卌 卌 ||||	9　卌 ||||
讲话者正在提问	6　卌 |	1　|

1. 分析录音带：以理解为目标。

目标 = 理解

表13-4

每隔15秒做一个检查记号，当……	我正在说	我的“牺牲者”正在说
讲话者正在陈述		
讲话者正在提问		

从你的分析中，回答这些问题：

■谁说的多，你还是你的“牺牲者”？

■当你的目标是理解时，你是讲述的多，还是问的多？

2. 分析录音带：以劝说为目标。

目标 = 劝说

表 13-5

每隔 15 秒做一个检查记号，当……	我正在说	我的“牺牲者”正在说
讲话者正在陈述		
讲话者正在提问		

结合你的分析，回答这些问题：

■ 谁说的多，你还是你的“牺牲者”？

■ 当你的目标是劝说时，你是讲述的多，还是问的多？

■ 这与你的目标是理解时的录音带相比怎么样？

这个小试验通常都会揭示一些有戏剧性的结果。即便你认为你知道故事的结果，那它也仍然值得你自己试一下。许多人很惊讶地发现：

■ 把他们试图劝说时与他们试图理解时相比，他们说的要多很多。

■ 他们在劝说时所讲述的东西，比他们事先想象的最坏的情况还要多。

■ 当他们试图理解时，他们问的比讲述的多。

这个测试有效地证明了你的思想定位对于改变提问行为有多重要。如果你出发时的目标是要理解客户而不是要说服他们，那么你会发现你自然而然地就会多问一些问题。但是，你也许会奇怪，这有什么用？销售的目的不就是劝说吗？如果出发时的目的是要理解客户而不是劝说他们，那这会怎样帮助我们销售？答案是那种似是而非型的，这反映到心理学比逻辑学

SPIN® Tips

要劝说别人，最好的方法是不去劝说！

更有趣上。**要劝说别人，最好的方法是不去劝说。**绝大多数我们在过去的20年间研究过的杰出的销售人员（我们有一个独一无二的研究全球最好的销售人员的机会），都是更注重理解，而不是劝说。他们对客户和当事人有极强而且从不满足的好奇心。他们对客户如何看这个世界有天大的兴趣。他们想听到对方关心的东西和难点，他们想理解暗示。通过劝说，几乎不可能达到这些目的。一个大咨询公司很成功的经理曾告诉我们：

你永远不要劝服客户什么。客户只能自己劝自己。你的职责是理解你的客户关心的事，你必须像他们自己感觉自己的难题一样去感觉。你必须坐在他们一边，站在他们的角度来看那些问题。

很难找到比这个对 SPIN®更好的描述了。

第14章

注重买方的需求

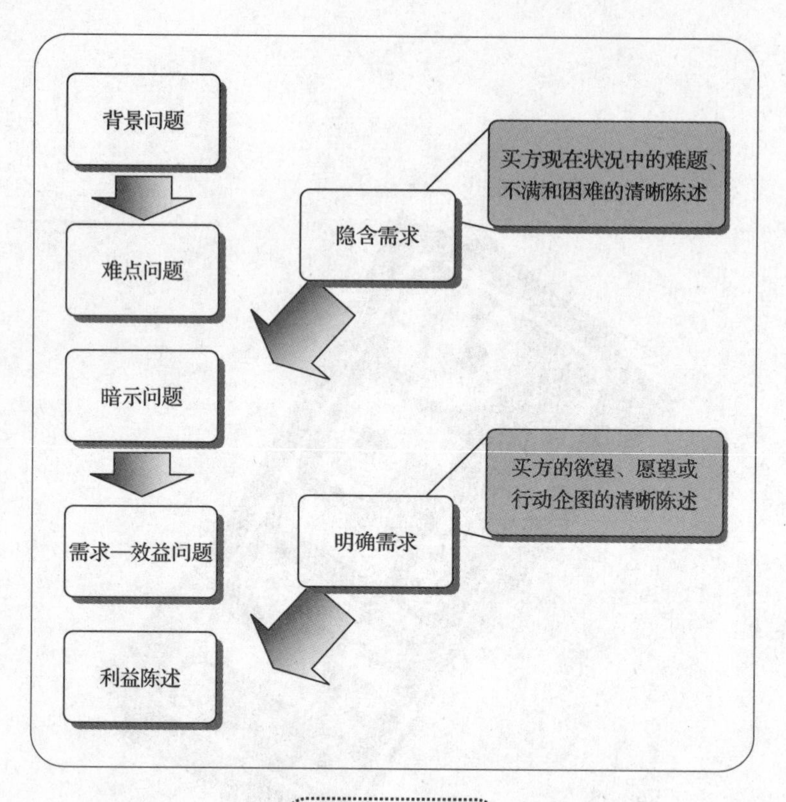

概　述

需求是由买方做出陈述来表达的一种可以由卖方满足的关心和欲望。两种主要的需求是：

隐含需求——买方现在状况中的难题、不满或困难的清晰陈述。

明确需求——买方的欲望、愿望或行动企图的清晰陈述。

除非你的产品或服务能满足客户或当事人的需求或欲望，否则他们是不会购买的。哈斯韦特公司的研究表明，在大订单销售中两种类型的需求与成功的关系大不相同：

■ 成功销售人员与不成功销售人员揭示的隐含需求

的数量几乎是一样多的。

■但是成功销售人员揭示的明确需求的数量是不成功销售人员的2倍。

因此，在大订单销售中，有效地开发明确需求是成功销售的关键。但是，首先你得发现并理解买方的隐含需求，即难题和不满，这样你才会有建立起一笔生意的原材料。

SPIN® Tips

在大订单销售中，挖掘客户的明确需求是成功销售的关键。

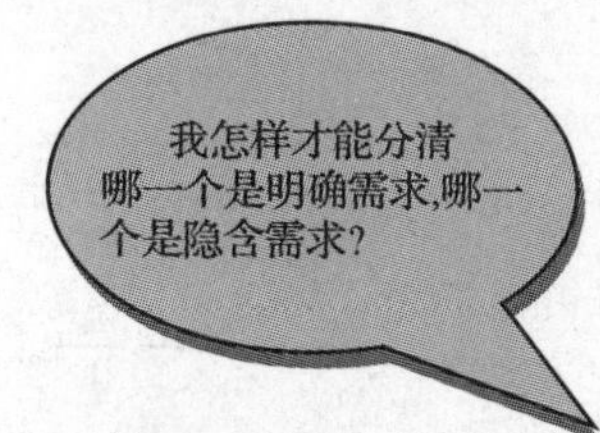

在大订单销售中，挖掘客户的明确需求是成功销售的关键。

如果买方的陈述聚焦于一个难题、不满或困难，这就是一个隐含需求，例如：

我对服务迟缓不满意。

当……出毛病是一个难题。

我担心利率会增长到……

如果买方对你提供的对策表达出一种清晰的欲望或愿望，这就是一种明确需求，例如：

我想要反应时间更快……

我真正需要的是99%的可靠性……

最理想的状态是，利息会固定在……

自测——注重买方的需求

练习

你能区分出下列陈述是隐含需求还是明确需求吗？

隐含需求还是明确需求？

1. 我每个月在邮费上就要花很多钱。 ____________
2. 我想找一个可以减少邮资成本的方法。 ____________

3. 我正在寻找一个可以帮我们预测销售的好方法。 ________

4. 我担心来自其他承包商的竞争。 ________

5. 最近我的车需要大修。 ________

6. 我需要低保养费的车。 ________

7. 最理想的状况是，如果我们有合适的设备，我们就能复制全彩色的文件。 ________

8. 我们的病人总是抱怨在挂号后必须等一个小时，并且有一些已经不来了。 ________

9. 我们真正需要的是在场上每一个队员都能自动地把消息传递给其他队员。 ________

10. 我们的通信系统不如我希望的那样灵活。 ________

「答案」

1. 隐含需求 “花费太多……”暗示了买方的不满。

2. 明确需求 “我想……”表明一种愿望。

3. 明确需求 “我正在寻找……”表达出一种欲望或愿望。

4. 隐含需求 “我担心……”暗示一个问题或困难。

5. 隐含需求 买方对现在状况表示不满。

6. 明确需求 明确地陈述出买方的欲望。

7. 明确需求 “最理想的状况是”暗示出对具体对策的渴望。

8. 隐含需求 “……抱怨”并且“不再来了”反映出不满。

9. 明确需求 “我们真正需要……”明确陈述了买方想要什么。

10. 隐含需求 一个更难的例子：“……不如我希望的那么灵活”描述出一种令人不满意的条件。

当你对到底是什么需求存有疑虑时，与其把它看作明确需求，不如看成隐含需求。

如何挖掘客户需求

如果潜在买方完全对现有状况表示满意时，那么他们感觉没有必要改变了。我们之中的任何人对需求有所意识的第一表现是什么？我们对事物现有状态不能再很诚实地说 100% 满意了。当我们的不满开始增长时，我们对解决方案的需求也在增长。

“非常满意”意味着什么？换一种说法就是，无论从哪方面讲也不需要有所改变。毕竟，一种变化怎能比已经是完美的东西更好呢？一个真正满意的人是对事物保持现在的状态很高兴的。这样的人感觉没有必要变化，并且不会买你的产品或服务。**没有需求，就没有销售。**

需求是怎样开始的？是什么使一种完美的状态变为可能的销售？转向变化的第一步是完美的状况变得不十分完美。开始几天，你的新品牌车也许是完美的，但是过了一阵儿你就感到一点点令人恼火的不满之处。在汽车引擎盖下有轻微的嘎嘎响，喷漆处有闪烁可见的划痕。这使人有点恼火，但还不至于说值得买新车，但是过程开始了。不满是引爆需求发展的燃料，已经慢慢地不知不觉地进入了你对新车感觉完美的世界。更多事情越来越不对劲，这部车开始看起来有点旧，并且你的不满在增长。从 SPIN®模式的角度来看，你已经有隐含需求了。

然而，如我们看到的，尽管隐含需求可以刺激产生变化，但要做成大订单，还远远不够。毕竟，大部分人在某种程度上对他们的车会有些不满，但是这种不满他们大都能够承受。只有当他们的不满达到真正严重的地步，才会转变成行为意图。当他们开始参观展示厅，读客户报告并愿意试驾时，他们的不满就要转变为一种要求改变的意图了。换句话说，他们的隐含需求转变为明确需求了。

因此，在潜在客户要买之前，难题或需求必须被开发出来。也就是说，一个难题一定要被澄清，有紧迫性，并被转变为明确需求，转变为一种清晰的、强烈的对解决方案的欲望或愿望，而你的产品或服务又可以满足它。

■在简单的销售中不需要什么技巧把难题开发成明确需求。

■在大订单销售或复杂销售中就需要大量的技巧和时间来发现和开发买方的难题（或隐含需求），使其成为明确需求。

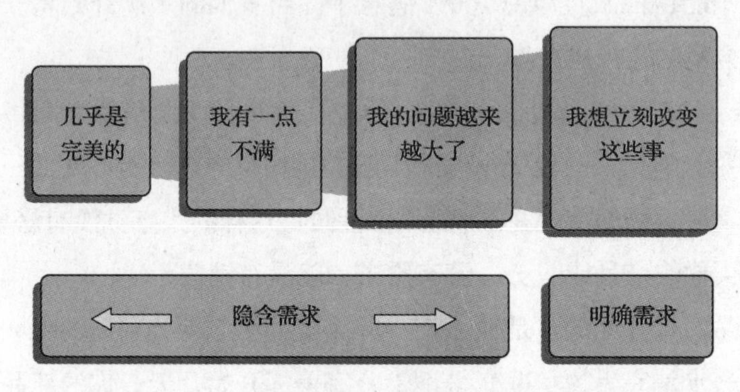

图 14-1 隐含需求到明确需求的转换

价值等式

提问 SPIN®问题（在第 7~10 章中有详细介绍）实际上是开发并理解买方的难题、需求和欲望，并与其分享的过程。

成功销售人员有可以用来发现并开发需求的提问技巧，这些技能是第 4 章中需求调查阶段的精髓。

不很成功的销售人员在开发需求中犯的最大一个错误是凭借介绍他们的对策（解决方案）来回应隐含需求。与之相反，成功销售人员继续提问。他们坚持发现并开发买方的隐含需求，直到它变为明确需求。

实际上，在大订单销售或复杂销售中，在需求被完全开发出来之前，太快介入对策（解决方案），也许会使你失去这笔生意。这是为什么？

当一个人面对一个购买决定时，他们必须平衡两个相对的因素：问题的紧迫性与解决方案的成本。

在小订单销售中，成本可以低到即使是表面的需求也会很轻易就使等式失去平衡。在大订单销售或复杂销售中，问题的严重性必须足够大才能平衡对策（解决方案）的成本，然后才可以促使客户购买。

例如，当袖珍计算器最初问世时，它们立刻造成了不满，即一种隐含需求，表现为大型台式计算器的笨重和携带不方便。但是最重要的是，新计算器的成本只是原来的那种台式计算器价格的五分之一。因此，袖珍计算器只花一点点钱就可以买到。换句话说，它们的价格很便宜。成本是如此的低，因此隐含需求就足以打破平衡，促使买方去购买。计算器是一个典型的小订单销售。在这里不满（换一种说法是隐含需求）就足以促成销售。

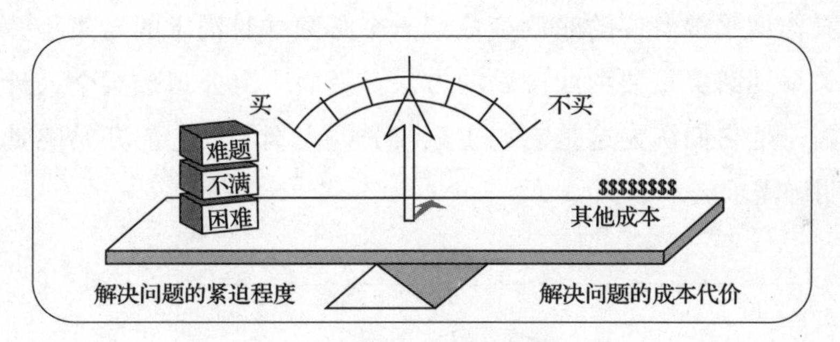

图 14-2 价值等式

价值等式和大订单销售

价值等式可以帮你从买方的角度审视大订单销售。如果买方认为问题太小而成本太高，你就不会做成这笔生意。但是，当买方认为问题大的程度比解决它的成本还大，那这个人就很可能购买。

当个人计算机开始生产出来时，简单的台式机就可以使一个专业使用者能够进行财务分析和其他技术分析，开发并修正提案以及其他文件。那些早期的个人计算机提供给个人的“大型机”容量成本只是老式的成本的一小部分，但是变化的整个成本与我们前面例子中的计算器的成本相比，还是要高一些。

为什么那么多公司一直等到20世纪80年代中期才把它们的打字工具更换为文字处理工具，然后等了更长的时间才买个人计算机以及网络来供专业人士使用呢？

它们一直要等到它们的不满——它们对自己业务难题的严重程度的知觉大到足够偏向等式要购买的那边。当工商业不景气迫使公司回答关于它们运作情况的问题时，它们逐渐意识到品质不稳定、太长的销售周期、有技能的专业人士太少，以及一直在加剧的竞争使它们失去了客户。它们需要找到一种方法来提高质量，提高适应环境的能力，并且使它们的资源利用更有效、更充分。一旦它们的难题被认为已经足够严重了，买方就会以十分不同的方式来看待个人电脑的购买了。曾经被看作似乎很奢侈的东西变成了一个必须并且渴求的对策了，更是一个关系到解决重要商业难题的方法。最后决定公司购买个人计算机的原因，是它们认为这是它们生死攸关的大事了，它们开始感觉到改变的明确需求。

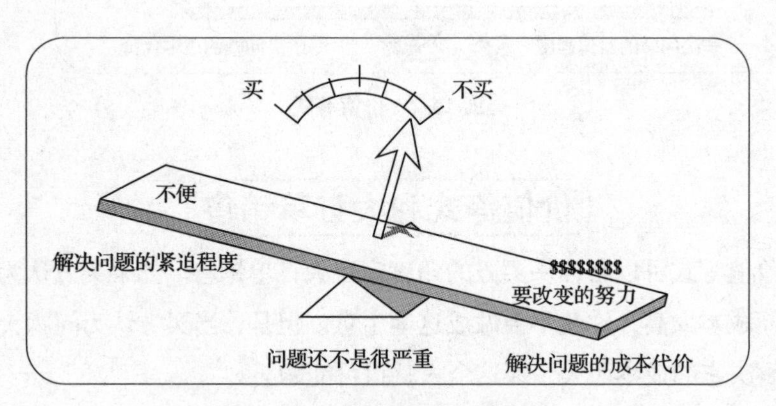

图14-3　不会购买的价值等式

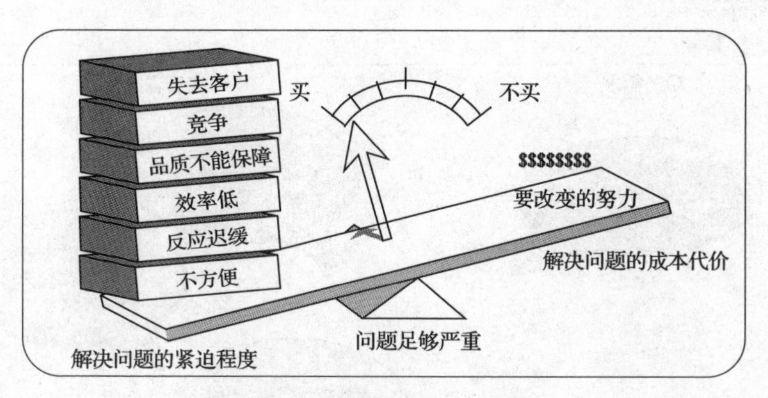

图 14-4 促成购买的价值等式

改变价值等式促成销售

无论销售的是计算机、平板卡车还是建筑设计服务，首先问问你自己："我提供的对策（解决方案）比竞争对手的对策优越在哪里？"答案就是你想让你的买方表达的明确需求。为了达到这个目的，你必须注意你的 SPIN®提问，以便它们可以发掘出一个或更多你能发展为明确需求的隐含需求。

退回到难点问题！

适合你的对策的明确需求通常来自你开发的几个隐含需求。

例子

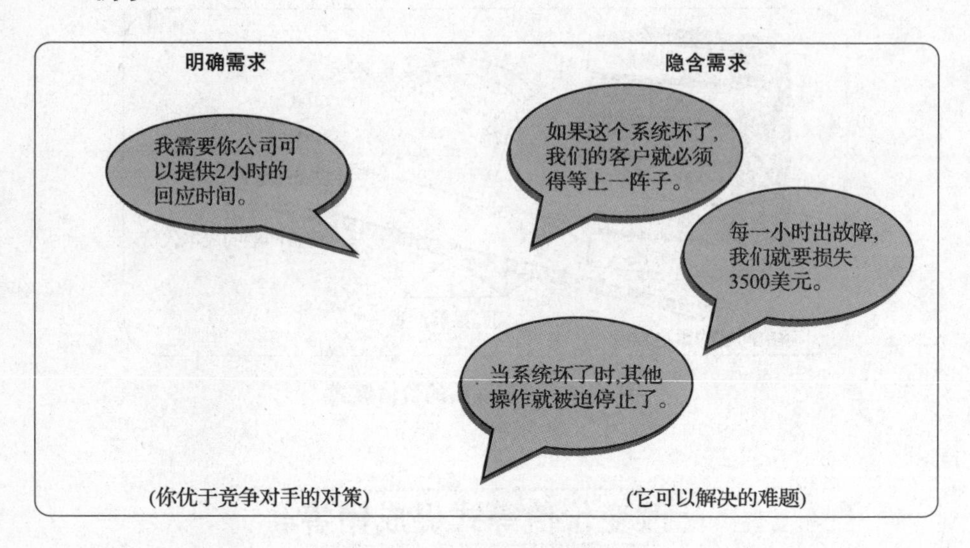

难点问题的提问练习

现在该轮到你做练习了。

1. 以你提出的优于竞争对手的对策（解决方案）为开始，这就是你想要你的买方表达的一种明确需求。

2. 列出你可以解决的具体的买方问题，然后你就可以使用SPIN®提问，从这些隐含需求中开发出明确需求。

超越买方的基本需求

这一章覆盖了买方需求的基础。在现实生活中，开发需求是一个更复杂的过程，大订单销售中更是这样。这个部分以及第 7~11 章提供了处理好更复杂销售状态的指导方针。

开发需求的几个功能策略

在大订单销售或复杂销售中，对策很可能遇到职能区域或传统的职责规定。所有受功能影响的个体必须在他们决定购买你的对策（解决方案）之前，承认有明确需求。但是因为每一个部门都有不同的职责，并且执行不同的功能，两个不同的部门不可能有完全相同的需求。你可以用两个策略来开发大订单销售中的客户需求，比如：

■ 你可以用提问和需求开发技巧来建立每一个隐含需求，以使它们最后可以转变为明确需求。甚至在相对简单的生意中，以这种方式开发需求的能力在你的成功中也有可能是一种重要因素。

■ 你可以通过把几个不同的人或部门的比较小的需求集中到一起来增加需求的强度。在大订单销售中，成功销售人员把可能遇到的问题看成是一个完整的生意过程或周期，然后去发掘每一个部门的需求，并帮助买方了解这些不同需求是如何联系在一起的。

一个问题可能存在于一个部门，在这个部门中也许有一个单独的买方想解决问题，但是只凭自己不能决定购买。因此，有技巧的销售人员会寻找一种方法，把个人单独的难题与整体联系到一起，变成一个不容忽视的可以影响整个组织的难题。

一旦开发出了超出单一部门的需求规模和重要性,就表明你的对策(解决方案）可以帮助更多的部门，这就使得需求变大了，并且成本更可以被人接受。

这种链接非常重要，这种策略的成功仍然依赖于你开发销售对象中的每一个成员需求的能力。在你可以把所有需求联系到一起之前，需要发现并开发每个个体的需求水平。

销售可以从一种明确需求开始

在这一章中，我们把需求的开发看作是：每一个你遇到的需求，当你在刚开始销售时就是一个极小的不满，然后逐渐变为一种明确需求。然而，在真正的商业世界里，许多销售是以一种明确需求开始的。

买主在与你的第一次洽谈中可能告诉你诸如“我需要的是速度”的需求，而你比竞争者的速度慢。在这样的事例中，销售是以你不能满足的明确需求开始的。成功销售人员处理这种情况的方法是，把买方带回到隐含需求，并且以另一种方式开发它，例如：

卖方：当你说速度时，是不是因为你在周转时间上有困难？这种周转时间是不是起因于你现有的设备要求比较长的重置时间？

买方：嗯……我没想过。

卖方：因此如果你有一种类似于很短重置时间的设备，是不是就可以解决速度难题了？

买方：是的，那当然会。

在接下来的4章中，你会学到如何使用SPIN®提问来发现类似于这些的问题，并且把它们开发成你的产品或服务可以解决的明确需求。

第15章

背景问题

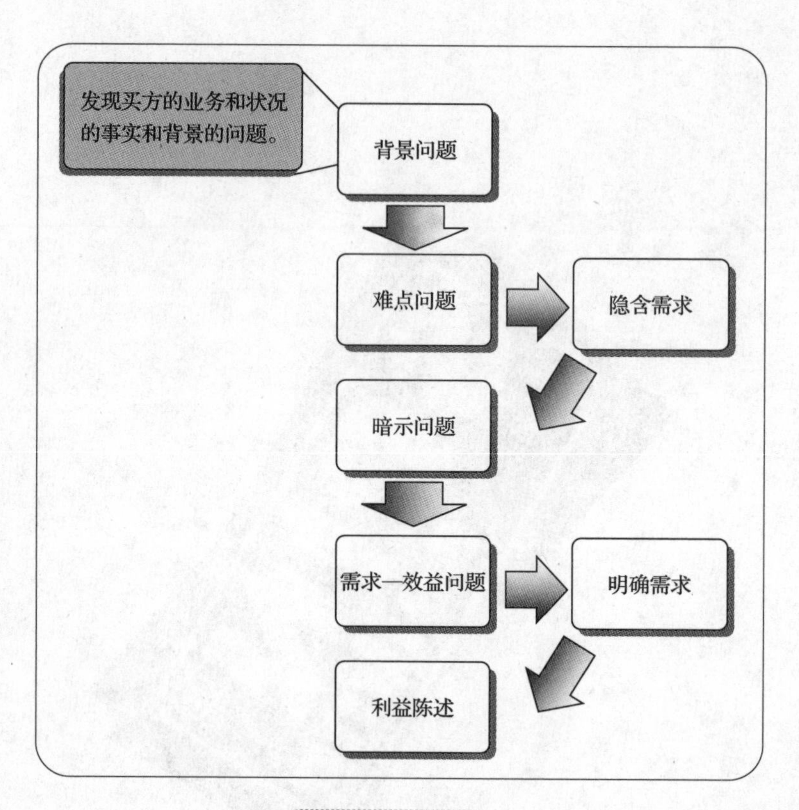

概　述

什么是背景问题?

一个背景问题会问：

- 背景
- 事实

背景问题是关于买方现在状况的问题。

提问背景问题可以帮助建立一个发现买方难题的背景。

既然在大订单销售中提问的目的是发现隐含需求，并把它们开发成明确需求，那么效率高的销售人员会有选择地提问背景问题。背景问题能够提供：

■ 中性的事实信息，这些信息可以帮助你理解客户的背景。

■ 一个起点，用来决定开发哪一个潜在的难题和不满。

哈斯韦特公司的研究表明，没有经验的销售人员经常提问了过多的背景问题或不正确地提问了背景问题。虽然在成功销售中背景问题是很重要的，但问得太多也会有失信于买方的风险。使用背景问题的最好方法是：

■ 在与买方见面之前做好准备，以便于你不会提问随处可得的基本事实和背景信息。

■ 注意你的背景问题要能得到在那些最能发现你可以开发成明确需求的难题方面的重要信息。

自测——背景问题

练习

在我们更有效地提问背景问题之前，让我们确信你的确清楚是什么使它们与其他类型问题有所不同。判断下列哪些问题是背景问题。

背景问题	是或不是
1. 这个工厂平均每周的产量是多少？	□
2. 在这个销售点你有多少库存？	□
3. 你对后续订单上的产品有困难吗？	□
4. 你对库存补充系统满意吗？	□
5. 你正在开始面临来自小分包商的巨大竞争，我说得对吗？	□
6. 你什么时候开始注意到 billabong 设备的使用在增加？	□
7. 你不担心使用的增加会提高保养成本吗？	□
8. 改变获利计划的那些雇员达到你们最初的计划了吗？	□

答案

1．是 问的是背景信息。

2．是 试图了解商业是如何运作的。

3．不是 卖方正在提问关于背景的难题，因此这是个难点问题，在第16章中会更深入地进行讨论。

4．不是 这又是一个难点问题，问得不是很直接。

5．是 卖方在检查买方对目前市场状况的理解。注：如果是“你关心来自小分包商的巨大竞争吗”这样的问题，那就是一个难点问题。

6．是 卖方在问一个事实，并没发现难题。

7．不是 提出这个问题是为了引起买方的注意，买方也许（“你担心……?”）已经注意到了增加了的工作负担。因此，这是一个难点问题，但它是很有趣的一个：如果客户已经陈述了增加的工作负担是一个难题，那么这可能就是一个暗示问题，提问关于保养成本方面的工作负担难题的影响。

8．是 卖方提问的是一个中性事实。如果答案是比原定的计划低，那么卖方可以紧跟着提问一个难点问题，来确定买方对这种下降是否不满。

高效使用背景问题的两大基本原则

在你已经做好了准备，得到了可能买主的基本业务信息之后，很重要的一件事就是，策划好你与买方面对面时要提问的背景问题。

提问背景问题大致要遵循的两个基本原则：

1. 选择好的背景问题，以便于可以精减提问的数量，但仍然可以获得所需要的信息。

2. 简洁描述要提问的背景问题，可以帮助买方把你看作问题的解决者，而不是检察官。

让我们依次看看这些要考虑的东西。

选择合适的背景问题

注意，提问背景问题时，不要问得太多，这样虽然对你有利，但会让买方感到厌烦，甚至会使你在需求调查阶段刚开始就失去这笔生意。

避免不必要的背景问题的最好方法是：

■ 确信你问的每一个问题都有明确的目的。

■ 问那些你确信一位可能的买主有的，而你的产品或服务可以解决的相关难题。

在本章的后半部分，我们还会重温什么时候问、什么时候不问背景问题。

有没有一个可以准备适宜的背景问题的实际方法呢？

有！

你是否还记得在前面章节中做过的隐含需求和明确需求预测的会谈前策划？你可以用相同的方法，在与你的客户或当事人会谈之前准备可选的背景问题。

下面是具体做法：

1. 列出一些你的产品或服务可以解决的潜在问题。

2. 在你能有效地需求调查那些难题之前，确定你需要哪些实际的背景信息。

如同我们在下面给出的例子一样，在一个事例中，可能有几种不同的答案。但是你通常可以发现：

■ 正确的背景问题可以很顺利、很自然地介入要讨论的潜在难题。

■ 在你有调查一个难题领域的足够背景信息之前，你需要提问几个背景问题。

表 15-1 例子

产品 / 服务：自动存储系统	客户：某物流公司副总裁
1. 潜在的买方难题（是你可以解决的）：	
存储能力不足	
2. 在需求调查难题之前所需的背景信息：	
要问的背景问题	**可能的信息来源**
■ 现在使用的是什么类型的存储补给系统？	仓库管理者
■ 共存储多少不同种类的货物？	分销服务的小册子
■ 平均补给时间是多长？	???
■ 在平时有多少产品要补给？	仓库管理者

现在，用这种方法试试你自己的产品或服务。

表 15-2

产品 / 服务：________	客户：________
1. 潜在的买方难题（是你可以解决的）：	
2. 在需求调查难题之前所需的背景信息：	
要问的背景问题	**可能的信息来源**

规划背景问题

在某些事例中，在准备好进入难题分析阶段时，你可能会得到很多背景信息。因为客户在这个初级阶段的兴趣都很低，所以，对你来说，用一种方法规划好你的问题，以使你的客户或当事人尽可能地接受是很重要的。

大部分潜在客户在卖方抛出一系列不客气并且与他们根本无关的问题时都会很恼火，例如一个专业安全顾问可能会问这些问题：

你这儿生产的都是什么类型的产品？

它们用的是什么样的芯片？

你怎样存储你的芯片？

本地的厂房设备有多长时间了？

谁负责厂房设备的安全？

晚上值班时有多少人上班？

类似于这种“谁，什么，怎样，什么时间，在哪儿”的一组问题可以被认为是对买方信息的需要，而不是试图了解买方业务状况的主要领域。你怎样才能避免造成这种消极的看法呢？

通过把你的问题联系起来，你可以使它们更顺畅，并且与买方的业务关注点联系更紧密：

1. 把提问与买方的判断相联系，可以使一系列问题以连贯的方式链接在一起。

2. 把提问与个人观点相联系，能增加提问的多样性，并且让买方对你的多变性产生很深的印象。

3. 与第三方状况相联系，可以提高你的可信度，如果你能证明理解并经历过与买方相同的生意经历的话。

看看下面这段对话的例子：

卖方：在这个工厂生产什么样的机床？

买方：我们有许多旧生产线，但我们主要的产品是数控机床。

卖方：数控机床？它们用哪种齿轮？（与买方的陈述相联系。）

买方：我们使用两种齿轮：一般用途的普通齿轮和具有特种功能的精密齿轮。

卖方：我知道许多机床生产商一般会在他们的部件存货中保持精密齿

轮3个月的供应量，以应付那些重要的相关紧急事件。你的公司也是这样吗？（与第三方情况相关。）

买方：是的。事实上，我们数控机床的需求量在最近两个季度已增长了许多，以至于我们实际的存货量超过20%。

卖方：参观工厂时，看到后面一间锁着的大库房，那是你们存放精密齿轮的地方吗？（与买方的陈述和个人观察有关。）

买方：是的。那就是我们存放所有外协部件的地方，直到上个月，我们不得不在2号楼临时找一些额外的仓库来存放那些已容纳不了的精密齿轮。

卖方：2号楼看上去比1号楼旧。它们都是什么时候建成的。（与买方的陈述和个人观察有关。）

买方：2号楼是最初的厂房，建于20世纪20年代。为了更好地保养我们新的精密设备，我们在60年代早期建造了1号楼。

卖方：很有趣。一组精密齿轮的最新价格是每件6000~7500美元之间，你们提高了存货水平，听起来你们存货所面临的财务风险要比以往高许多。是这样吗？（与买方的陈述和第三方信息有关。）

买方：是的。财务和安全的管理正是我们目前担忧的。

提问背景问题的时机

对背景问题来说，最常见的难题并不是卖方不问，而是提问时机不当。注重背景问题，精心策划并且自然流畅地连接在一起显然是很有用的。通过区分高风险和低风险的背景问题，知晓什么时候提问背景问题，是有效使用背景问题的另一个关键：

低风险背景问题	高风险背景问题
新的客户或当事人	销售周期的末期
销售周期的初期	不相关的业务领域
当背景发生变化时	过多地使用
	容易冒犯买方的领域

低风险的背景问题

下述情况下使用背景问题是低风险高回报的：

■ 新的客户或当事人——对于一个新客户，很有必要提问许多背景问题，因为你了解得并不多。买方也希望你用这种方式提问。如果你不这样做，他们就会对你的对策（解决方案）没什么信心。但是不要停留在简单、安全的背景问题上，直接切入到客户或当事人真正感兴趣的话题，他们的难题以及你如何解决等是至关重要的。

■ 销售周期的初期——在销售的初期阶段，选择好背景问题可以在不让买方认为粗鲁或被侵犯的情况下很顺利地进入难点问题。问几个你关注的、中立的、间接的关于现在状况的问题，可以为有效地提问难点问题打下一个良好的坚实基础。

■ 当背景发生变化时——对于现在的或有长期关系的客户或当事人，能意识到在内部和外部操作环境中正在发生的事情是很重要的。通过与买方保持联系，也许可以发现开展新业务的机会或通过快速行动防止潜在的生意损失。

高风险的背景问题

因为背景问题很容易问，所以销售人员在他们处于不利境况时，经常求助于提问背景问题，但在下列四种高风险的领域，不要提问背景问题！否则你可能会丢掉信誉甚至丢掉生意。

■ 销售周期的末期——或者是你没有收集到足够的信息（也是因为你没有仔细听买方说什么或早期不正确的提问），或者你已开始执行销售计划但是买方没有与你签订单或合同，而你又想不起还有什么要说。

■ 不相关的业务领域——风险是你收集的信息是你不能用，或更糟的是你发现了不能解决的问题。既然提问背景问题的目的是介入你能解决的买方不满，那么，与可能的买主见面，你最好是花些时间分析并开发你能解决的需求。

■过多地使用——效率很低的卖方只是简单地提问太多背景问题，而忽视他们是否有能力解决这些难题。如果买方把你看作审判官，那么过多使用会消磨买方的耐心或造成敌意。一有足够的背景信息就转移到提问难点问题，这是很重要的。

■容易冒犯或潜在的可以冒犯买方的领域——例如问与你会谈的人的决策权，或者提出的问题是在你的合同部门和另一个部门之间有矛盾的领域。容易冒犯买方的信息最好是通过间接方式，并且是在已经建立起信任后再提问。

超越基本的背景问题

不能用一种僵化的流程来使用 SPIN®

成功销售人员注重区别、了解并开发买方的难题。他们不是在销售早期提问许多背景问题，而是当他们确信以他们的实际能力能分清并开发难题时，才问出来。例如：

你说雇员更换对你来说是一个主要问题。为了帮助我更好地理解这一点，你可以给我讲几个实例吗？例如，离职率与竞争对手相比怎么样？会对销售造成什么样的影响？

如果买方确信他们正在被问的问题是要了解对他们自己来说很重要的详细情况，那么他们会比较愿意回答背景问题。

灵活地提问一些问题比展示和讲述更好

一些背景问题比其他问题更灵活。例如：

你对最近在反托拉斯法方面的变化有什么看法？

（听起来比这一句更灵活）你经商有多少年了？

许多人大都想通过讲述来展示他们的业务知识，殊不知，在这种时候，提问更让人信赖。因此，不作关于系统整合的演讲，而在需求调查阶段的适当时候提问一些灵活的背景问题，你能得到更多的信任。例如：

你如何使辅助部件与你的主平台融为一体？

得到可以思考的时间

背景问题很容易问，有时买方可以提供时间给你，这时你可以考虑如何更有效地介入难点问题和暗示问题。

经验十足的销售人员通常有许多他们可以按顺序问出的背景问题，以便于给自己一些喘息时间或思考时间，来策划与出现的条款有关系的难点或暗示问题。

总结检查——背景问题

练习

1. 背景问题的目的是： **正确？**
   a. 揭示隐含需求。 □
   b. 建立一个发现买方难题的计划。 □
   c. 开发买方难题的暗示。 □
2. 下述哪些是背景问题？ **背景问题？**
   a. 在这个仓库外有多少卡车在工作？ □
   b. 外包会不会给你带来一些困难？ □
   c. 你们的大部分参考意见是不是来自法律机构？ □
3. 下面哪些是高风险的背景问题？ **高风险？**
   a. 销售周期的末期。 □
   b. 与新的可能买主。 □
   c. 情况改变了。 □
   d. 与你的产品或服务无关的业务领域。 □
4. 更有效地使用背景问题可以通过： **正确？**
   a. 对买方操作的每一个细节进行提问。 □
   b. 把你的问题与买方的陈述相联系。 □
   c. 注重你可以解决的并能揭示买方难题的那些领域。 □

「答案」

1. b，背景问题的目的是为发现买方的难题而建立一个计划。
2. a 和 c 是背景问题。b 是难点问题。
3. a 和 d 是高风险的背景问题。
4. b 和 c 会使你更有效地使用背景问题。

第16章

难点问题

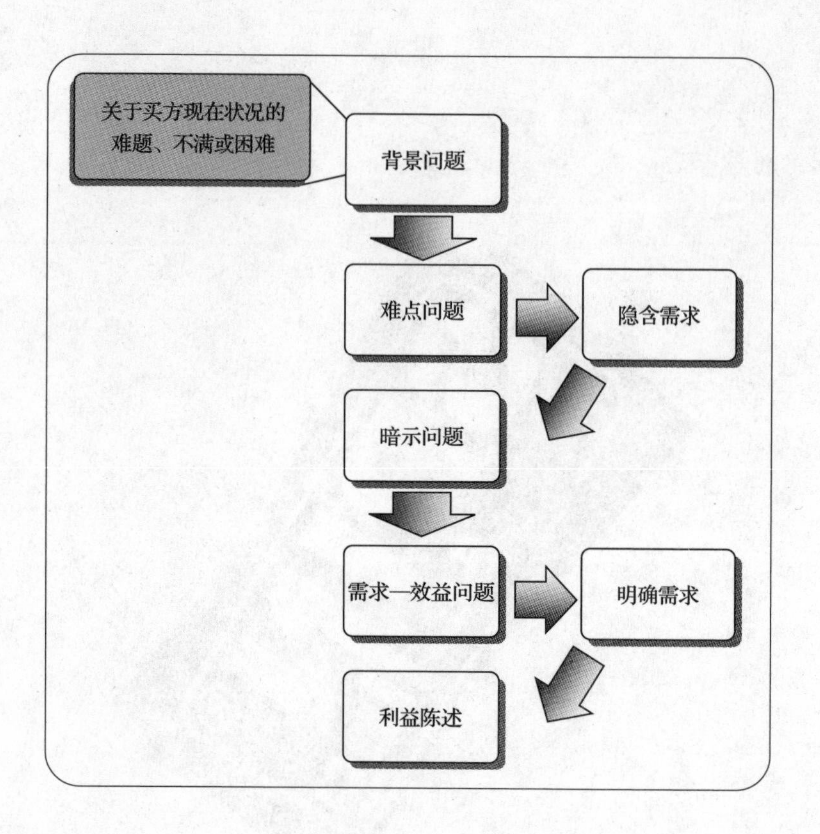

概　　述

难点问题提问人们现存状况的：

■难题

■困难

■不满

难点问题可以帮助你销售，因为：

■人们只有有需求才会购买。

■需求几乎总是从对现在状况的难题或不满开始的。

■需求越清晰、越明确，买方越有可能购买。

为了能更有效地销售，首先必须发现难题、

困难或不满，即客户存在的一些隐含需求。这就是难点问题可以帮你的地方。难点问题的目标是：

- 揭示买方的隐含需求。
- 弄清买方的困难和不满。
- 分担、了解买方的难题。

哈斯韦特公司的研究表明，有经验的销售人员提问的难点问题比较多，并且在成功销售中用得更多。难点问题与小订单销售联系比较紧密，随着生意不断扩大，它们仍然是一种有效的提问方式。

■必须发现你可以解决的难题，以便于你能提供给客户一些有用的东西。

■难点问题提供给你在余下销售会谈中需要的话资。

自测——难点问题

练习

在你学习更有效地运用难点问题之前，让我们确信你清楚难点问题与背景问题之间的区别。

背景问题还是难点问题？

1. 你这儿雇了多少人？ ____________
2. 重新招募技术熟练的人难吗？ ____________
3. 人员更换方面有困难吗？ ____________
4. 在控制质量方面你有困难吗？ ____________
5. 去年一年中你公司规模扩大了多少？ ____________
6. 这个程序中的某个部分的成本比你希望的高了吗？ ____________

答案

1. 背景问题 问关于公司的事实。

2．难点问题　问一个潜在的困难，可能揭示与重新招募技术熟练的人有关的隐含需求。

3．难点问题　问另一个潜在的难题，可能揭示与更换人员有关的隐含需求。

4．难点问题　问买方另一个可能的困境。

5．背景问题　仅仅是得到买方现有状况的细节。

6．难点问题　让买方揭示一个可能的不满方面的间接方法。

如果你对这些问题的区分仍存在困难，记住我们对难点问题的定义：

难点问题是提问关于买方现有状况的难题、困难或不满。

这章的后半部分让你有机会练习你自己的难点问题。你也有另外一个机会来检查你对有效地使用难点问题的理解。

高效使用难点问题

在你用难点问题分辨出买方的困难或不满后，继续揭示并阐明它们，直到你和买方可以完全理解难题或隐含需求，这一点是很重要的。

这些用来划分并理解买方隐含需求的问题也被称为难点问题。

既然你想以一种自然的方式鼓励买方，那么改变难点问题的形式也很重要，对所有的 SPIN®问题也是一样。

一些有用的连续问难点问题的方法是——在哪儿？什么时候？谁？多长时间一次？如果／什么时候发生什么？你也可以间接地提问或通过互相联系的过程来提问不满或困难，如这些例子所示：

- 机器出故障时，你现在的服务商需要多长时间才能做出反应？
- 你的机器多长时间坏一次？
- 在整个过程中哪儿最容易出问题？
- 通常是谁必须处理这些难题？
- 你对现有服务商的反应时间满意程度如何？（邀请买方对现在的反应时间表示出不满。）

■你认为系统有哪些环节需要提高？（邀请买方致力于具体的核心问题。）

■你已经说过你对现在的故障修复的反应时间基本上很满意。既然你的生意去年一直在增长，那么你担心现在的工作负担一直增加会发生什么事情吗？（与买方提出的相关条款相联系。）

难点问题与买方兴趣

没有经验的销售人员通常发现提问更多的背景问题比提问难点问题要容易，因为他们担心问起来具有侵犯性和负面效应，并且使买方与之对立。

但是哈斯韦特公司的研究发现，提问更多的背景问题更容易惹恼买方。你为什么认为他们可能反对提问更多的背景问题呢？

为什么买方实际上更喜欢你提问更多的难点问题呢？

这儿有两段典型的买方评论有太多背景问题而难点问题太少的会话：

……真讨厌，她在浪费我的时间。也许这位销售人员需要一些生意以外的信息，但是我肯定不需要。

这位销售人员花了太多的时间来提问能在年报上找到的事实。我同意这次会见，是因为我认为他也许会帮助我们解决人员更换的问题，但是他却一直停留在他提出的那些难题的表面上。

买方提问难点问题实际上增加了他们对提问者的尊敬，因为这些人注重理解买方的需求。

因此，何时提问难点问题呢？

■首先做好准备工作。只问几个有侧重点的背景问题，这样可以为你提问必要的难点问题做铺垫。

■注意变化性。直接、间接并通过有关联的段落来提问难点问题。

■注意连贯。当你的买方开始揭示难题、不满或困难时，要求澄清难点问题。

难点问题的提问时机

什么时候问或不问难点问题取决于涉及的风险程度。在一些事例中，你不得不很仔细、小心地提问难点问题，或者在你与客户或当事人已经建立起了一定程度的相互信任之前，你都必须避免问到它们。

提问时一定要小心三类高风险的难点问题：

■ 敏感区域——涉及买方的个人隐私或情感，例如公司的政治策略、公司内各部门之间的冲突、公众的争论等。

■ 最近的重大决定——在这方面进行提问会被看作是胆大妄为或是吹毛求疵，并且这样会使买方抵制你的产品或服务，甚至买方的决定明显是很糟的，你这样提问也会产生如上的效果。

■ 你自己的产品或服务——买方已经用了你的产品或服务，提问难点问题可能引起不满（即使你可以提供一个好的替代品，也要注意只在你能提供而竞争对手不能提供的附加能力方面提问难点问题）。

还有三个低风险区域，在这些区域你可以自由地用难点问题去发现和弄清隐含需求：

■ 销售周期的初期——在你收集到足够的背景信息来做一个计划及取得了买方的信任之后，可以讨论客户难题。

■ 在重要的方面——是对买方很重要的方面。难题必须足够重要，以便于你可以把隐含需求转化为明确需求——对对策（解决方案）的强烈需求。

■ 你可以提供对策（解决方案）的领域——既然提问难点问题的目的是揭示你的产品或服务可以解决的难题。

自测——难点问题和风险

练习

现在你有一个机会去决定什么时候提问或不问难点问题。检查一下下列哪些状况是高风险的,而哪些情况对你提问难点问题来说又是低风险的？

提问难点问题	低风险	高风险
1. 两周以前买方安装了竞争对手的一个新系统。	□	□
2. 你已经找到了对你产品的明确需求，并进入到销售的最后阶段。	□	□
3. 在你与买方的第一次会谈期间，买方告诉你，他们在过去的三年中一直在用竞争对手的产品。	□	□
4. 你已经收集到关于买方状况的基本信息，并且正在疑惑接下来要做什么。	□	□
5. 买方已经在大量使用你的产品，而你正在做的是要求续签合同。	□	□
6. 在你的产品强项方面，买方正在用的系统存在着重大的技术难题。	□	□

答案

1. 高风险　这是个刚刚做出的决定。在早期阶段，即使竞争对手的产品真的有问题，买方也很可能仍坚持用它。这时提问难点问题会引起敌意。毕竟，没人喜欢承认他们刚刚做出的决定是很失败的。

2．高风险 提问难点问题的价值在于帮助你开发明显和明确的需求，一旦你已经开发出了这种需求，难点问题会使买方脑子中产生疑问或重新列出不合适的条款，因此在销售的末期要避免提问难点问题。

3．低风险 提问难点问题来发现你可以转化为明确需求的不满区域。当然，一个真正满意竞争对手产品的买方，也不会有什么你可以开发出的难题，如果是这样，越早发现这个事实，浪费的时间就越少。

4．低风险 这是提问难点问题的理想时间，正好是你已经收集到足够的买方状况的细节。在背景问题后，你能自然而然地进入难点问题当然最好，这种又顺畅又自然的情况只有经验老道、成功的销售人员才能做到。同时，难点问题对你来说是最有可能发现隐含需求的。

5．高风险 如果提问难点问题，也会使买方对你的产品产生不满。只有你能提供与现在不同的商品给买方时，才能提问难点问题。

6．低风险 这对难点问题来说是最好的时机，你越能建立起难题的严重难度，买方就越有可能买你的对策或解决方案。

高风险难点问题的练习

在面对已有的买方或可能的买方的情况下，你能判断哪些难点问题是高风险的，哪些难点问题又是低风险的呢？在一栏中概括地描述一下，问问你自己相关的问题，然后记录下你对每一个问题的答案。

高风险的难点问题：

1．高风险的难点问题区域是什么？为什么在这方面提问难点问题的风险很高？

2．你与这位买方的关系是否强到足以让你在高风险方面提问难点问题？
是□　　否□
（如果“是”就进入下一节。）

3．有什么其他低风险区域可以让你提问难点问题？

成功地使用难点问题可以引诱买方陈述隐含需求。记住，隐含需求为暗示问题提供原始材料（暗示问题在下一章讲述），暗示问题在大订单销售中用来开发买方的难题的紧迫性和渴求对策，以及提升产品或服务可以提供对策的强烈性。

难点问题的策划

开始策划难点问题的好方法是思考你的产品或服务可以为买方解决什么难题。先试一试这个练习，然后转到下面的另一个练习。

表 16-1

我们的产品或服务能提供更好对策的难题	有可能存在这种难题的买方
例子： ■ 我们的在线诊断服务能解决当技术人员不在时，关键设备仍然可以恢复运行的问题。	例子： ■ 偏远地区的小乡村医院 ■ 夜间也开放的图书馆
试一试你自己的事例：	试一试你自己的事例：

现在你正准备使难点问题对一个你自己的买方起作用，集中注意力于你的产品或服务最能解决的难题。

与客户实践难点问题提问

难点问题的策划流程

1. 用下一页为这个练习设计的表格，首先，选择一位可能的买方来练习策划。用下面介绍的评判标准来选一位好的候选人：

■在下一周或两周你将与之见面。

■你已经收集了关于这位买方的一些基本信息。

■这位可能的买主有你在前面的练习中列出的难题，这对你是一个好机会。

■这是你第一次或第二次与他会谈。

■对这个买方试用一种新行为（难点问题）没有什么风险。

2. 在策划表格的顶端写下买方的名字和会面的时间。

3. 尽可能多地辨明潜在难题区域，而且应该是产品或服务可以解决的关注点、困难或不满。在策划表中写下你的主意（数量要多）。

■首先列出你在前面的练习中遇到的最有可能提供给可能客户的难题。

■补充这个潜在买方独一无二的难题，并且是你的产品或服务可以解决的。

4. 尽可能多地开发各种各样的难点问题来问。

■写出不同类型的难点问题。

■ 使用直接和间接的难点问题。

5. 使用你开发出来的难点问题。

■ 如果可能的话，在会面之前与同事排练一下你的问题。

■ 当你见到买方时，实际问买方你开发的难点问题。

携带你列出的难点问题到会场，这并没有什么错。成功销售人员在与买方讨论的过程中会用问题清单来提醒自己。

策划你自己的难点问题

客户或当事人的姓名＿＿＿＿＿＿＿＿＿会面日期＿＿＿＿＿＿＿

背景（我们需要的更进一步的事实）

潜在的难点问题区域（可能存在的难题，并且是我们可以解决的）

要问的难点问题（以发现并开发隐含需求——难题、困难或不满）

超越基本的难点问题

连续提问难点问题

难点问题的一个重要用途是搞清买方认定的难题。连续提问难点问题可以弄清具体的困难或关注点，并且帮你把精力集中到需求开发上，而这正是最有可能成交的因素。

第14章介绍了寻找具体难题（隐含需求）的重要性，这些难题能够引导出你比较好的产品或服务可以满足的明确需求。连续提问难点问题，例如下面这些例子，可以帮你弄清并明白你应注意的隐含需求：

我想确定一下我是否清楚你面临的是哪种类型的（难题），你能给我讲述更多（难题）吗？

（难题）多长时间出现一次？你是总有麻烦还是仅仅一小段时间有？

听起来你似乎很关心（难题）。这是你最关心的方面吗？

你能问的所有连续难点问题中最有效的是这个神奇的词——为什么？当一个买方说："我对我们现在的设备不满意……"一般的销售商都会没耐心地开始谈论对策（解决方案）。但是一个专业销售人员会问"为什么不"或"为什么有那个难题"。效率很高的销售人员会在提问暗示问题之前弄清难题。问为什么能帮助你：

- 更好地了解在买方背后的不满的原因。
- 发现相关的难题或影响。

然后，你可以用学到的难题有效地提问暗示问题，或关注你的对策（解决方案）可以最好地解决的可选择的难题。

在深入研究暗示问题之前发现几个难题

成功销售人员开始提问暗示问题之前都要开发几个难题，为什么？精明的销售人员为达到目的会想出几种难题的提法，如果任何一种单个的暗示被证实是行不通的，那就可以马上接着用另一个。让我们看一看在发现其他难题之前，买方倾向于要求卖方提出暗示时会发生什么：

卖方：你提到了你们正在使用的粘合剂方面存在着困难。你能告诉我更多的情况吗？（一个好的连续难点问题）

买方：是的，当它经过缓冲器时，粘合处经常松开。

卖方：那么，是否意味着在最后组装之前，你必须花许多生产时间来修理粘合处？（卖方提问一个暗示问题，希望开发现有粘合难题的严重性）

买方：不，这并不是一个真正的困难，因为在最后组装之前，压平机还会重新把粘合处压在一起。

卖方：哦……（不知该说什么了）

在下面这个例子中，卖方在提问第一个暗示问题之前发现了几个难题，因此，如果买方拒绝了第一个，那么他也能开发出另一个不同的需求：

卖方：你提到了你们正在使用的粘合剂方面存在着困难。你能告诉我更多的情况吗？（一个好的连续难点问题）

买方：是的，当它经过缓冲器时，粘合处经常松开。

卖方：在粘合方面你们还有其他困难吗？

买方：是的，当它遇光后，就失去了扩张强度。因此，我们必须废弃或重新制作10%的产品。另外，客户投诉也一直在增加。

卖方：那么，这是不是意味着在最后组装之前，你要花费时间来修理粘合处？（卖方问了同样一个暗示问题，希望开发现有粘合问题的严重性）

买方：不，这并不是一个真正的困难，因为在最后组装之前，压平机还会重新把粘合处压在一起。

卖方：好的……我们可以再回到废弃的难题上吗？（或是重新制作的难题或是异议的难题）这10%的废弃是否降低了你公司的毛利？

从不同的功能角度看难题

在大订单销售或复杂销售中，从多个角度开发并了解难题是很重要的。这可以建立起难题的严重性，一个好的开始就是问一问你的承包商是如何看待这个难题的，这就如同一个人从另一个角度去看这个问题。例如，“我能明白对你的生产来说这为什么是一个难题。这与市场/产品开发/财务有什么关系？”你也许可以把一次讨论转化为一种邀请，来满足另一个决策者。

难点问题——总结检查

练习

1. 难点问题的目的是： 正确？
   a. 揭示明确需求 □
   b. 揭示隐含需求 □
   c. 满足需求 □
2. 下述哪些是难点问题？ 难点问题？
   a. 你估计下个月的产量会有什么困难吗？ □
   b. 你的商店中有多少剩余库存？ □
   c. 这个程序的速度可以提高吗？ □
   d. 你多长时间遇到一次库存短缺的现象？ □
   e. 你对这个程序满意到什么程度？ □
3. 什么时候提问难点问题风险高而且用的时候要小心？ 高风险？
   a. 销售初期 □
   b. 问买方关于你自己产品的使用经验 □
   c. 问最近的决定 □
   d. 问买方的业务中重要的部分 □
4. 难点问题可以通过……而顺畅地引出？ 正确？
   a. 问关注的背景问题，使买方转向潜在的难题方面 □
   b. 只在销售末期提问难点问题 □
   c. 以一种不同的方式提问难点问题 □

答案

1. b，难点问题的目的是揭示隐含需求。
2. a、c、d 和 e 是难点问题。
3. b 和 c 在问难点问题时可能有高风险。
4. a 和 c 是顺畅地引入难点问题的有效方法。

第17章

暗示问题

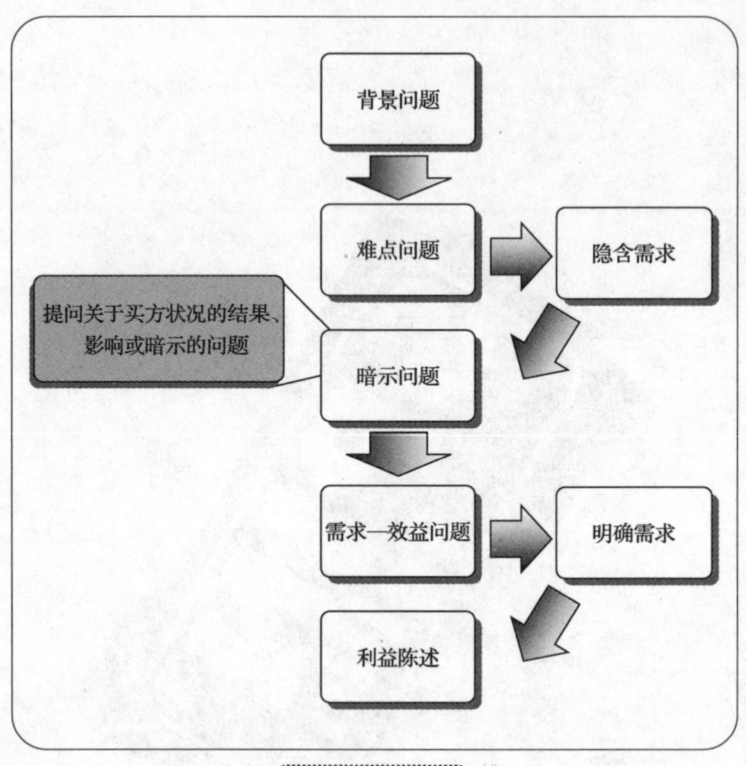

概　述

暗示问题提问关于买方状况的：

- 结果
- 影响
- 暗示

通过积聚买方难题的紧迫程度来推进销售，以使它可以大到令买方采取行动的地步。

哈斯韦特公司的研究表明，在大订单销售中，暗示问题与成功紧密相联。暗示问题的目的是开发买方难题的紧迫程度或强度，通过：

- 强调难题的结果。
- 扩大、扩张难题的影响。

■把难题与其他潜在难题联系在一起。

当对最终决策者进行销售时，暗示问题特别有效，这是因为针对最终决策者的成功销售依赖于透过直接表面的难题而看到更深层次的影响或可能的结果。暗示问题可以帮助你把难题（隐含需求）转化为明确需求，而明确需求在大订单销售中是最重要的购买信号。

■暗示问题是开发需求的强力工具。

■它们扩大了买方对价值的理解。

■比背景问题和难点问题更难问。

暗示问题的一些例子

零部件价值的增加会不会有发生重大偷窃行为的风险？

那对你的保险成本会有怎样的影响？

自测——暗示问题

练习

在你学会更有效地使用暗示问题之前，让我们确信你已经很清楚下列例子中暗示问题和难点问题之间的区别。

难点或暗示问题？

1. 你关心增加的工作负担吗？ ________
2. 增加了的工作负担对你主要员工的更换有什么影响？ ________
3. 主要员工的缺乏影响了对客户需求的反应速度吗？ ________
4. 你担心产品质量吗？ ________
5. 你正面临着重新招募专业技工的困难吗？ ________
6. 哪个部门的专业人士难招聘？ ________
7. 这些员工方面的困难是否使你丢掉了一些客户？ ________
8. 你怎样处理员工缺乏的问题? ________

答案

1．难点问题 “你关心……?”寻找不满。

2．暗示问题　结果（“……影响……?”）增加的工作负担与另一个员工更换难题相联系。

3．暗示问题　“影响”一词把员工缺乏难题与另一个客户反应速度难题相联系。

4．难点问题　“你担心……?”对一个不同的难点提问。

5．难点问题　“困难”一词问另一个难题。

6．难点问题　“哪一个……是最难的……?”继续问题 5 提出的难题。

7．暗示问题　句子“……使你丢掉客户？”把员工难题与丢掉客户相联系。这更强有力，并清晰地开发了难题。

8．难点问题　“你怎样处理……?”是一个更精明的例子。这个问题仍然以同样的难题为中心，既没有扩大，也没与其他难题相联系。

高效应用暗示问题

如果你忘记了几个原来的答案，那么现在记住，暗示问题比背景问题或难点问题更难准备。尽管暗示问题是所有 SPIN®问题中挑战性最大的，不过，在大订单销售和复杂销售中，暗示问题也是最有可能带来成功的，为什么？因为它们是把难题从隐含需求开发成明确需求的关键。

暗示问题是如何帮助需求开发的呢？在第 6 章，你看到了在买方做出决定之前，买方的难题一定要被认为比所提供的对策（解决方案）的成本大。你也知道了明确需求有两个部分：

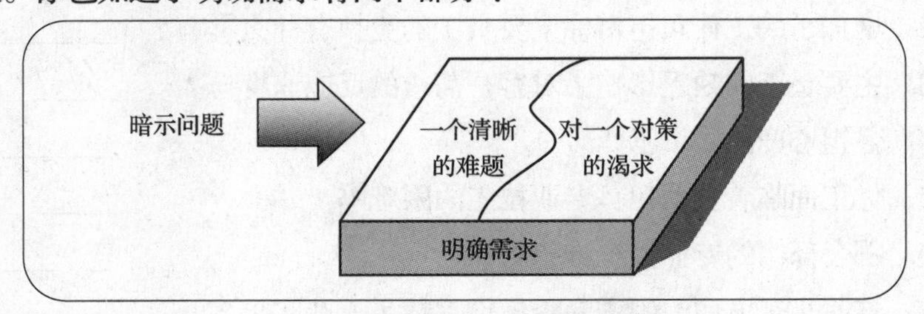

图 17-1　暗示问题的功效

暗示问题的目的是开发难题的重要性，让难题变得清晰而紧迫，并且买方认为它值得下力气去解决。

暗示问题的好坏标准

为了提出好的暗示问题，你应该：

■ 策划——暗示问题不会自动进入你的头脑。即使最有经验的销售人员也需要在会谈之前多想想要提问的暗示问题。

■ 掌握业务知识——你需要理解为什么一个难题对买方来说很重要，并且什么业务问题使它比买方意识到的更重要。

■ 具有运用知识——你需要知道你的产品或服务可以解决哪种类型的难题，因此你能选择最合适的隐含需求来开发明确需求。

暗示问题的应用

在大订单销售和复杂销售中，暗示问题是 SPIN® 问题中最具挑战性的，幸运的是，你已经在日常生活中使用了它们。在你试着在一笔生意中策划暗示问题之前，以一个更具个人色彩的例子为开始也许对你更有帮助。

背景

你的朋友约翰是一个顾问，每天驾着有 10 年车龄的车在相距 10 英里的效区的家和办公室之间往返。他经常去旅行，每次都是在 20 英里以外的机场，把他的车放在长期停车场。

当他不去旅行时，约翰经常带着乡村的客户去市里开会，在晚上还会给他们展示当地的风光，或驾车去市里或城郊的其他客户家。

约翰的妻子也有自己的车，偶尔还要带他在修理厂与办公室之间穿梭。这就使得他们都不得不迟到或要早些离开家。

星期六下午，在约翰家的院子中，他提起他正在犹豫对他的那部老车要怎么办。他很担心，因为最近这部车已经两次进修理厂了。他让你帮助他考虑一下这个问题。

你的任务

通过指出可能的隐含需求来开发难题的紧迫性。

1. 重读一遍上述的背景描述。
2. 一旦你理解了这个难题，看一看你能找出多少隐含需求。
3. 在图 17-2 提供的分框中，写下你找出的每一个隐含需求。
4. 在难题与隐含需求之间画箭头，表示起因和结果之间联系的方式。
5. 再在图 17-3 中看看可能的结果。

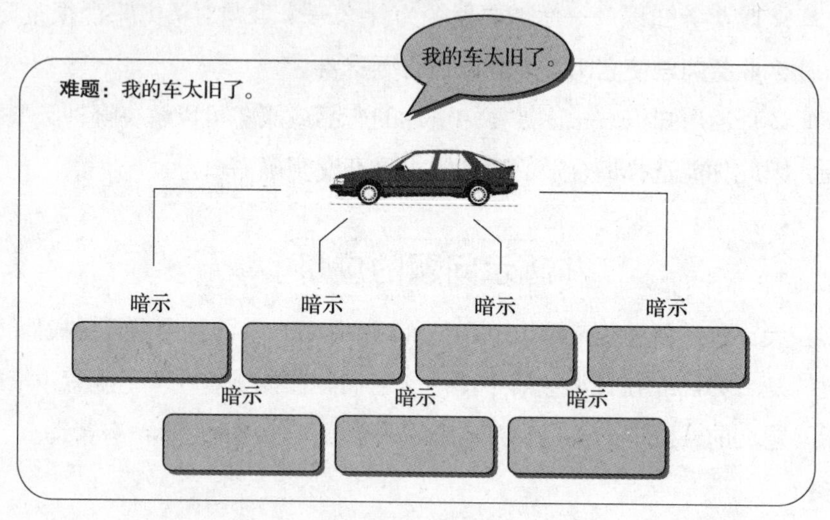

图 17-2

暗示问题如何起作用

你可能找出下面一些或所有的隐含需求和暗示问题：

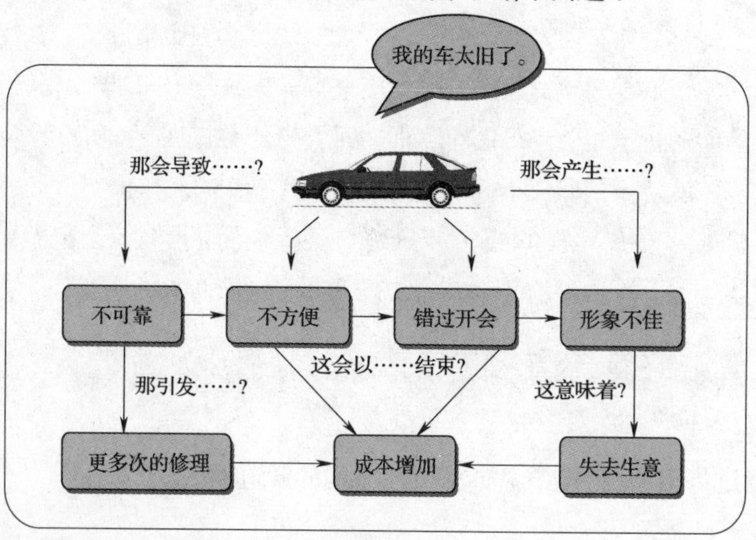

图 17-3

你注意到了吗

1. 一个暗示问题经常引发另一个暗示问题。在上例中，可靠性难题引发了错过开会，这就使约翰的个人形象受到破坏，最后导致生意失败。

2. 几个暗示问题可以导致一个不能忍受的问题或事件。在成本方面经常如此，在我们的例子中：

- 修理
- 错过开会
- 形象不佳
- 不方便
- 失去生意

所有这一切加在一起就成了额外的成本。

3. 把其他难题或结果与一个已有的难题联系在一起，对买方来说显然会增加它的重要性和紧迫性。

策划暗示问题的四个步骤

在与买方会谈之前，事先策划暗示问题是很重要的。为什么？因为暗示问题不会自动跑到你的头脑中，不策划会使你：

- 当它们可能有最大的影响时，失去提问它们的机会。
- 使你依赖不合适的背景或难点问题，这样容易失去信誉。
- 使买方的注意力从你能解决的问题上转到你不能解决的难题上。

记住，暗示问题的目的是建立难题的重要性，以便它清晰而有力，足以让买方对你的产品或服务有一种强烈的愿望或渴求。因此，在策划暗示问题之前，清楚、具体地描述你能解决的买方难题（如果你提供的是服务，也是如此）是很重要的。

用一个你自己的客户或当事人的事例，试着策划一些暗示问题。不要担心你是否可以得到如练习步骤1~3中“正确的”的暗示问题。在这一点上，试着把每一个相关的难题与尽可能多的你能找到的暗示问题相连。

1. 确信你已经问了对你来说所有必需的难点问题，并且客户或当事人清楚地了解相关的难题，即那些你能为买方解决的难题。

2. 选择你已经辨明的最重要难题或对你的产品或服务来说最有可能开发成需求的暗示问题。

表 17-1

产品 / 服务：产品开发咨询——项目管理服务

买方：新的产品开发副总裁——（新的纤维玻璃视觉程序）

会谈目标：确定与其他关键决策者的见面时间

买方难题（我们可以解决的）	暗示（使难题更紧急）
1. 现在的员工已经负担过重	质量受到影响
	压力可能导致员工抗拒竞争
	竞争中失去技术领先的地位
2. 上市的时间很紧迫	能失去小的宣传机会
	可能为了赶工期而损害质量
	失去竞争力
	损坏新的副总裁的信誉

表 17-2

产品 / 服务：________

买方：新的产品开发副总裁——（新的纤维玻璃视觉程序）________

会谈目标：确定与其他关键决策者的见面时间________

买方难题（我们可以解决的）	暗示（使难题更紧急）
1.	
2.	
3.	

3. 使用表 17-2 的表格：

- 在左边列明被选出的买方的主要难题。
- 列出所有你认为可能增加买方难题的重要程度的相关暗示问题。

4. 准备一些要问买方的实际暗示问题。在你做完 1~3 步后，我们会告诉你如何更有效地策划暗示问题。

策划有效暗示问题的方法

你的暗示问题听起来很自然，并且与买方的难题有适宜的联系，这些都很重要。下面介绍策划有效暗示问题的三种方法。

改变你陈述暗示问题的方法

许多没有经验的 SPIN® 销售人员在他们第一次提问暗示问题时可能会遇到挫折。他们问买方可能的暗示问题，通过一次又一次重复地问一种最普通的暗示问题。例如："那个难题能说明什么？"

为了更有效，你必须帮助买方看到难题的严重性，因此，在你们会谈前请使用多种多样的策划准备一些暗示问题，例如：

那有什么影响……？

多长时间会发生一次……？

这最终会产生什么样的结果……？

那可以导致……？

灵活多变地提问不同类型的问题

SPIN®问题不是指僵化、一成不变的提问顺序。有时，在难点问题后跟的却是一个刚弄清楚的背景问题，或一个暗示问题跟在难点问题后，这也许会更合适。提问顺序的关键是最能使你建立起一个发现并开发买方难题的环境。

把问题联系在一起

就如同你在第 7 章中学到的关于背景问题的情况一样。

■ 把你的问题与买方的陈述相联系。

■ 把你的问题与个人的观察相联系。

■ 把你的问题与第三方的背景相联系。

现在让我们看一次销售会谈，这次会谈很好地使用了这些不同方法来更有效、更自然地提问暗示问题。

来自某影音公司的彼得・罗升（Peter Roche）为会议中心提供 A/V 服务和设备。买方朱莉・科瑞恩（Julie Crane）负责会议中心的运作。

卖方：是你负责会议中心的所有管理工作？

买方：是的。除了管理运作视听服务之外，我也负责清洁、筹办酒席服务、办公室服务以及相关的行政职责，所有能保持我们会议中心日常运行的，都由我负责。

卖方：你早些时候说过，在过去的一年中，会议表安排得非常紧张。这在A/V方面会引起什么难题吗（与买方陈述的难题相联系）？

买方：当然有，在过去3个月中，我不得不又加了第二组A/V技术人员，我们的设备成本也升高了（隐含需求）。

卖方：在这次短暂的参观中，我注意到有许多老的VCR，视听盒式播放机也在设备室的角落中堆着。你的A/V员工也做现场的设备修理吗（背景问题与卖方的个人观察相联系）？

买方：通常在我们的会议日程中有固定的检修时间，但是6个月以来一直很忙，没有检修时间，乔是唯一能组装老设备的新人。这样，当我们需要设备时，却没有多余的可用（另一个隐含需求）。

卖方：在你给我看的未来的日程表中，在进入旺季之前，你有3个月的检修时间。如果乔是第二组人中唯一一个做维修的，那么剩余的员工在检修期间干些什么（与卖方的个人观察相联系的暗示问题）？

买方：这是个难题，在我们进入旺季之前，我们也必须给第二组人开工资。在以前，我们通常是只给第一组人员加班费。这就节约了额外的花费，但结果是我们失去了优秀的员工（隐含需求）。

卖方：这些人员难题有没有使你的服务质量受到影响（暗示问题与买方的陈述相连）？

买方：的确是这样。我真正喜欢的是在繁忙的日子中，手头上有合格的A/V员工，而在不忙的时候可以节省所有员工薪金以及其他多余的人的成本（买方陈述了卖方可以满足的明确需求）。

暗示问题的提问时机

在难点问题之后提问暗示问题，但要在介绍你的对策（解决方案）之前。

> **SPIN® Tips**
>
> 在难点问题之后提问暗示问题，但要在介绍解决方案之前。

卖方最经常犯而且最危险的一个错误就是在明确需求被完全开发之前介绍自己的对策（解决方案）。当客户同意存在一个难题时，经验欠佳的销售人员会受不住诱惑而提前介绍解决方案。毕竟，买方有难题并且你去那儿是为了提供答案。不要这样做！

相反，先建一座通向对策（解决方案）的桥梁。使用开发的暗示问题，扩大难题的重要性，这样，当你真的提出对策（解决方案）时，买方的利益感受会很高。

低风险的暗示问题

有三个低风险的区域，在这三个区域中，暗示问题对开发和扩大难题特别有价值：

当难题很重要时

当难题不很清晰时

当难题需要重新定义时

■ 当难题很重要时。买方很乐意告诉你关于成本、浪费的时间、不方便、失去的机会等内容。当难题很复杂或有一系列细节时，暗示问题也有很高的回报。

本杰明·富兰克林是一位效率很高的销售人员，他写了一篇经典的文章，很好地例证了包含一系列细节的暗示是如何能用来开发和扩大一个难题的。

■ 当难题不很清晰时。可以通过提问暗示问题使这些问题变成尖锐的关注点。当然，帮助买方思考难题也能加强信任，能够在买卖双方之间建立一种更好的工作关系。

■当难题需要定义时。有些时候你似乎只能提供一部分如他描述的难题的答案。但如果买方可以得到帮助，从另一个角度思考它，重新定义这个难题，你的对策（解决方案）也许更合适。在这儿，有效地使用暗示问题能聚积起难题的许多因素，这些难题正是提供对策（解决方案）最有价值的、能增加你做成这笔生意的机会。

高风险的暗示问题

在以下三种情况下，暗示问题不能使用或要小心使用：

在销售会谈的早期

有你不能解决的隐含需求

敏感区域

■在销售会谈的早期。不太了解买方状况之前，提问暗示问题是很危险的。避免太过冒失的暗示问题而产生不信任或引起买方的拒绝。最好是在暗示问题之前用背景问题预热会谈。

■有你不能解决的隐含需求。为了聚积起你能解决的难题的重要性，节省你的暗示问题。

■敏感区域。在诸如组织政策、个人隐私或买方被迫才做的决定等敏感方面提问暗示问题，是很危险的。

暗示问题练习

1. 选一个在本章前面部分为一个买方开发的隐含需求。

2. 在下面提供的空白处列出隐含需求。

3. 多准备三个不同的以你选择的隐含需求为基础的暗示问题，在提供的空白处列出它们。

隐含需求：压紧的时间表表明，你为了赶工期不得不降低品质。

暗示问题：

压紧的时间表对产品的质量有什么影响吗？

赶工期时，质量经常会受到影响，你感觉到有风险了吗？

这样一个压紧的时间表对质量有什么负面影响？

你能谈谈你看到的由压紧的时间表对质量造成的风险吗？

如果你只有3个月，那你可以保证相同的质量吗？

隐含需求	暗示问题

超越基本的暗示问题

难点问题注重内在的难题，然而暗示问题注重外在的难题：

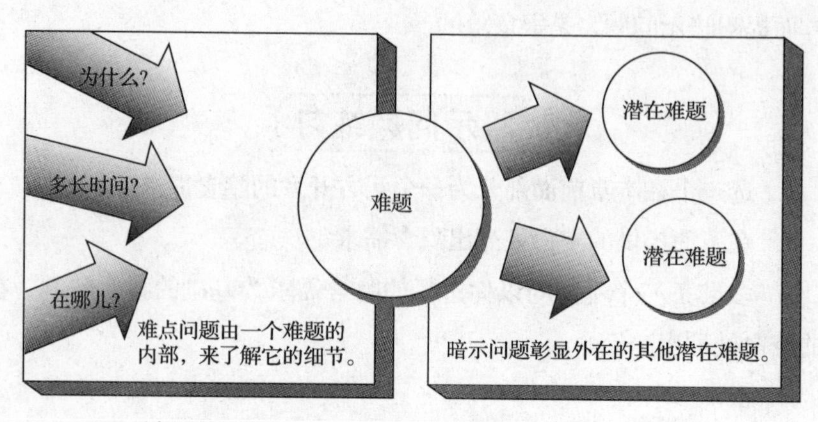

图 17-4　暗示问题和难点问题的比较

问暗示问题只须能够达到劝说的目的

暗示问题通过扩大难题的严重性来加剧买方的苦楚。治病的基本原则对销售也同样适用。最好的治疗方案应该让病人的痛苦很轻，从来不会使痛苦让病人不能承受。也许，提问太多的暗示问题会让买方陷入苦难而无法自拔，或许会有反作用。记住，买方只能承受一定量的不舒服。不要超越一个合理的水平。

> **SPIN® Tips**
>
> 提问暗示问题是为了强化买方对困境的认识，但要考虑买方的承受能力。

没经验的销售人员第一次用暗示问题时，感觉只有增加了他们买方的痛苦水平，才算成功了。然而很成功的销售人员提问暗示问题的目的是为了洞察，甚至不是为了说服，因此，如果他们问："这对成本有什么影响？"买方说："没有，因为我们有很大的容纳力，所以没有影响到成本。"一个好的销售人员就满意了。经验十足的销售人员发现，通过暗示问题获取实际上并不存在于他们资料里的方面是很重要的。通过这种方法，他们在更多方面加强了与他们的买方的联系。

暗示问题能把各个部门的难题联系在一起，组成一个严重的公司难题

当接触各种各样的买方或公司采购部门的人员时，暗示问题会变成一

个至关重要的方法，这种方法是用来发现围绕一个难题的各个方面的各种紧迫性的常用手段。类似的暗示问题也可以把它们内部的难题与外部难题相联系，这些外部难题可以使整个公司失利或失去可能的收入。当一个小的难题大到能使收入失去时，公司怎么能不出资购买这种对策（解决方案）呢？

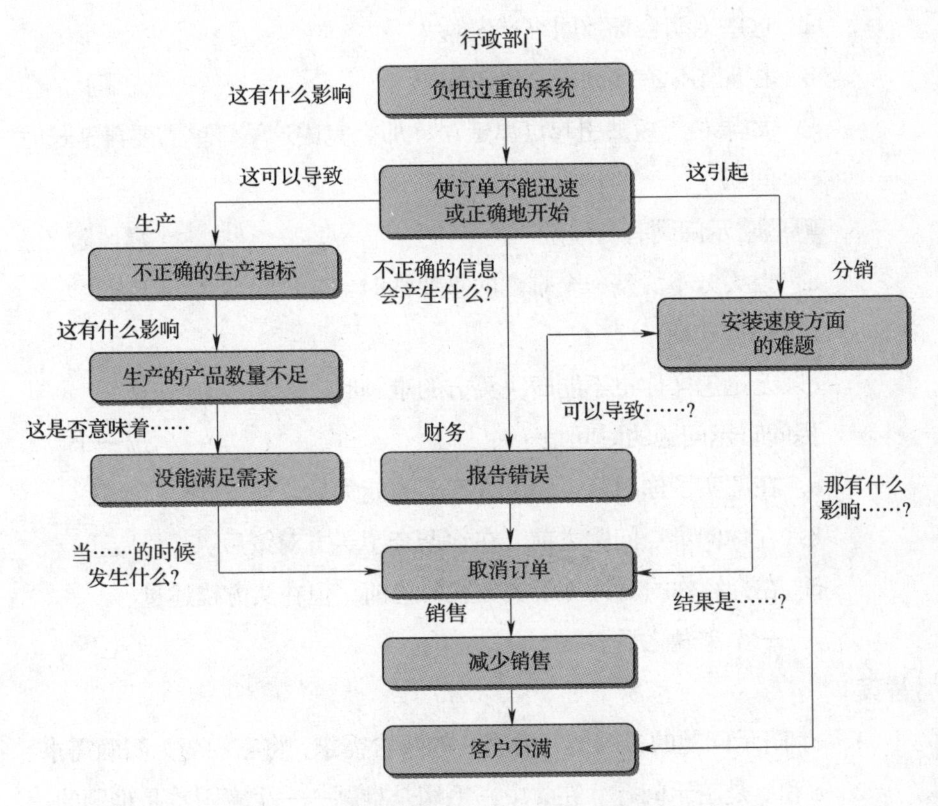

图 7-15 暗示问题把各个部门的问题联系在了一起

暗示问题——总结检查

练习

通过回答下列问题，检查你对暗示问题的理解。

1. 暗示问题的目的是： **正确？**

   a. 辨明买方的难题。 □

   b. 例证你的服务或产品的意义。 □

   c. 开发隐含需求，便于它们变成明确需求。 □

2. 下述哪些是暗示问题？ **暗示问题？**

   a. 这些毛病会导致困难产生吗？ □

   b. 在现场你有多余的 7 辆卡车吗？ □

   c. 如果员工短缺引起订单延误，那么完成这笔订单需要再延长时间吗？ □

3. 哪些暗示问题有高风险？ **高风险？**

   a. 当买方不清楚一个难题的重要性时 □

   b. 销售初期 □

   c. 无论怎样你也不能解决买方的难题时 □

4. 提问暗示问题的时间是： **选一个**

   a. 在证实了你对策（解决方案）的能力后。 □

   b. 在你问难点问题之前，在你调查了买方对策后。 □

   c. 在介绍你的对策（解决方案）之前，但在买方描述过一个难题之后。 □

答案

1. c，暗示问题的目的是开发客户的隐含需求，将它们变为明确需求。

2. a 和 c 是暗示问题。在 a 中，毛病是难题——生意困难是难题的一个结果。在 c 中，不能使订单如期完成是难题——生意的完成要延期是一个可能的暗示。

3. 在 b 和 c 的情况下问暗示问题是有高风险的。

4. c 是正确的。提问暗示问题的时间是在介绍对策（解决方案）之前，在买方描述难题之后。

第18章

需求—效益问题

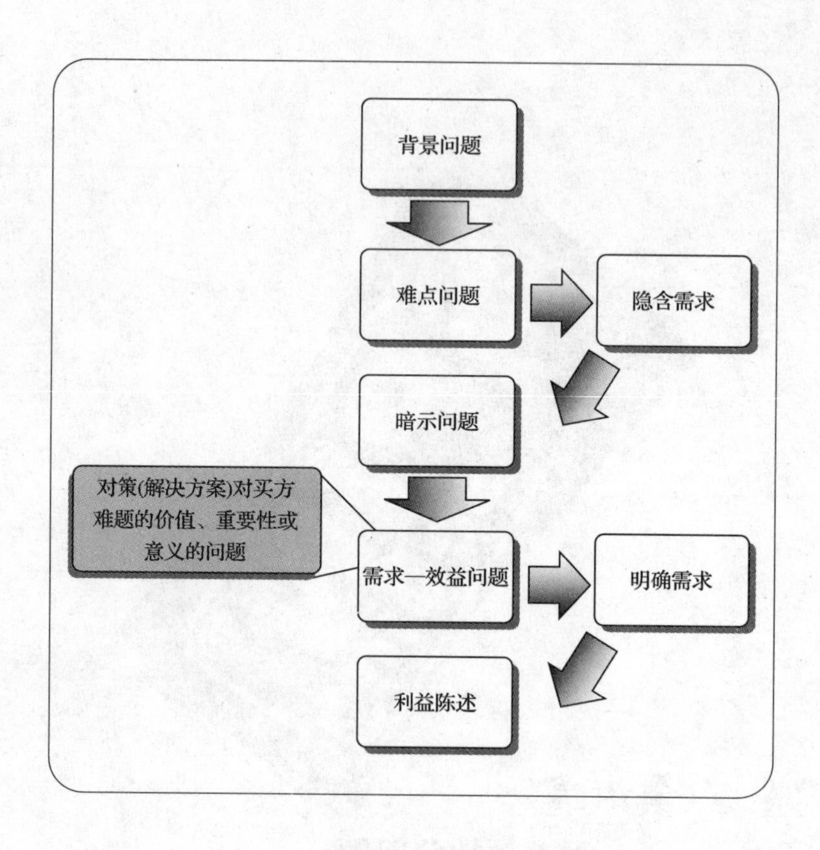

概　述

什么是需求—效益问题?

需求—效益问题问关于对策（解决方案）的：

■价值

■重要性

■意义

需求—效益问题通过增加所提供对策（解决方案）的吸引力来推进销售。需求—效益问题和暗示问题一样，在大订单销售中与销售成功紧密相连，它们的目的是针对所提供的对策（解决方案）开发买方的明确需求，通过：

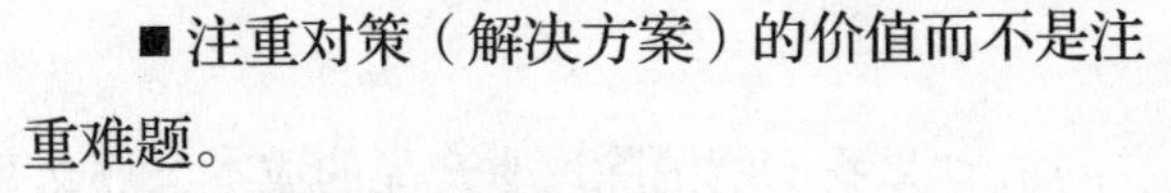

■ 注重对策（解决方案）的价值而不是注重难题。

■ 提问是为了明确需求。

■ 使买方说出对策（解决方案）的利益。

为什么问需求—效益问题?

哈斯韦特公司的研究表明，强化需求会增加客户对对策（解决方案）的接受程度，特别是向诸如已有的当事人和客户销售，以及需要维持良好关系的销售时尤其有效。

■ 需求—效益问题是积极、有益和建设性的，因为它们围绕对策（解决方案）而展开。

■ 需求—效益问题可以减少异议，因为它们使买方解释你的对策如何可以这样做，使买方说服自己对策（解决方案）的价值。

■ 需求—效益问题使销售讨论向行动承诺方向前进。

■ 这意味着多少节约？

■ 生产线程序还能使你完成其他什么你现在不能完成的任务？

■ 使反应时间减半有多么重要？

自测——需求—效益问题

「练习」

在你学到更多需求—效益问题的使用之前，看看你是否清楚需求—效益问题与其他 SPIN®问题之间的区别。

需求—效益问题？

1. 如果我们能消除过季产品的成本，那么每年你们将节约多少钱？ ______

2. 因为重新定位，订单延迟事件增加了多少？ ______

3. 能让你混合、匹配、重新排列并与不断变化的需求相适应的组件会对你有帮助吗？ ______

4. 如果我们能使你的订单循环缩短两天，那么每周能多发运多少产品？ ______

5. 你担心现有系统的低可靠度吗？ ______

6. 如果我能指给你一种克服困难的方法，这对你有帮助吗？ ______

7. 新系统可以帮你更好地进行库存控制吗？ ______

8. 员工的缺乏使你失去过重要的生意吗？ ______

答案

1. 是　这个问题是关于过季产品难题的对策价值的。

2. 不是　这是一个暗示问题，开发难题的严重性，而不是对策。

3. 是　问题问买方关于提出的对策的用途。

4. 是　正在被开发的对策包括节约的两天处理时间。对策的价值和重要性是以产量为条件开发出来的。

5. 不是　这是一个难点问题，因为它问的是关于买方的关心、不满和困难。

6. 是　这显然是关于一个对策的重要性和价值的问题。在后面我们会看到，许多销售人员犯这样的错误，“如果我指给你一个方法……”在会谈中太早被提到。

7. 是　这个解决办法（我们的新系统）正在被拓展到其他效益区域。

8. 不是　这是一个暗示问题，因为它把员工短缺的难题扩大成可能失去生意。

高效使用需求—效益问题

需求—效益问题的功效

需求—效益问题基本上与其他所有 SPIN®问题都不同。它们不是容易提问的问题，并且你必须在生意的恰当时候问。但是，需求—效益问题是最有力的一种问题类型，并且他们能帮你获得晋级承诺。

需求—效益问题是怎样帮你达成销售成功的呢？在第 9 章，你已经知道了暗示问题开发明确需求的两个组成部分之一：它建立起买方的难题，使它既强烈又明显。需求—效益问题强调明确需求的另一个组成部分：对对策（解决方案）的渴求。

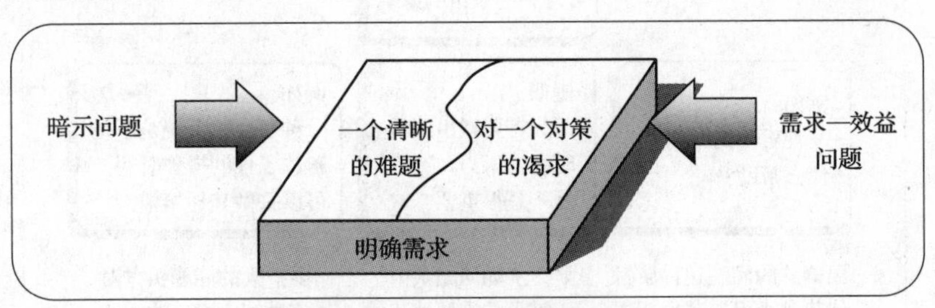

图 18-1 需求—效益问题的功效

需求—效益问题如何推进销售

了解需求—效益问题的不同功能可以使它们更容易提问，并且对更有效的销售有帮助。需求—效益问题的三个功能是：

■ **确认明确需求**——需求—效益问题的功能之一是发现是否存在明确需求。如：“你需要一台更快的机器吗”或“它能帮你有一个可靠的供货源吗”。这是大部分人通过需求表达的东西，但是另外两个功能很少用到，可这另外的两个功能却常常对买方有更多的影响。

■ **弄清明确需求**——这些需求—效益问题通过提问例如“为什么它对你很重要”、“你能告诉我你对可变通性的更多需求吗”或“你想要更快的周转来节省成本或更好地利用你其他的设备吗”这些问题，来使当事人或客户详细地解释需求细节的重要性，如果它是你能解决的一种需求，这种类型提问会使买方告诉你利益。买方的接受对一笔成功的生意也很重要。

■ **扩大明确需求**——这些需求—效益问题邀请买方使附加的效益具体化，通过问例如“这对你还有其他方面的帮助吗”、“除了增加有用的空间，这个设计有没有增加你的想象”或“你能预测到通过使用这种对策还有什么其他利益吗”，可以帮助你的对策（解决方案）提供额外的价值给买方。

试一试 ICE 模式

ICE（确认、弄清、扩大）模式把这三个功能放在一起会帮你策划出不同水平的需求—效益问题。下面介绍的是它是如何运作的。

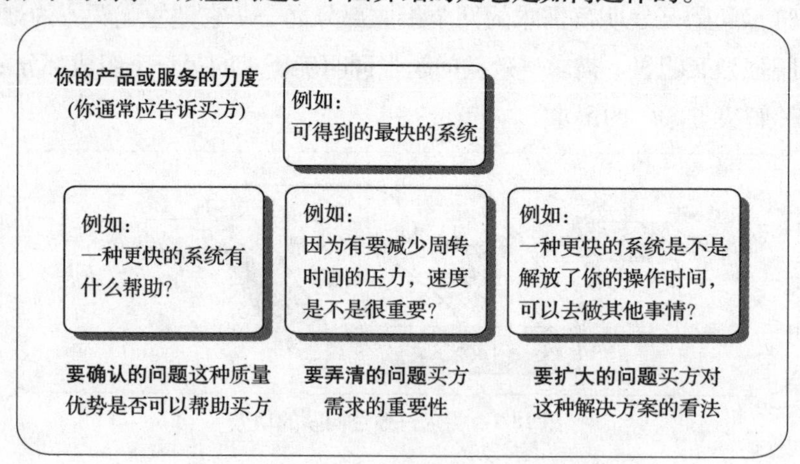

图 18-2 ICE 模式开发需求—效益问题

现在，试一试你自己的例子：

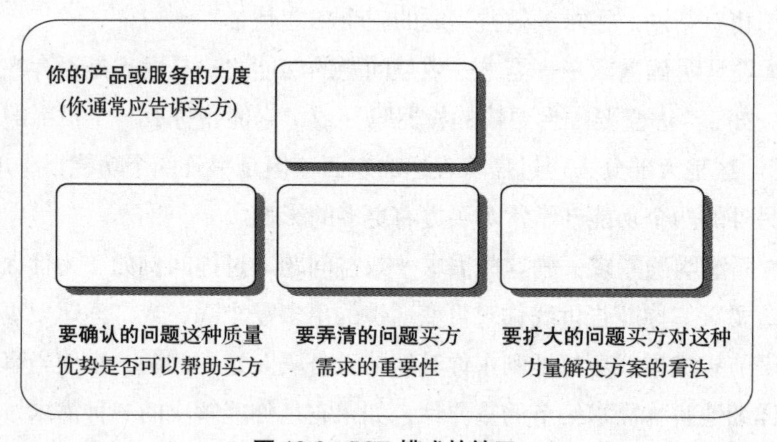

图 18-3 ICE 模式的练习

需求—效益问题的价值

需求—效益问题的目的是弄清并开发买方对产品或服务价值的看法，并且这样为你所提供的对策（解决方案）开发了一种清晰而明确的需求。

但是，对策（解决方案）对买方来说具有价值并不能必然导致成功销售。除非买方相信它，否则你不会做成一笔生意。并且除非你的买方愿意做些什么，否则你仍然做不成这笔生意。

我们已经提到过了，销售人员犯的最大错误是，在他们积聚起买方的难题的严重性之前，介绍他们的对策（解决方案）。因为需求—效益问题注重对策，所以如果它们在销售中用得太早，那么需求—效益问题会有一种负面影响。如果在销售会谈中介绍得太早，它们会使潜在的买方感觉糊涂或被操纵。

帮助买方了解对策（解决方案）的效益

既然你知道产品或服务的能力，那么通常你比买方更容易看到对策（解决问题）的效益。你必须通过开发买方对对策的需求帮助他们。需求—效益问题使你建立起效益区域的范围以及它们对买方的重要性。有两种方法来做这件事，如：

这两个问题中哪一个更有可能使买方实际陈述效益？

答案是问题 2。问题 1 允许买方在没有想对策的情况下消极接受效益。然而，问题 2 让买方实际陈述从解决难题中得到的效益，特别是买方现在不能做而接受这个对策（解决方案）后却能做到的事情。

这样一个积极思考的过程经常把买方的明确需求转化为新效益区域，甚至它还有一个更重要的功能：

因为他们已经陈述了效益，买方会更接受你的对策（解决方案），并且感觉到有更多的自主权。

需求—效益问题和大订单销售

在一笔简单的生意中，大订单产品或服务与难题之间通常有一种直来直去的关系，并且你的产品或服务可以解决这个难题。这个对策（解决方案）甚至很适合这个难题，因此，例如，一个人担心他的重要文件遭遇火险，这个难题就可以通过购买一个防火文件柜得到很好的解决。

在大订单销售中没有完美的对策

但是随着生意不断变得复杂，难题和对策之间的关系就不是那么直接了。在复杂的生意中难题也有许多方面，你提供的对策处理其中的一些部分比处理其他部分更好。例如，一个生产率很低的难题，可能由几十个因素引起。当你提供对策（解决方案）时，你可能面对这样的风险，即让买方注意你没有解决的方面，而不是你解决了的方面。这种情况下，买方可能挑战你的有些对策，如这个例子所示：

卖方：那么，主要难题是在技术测试中的材料的高排斥率。我们的材料是非常容易使用的，可以使排斥率降低20%。

买方：不，等一等，并不仅仅是测试材料造成的排斥率。还有许多其他因素，像过程中的温度和显影剂的氧化。因此不要只给我一种容易使用的材料来解决那原有的困难。

这是怎么回事？因为卖方的对策（解决方案）只解决了复杂难题的一个方面，所以买方提出了异议。通过介绍产品，卖方促使买方考虑了难题的其他方面，并且拒绝了卖方正在努力讲述的观点。

在复杂生意中，你正在努力解决的难题几乎总会是许多方面因素所导致的。对于你和你的竞争对手来说，都不可能提供一个能解决复杂难题各个方面的完美对策。买方本人也并不希望你的对策（解决方案）是完美的。

因为卖方几乎不希望有一个完善的对策，所以对你来说，指望你能如何完美地解决一个难题是很危险的。如果这样做，你就是邀请买方来注重你不能解决的因素，并增加异议。

SPIN® Tips

在大订单销售中，不要奢望所提供的对策（解决方案）能够满足客户所有需要。

怎样能使客户接受你的对策，并认为它是有价值的，即使它不能解决难题的所有方面？这时，需求—效益问题就有用武之地了。

需求—效益问题减少异议

需求—效益问题使买方解释你的对策可以解决难题的哪个方面。当买方告诉你，你的对策可以有帮助时，你就不会再收到异议。

需求—效益问题使你的对策更容易被买方接受，如：

卖方：那么主要难题是技术测试材料的排斥率太高。从你所说的来看，你一定对任何可以降低排斥率的东西感兴趣。

买方：是的，这是一个大难题，我们必须采取行动。

卖方：假想有一种对技术人员来说容易使用的材料，那会有什么帮助？

买方：这只是一个因素。记住，还有其他许多因素，像过程中的温度和显影剂的氧化性。

卖方：是的，我明白有几种因素，就如你所说的，一种易用的材料只是其中之一。你能解释一下易用的材料可以如何帮助你吗？

买方：好吧……它当然能减少我们在曝光阶段的排斥率。

卖方：这值得你去做吗？

买方：可能值得，我并不确切知道在这方面的损失有多少，但是它肯定不会小。

卖方：一种易用的材料还可以在其他方面帮助你吗？

买方：你们那些简洁的盒式胶卷不需要专业技术人员安装，也许在这方面会有益……如果我们有一种助手也能安装的非常容易的材料，那么技术人员可以在冲洗阶段多花费些时间，就可以对我们正面临的那些冲洗难题有大的影响。嘿，我真的有点喜欢它了……

在这个例子中，卖方使用需求—效益问题使买方解释了所提供解决方案的效益，结果是使对策更容易被接受了。

策划需求—效益问题

为了策划需求—效益问题，以你已经开发出来的相关难题为基础，从买方的角度来考虑你对策（解决方案）的潜在效益。

确信你确认了仍然需要通过提问背景问题、难点问题，特别是暗示问题来弄清并开发的任何难题，以使买方很容易地接受这个效益。

表 18-1　例子

产品 / 服务：A/V 服务和设备
1. 买方效益可能的区域： 减少 20% 的 A/V 的成本，却能提高反应速度和效率，不管季节需求的波动。
2. 在买方完全承认效益之前，你能解决的难题及要开发的需求： ■ 第二组 A/V 员工的成本，特别是在淡季（闲暇时间）。 ■ 在繁忙的季节对 A/V 反应时间的抱怨。 ■ 因为缺少设备知识而引起的可能对所有服务质量的影响。 ■ 繁忙的经理花费那么多时间来处理 A/V 员工的难题可能带来的影响。

现在，用你自己的事例来试试这个办法。

1. 写下买方可以从你的对策中得到的一个潜在效益。

2. 列出所有你需要用其他 SPIN®问题开发的问题，尤其是暗示问题，以使买方能强烈地感觉到需要这个解决方案。

表 18-2 自我练习

产品 / 服务：
1. 买方效益可能的区域：
2. 在买方完全承认效益之前，你能解决的难题及要开发的需求：

做完这个练习后，你可能发现，在一位买方完全意识到从你的对策中可能得到的效益之前，你需要揭示并开发几个难题。

在这章的后面部分，你还有一个练习的机会：准备你要问买方的实际需求—效益问题。

需求—效益问题的提问时机

并没有多少销售人员能够自如地在销售中的最佳时刻提问需求—效益问题。如果问得过早了，例如在会谈刚一开始时，那么，买方对难题认识的缺乏会阻止你有效地为一个对策开发一种强有力的需求。

就如同走前一个极端一样，许多卖方一直等到太晚了才提问需求—效益问题。他们在买方对他们提供的东西产生兴趣之前描述他们的对策。如我们已经知道的，这通常会收到来自买方的异议。

提问需求—效益问题的最佳时机是：

在介绍对策（解决方案）之前，并且在通过暗示问题开发了买方难题的严重性后。

尽管研究已经很可能清晰地显示出在成功销售中提问了比较多的需求—效益问题，但是销售人员在通常的一次会谈中提问的需求—效益问题平均不到两个。但是，当你用得恰到好处时，它会增加成功销售的几率。

低风险的需求—效益问题

需求—效益问题有两个低风险区域，而这两个区域对增加买方对你的对策（解决方案）的渴求特别有价值：

■ 当对策在其他方面也有效益时——如果你的对策还有附带利益，那么需求—效益问题对帮助销售就特别有用。问一个类似“你用我们的对策节省下来的时间可以做些什么？”或“这个对策还能提高其他方面吗？”的问题。这样的需求—效益问题可以使买方想到你能开发的附加利益，特别是给出许多买方背景的复杂状况。

■ 当买方必须评判决定时——即使买方拥有购买权，他也可能需要让管理部门、一个委员会或其他人士评判，你越是多用需求—效益问题来弄清并开发买方对对策的理解和潜在利益的需求，买方对他们组织内部的其他人传播信息就越容易。通过回答你的需求，买方实践了你的对策如何起作用，更便于解释。

高风险的需求—效益问题

下述是提问需求—效益问题的高风险区域。

■ 在会谈中过早使用——直到并除非你的买方承认并弄清一个难题时，你的对策（解决方案）不会真正有影响。在这之前提问需求—效益问题，甚至可能激怒买方，使其拒绝承认真正的难题和需求的存在。

■ 当买方的需求是主观的——有些时候，关于难题的客观事实没有几个，并且它们的暗示直接支持一个购买决定时，买方仅仅是喜欢你的产品或准备购买你的服务。这种情况下，帮助买方思考买你的对策的商业原因是很重要的。首先，一定通过提问难点问题和暗示问题，确定并开发买方的需求。然后，有选择性地提问需求—效益问题，来开发、扩大对策，以满足买方已确认的明确需求。

策划需求—效益问题

一旦通过暗示问题完全开发出了你列出的相关难题，你就会发现，顺畅并自然地提问需求—效益问题是那么容易。使用下列方法可以帮你有效准备需求—效益问题。

使用相关联的策划——把你的问题与买方的陈述或回答联系起来。

如果你有一种方法，可以使你从日复一日的工资表管理中解脱出来，它对其他方面的管理有什么样的帮助？

你提到必须替换许多被热损坏的客户管理的幻灯片。每一个价值50美元，如果一次性支付高一些的成本来买一台幻灯机可以增加它们的工作寿命，是否值得？

使用要多样化——要清楚、具体，并且避免相同问题的重复，例如：

这如何帮你节约时间？

这如何帮你减少成本？

……提高反应时间？

取而代之，你可以问，例如：

你如何使用节省下来的时间？

如果我们可以提供折扣并使你节约15%，那你在其他方面的预算可以减少多少？

如果你拥有完全接受过现有和老式设备维修培训的员工，这会缩短反应时间吗？

使买方实际详述效益——只要有可能，使用需求—效益问题让你的买方实际陈述对他们来说重要的效益，例如：

■消极的承认：

它不会节省时间吗？

■买方积极地详述效益：

如果你不必总在款项处理难题上花那么多时间，你会做些什么重要的工作？

需求—效益问题的自我练习

1. 列出你在前面的练习中确认的可能效益区域，策划需求—效益问题。

2. 准备3~5个以一个可能效益为基础的不同需求—效益问题，写在下面给出的空白处。例子：

效益：

减少A/V员工成本的20%，同时提高反应时间和装备质量，不考虑季节需求的波动。

需求—效益问题：

如果每次可以减少A/V员工成本的20%，你会拿省下来的钱去做什么？

如果你不必花时间来处理A/V员工的难题，那么对你的其他管理职责会有何帮助？

反应时间和设备质量对你来说是不是同等重要？

当实际提高反应时间后，降低A/V员工水平对你来说有怎样的价值？

如果季节需求不影响A/V员工水平，那对你有怎样的帮助？

你的潜在效益	你的需求—效益问题

超越基本的需求—效益问题

需求—效益问题帮助你训练客户内部人员为你销售

随着生意规模扩大，更多的人开始涉及购买决策。销售成功不仅仅依赖于你的销售努力，而且依赖于既定目标组织中的人们之间如何互相销售。成功销售人员帮助内部的使用者和受影响者代表他们在客户内部推进销售。

对你来说，见到最终的决策者（或决策组）的机会可能会很有限，一个最好的销售方法是训练客户内部人员，使他们为你销售。你为客户内部人员准备得越好，对他们来说，就越容易把你的对策销售给其他人。

但训练客户内部人员的最好方法是什么？需求—效益问题在这儿有一个特殊的用途。通过使买方描述利益，需求—效益问题可以完成几件事情。

■买方的注意力要聚积在对策如何起作用上，而不是聚积在产品的细节上。鼓励客户内部人员完全确认提出的对策（解决方案）如何满足他们公司的需求。注意与其他人讨论这些利益，与其他人分享相同的需求是他们能为你推进销售的最有效方法。

■买方向卖方解释利益，而不是反过来，由卖方对买方进行陈述。用他们自己的语言描述利益比当你说时他们消极地听的效果更好。使用这种方法，买方会记住你提供的利益。

■买方对你的对策的热情和信任在增加。当你不在场时，他们也会为你销售。你可以在本书的上篇找到更多关于使用需求—效益问题来训练客户的例子。

需求—效益问题——总结检查

练习

通过回答下列问题，检查你对使用需求—效益问题的理解。

1. 需求—效益问题的目的是： **正确？**
   - a. 开发并扩大买方的难题。 □
   - b. 增加买方对一个难题的对策的需求。 □
   - c. 揭示你的产品或服务可以解决的难题。 □
2. 哪些是需求—效益问题？ **需求—效益问题？**
   - a. 如果在这些方面可以使产量加倍，这有什么价值？ □
   - b. 这对其他方面有什么帮助吗？ □
   - c. 这个难题对生产有什么影响？ □
3. 提问需求—效益问题的时间是： **选择一个**
   - a. 你已经发现一个买方难题之前的销售早期。 □
   - b. 在你例证了你的产品或服务的能力之后。 □
   - c. 在介绍了你的对策（解决方案）之前，你已经开发买方的难题之后。 □
4. 哪些可以使买方实际陈述效益？ **选择一个**
   - a. 你对增加你的产量有兴趣吗？ □
   - b. 产量增加 10% 对盈利意味着什么？ □
   - c. 提高现金流量能如何帮助你？ □

答案

1. b，需求—效益问题的目的是增加买方对一个难题相应对策（解决方案）的渴求。

2. a 和 b，例外情况是 c—— 一个暗示问题开发的是一个难题，而不是一个对策（参见第 9 章）。

3. c，提问需求—效益问题的时间是在你开发一个买方的难题之后，介绍你的对策之前。

4. b 和 c，这些问题让买方用他们自己的术语陈述对策的效益。

第19章

能力证实

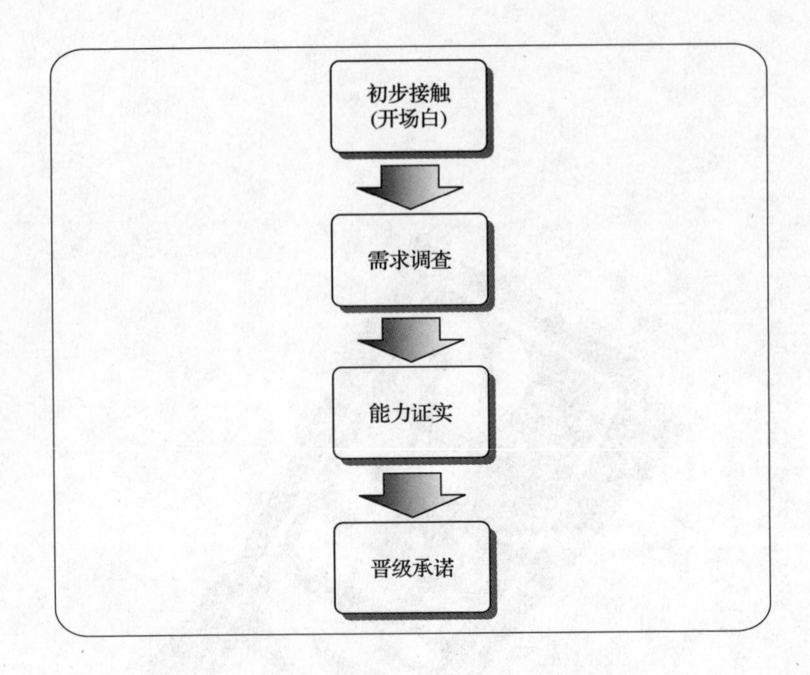

概　述

能力证实有三种方法：

■ 特征陈述——介绍一个难题或服务的事实或特点，例如："我们有 40 个专业技术人员……"

■ 优点陈述——介绍一个特征如何能被使用或能帮助买方。例如："因为那个特征，对于故障你可以迅速做出反应。"

■ 利益陈述——介绍一个特征或优点如何满足买方提出的明确需求。例如："我们可以提供给你你说想要的一小时反应时间。"注意我们正在使用一种非常具体的利益定义。你也许对这个术语已经很熟悉了，但并不是我们在这儿用特殊方法定义的那种利益陈述。

研究表明：在这儿定义的利益是介绍对策

具有说服力的方法，并且在大订单销售和复杂销售中特别有力。

这些不同的能力证实方法与成功销售有何关系？

在大订单销售或复杂销售中，上述方法中的任何一种方法与在一笔简单的生意中使用它们完全不同。在大订单销售或复杂销售中，你首先必须开发买方的需求，并积聚对策（解决方案）的价值。那么，利益陈述可以使你：

- 防止异议，而不是“处理”异议。
- 帮助客户内部人员为你最有效地销售。
- 赢得买方对你的对策的支持或证实。

为了有效的能力证实，

■ 你需要在介绍你的对策之前完成客户的需求调查。

■ 你的买方必须表达一种你能满足的明确需求（而不仅仅是一种隐含需求）。

能力证实的自测

练习

在我们了解更多能力证实的细节之前，回答下列问题，检查一下你是否清楚特征、优点和利益陈述之间的区别。观察一下我们定义利益陈述的严格方法，只有满足了买方表达的一种明确需求的陈述才是利益。

特征、优点或利益？

1. 这种整合使公司各种信息融合在一起，使你能同时把数据分析融合到一起。 ________

2. 这个程序可以供 30 个参与者使用。 ________

3. 在玻璃中的 UV 防护可以使你的设备寿命延长 3 年多。 ______

4. 我们的租赁计划有 3 个月的随意试用期。 ______

5. 通过遥控，无论什么时候，需求曲线离基本的水平线上下 0.01 都可以调整操作参数。 ______

6. 科瑞恩女士，我们公司能够满足你所说的在最繁忙季节需要的反应时间，因为我们有 50 位专业技术人士，并有最新设备的完整详细目录。 ______

7. 我们的系统可以使你现在的操作成本降低 15%。 ______

8. 因为我们的小组有多种多样且可以随时补充的技能，并且对于你的行业有专门的知识和技术，我们能为你的特殊难题提供一个多元化的解决方法。 ______

答案

1. 优点　陈述表明特征如何帮助买方。因为买方并没有表达一种同时整合各种信息的需求，所以这不是一种利益陈述。

2. 特征　陈述提供关于程序的事实。

3. 优点　陈述描述了一种特征（UV 防护）可以如何帮助买方。它不是利益陈述，因为客户没有表达出相应的需求。

4. 特征　卖方描述了租赁系统的特点。

5. 优点　陈述描述了一种特征（遥控）如何使用。

6. 利益　卖方表明服务能如何满足买方表达的一种明确需求（很迅速的反应时间）。

7. 优点　既然买方没有表达一种要节约资金的需求，这就不是一种利益陈述。即使卖方确信买方真的需要节约资金，那么也只有在买方实际陈述明确需求时，才是一种利益陈述。

8. 优点　卖方向买方展示他的服务如何可以帮助买方，但是买方并没有表达一种对“多元化的解决方法”的需求。

注释：如果你发现这些例子中的一些有点难，特别是觉得在优点陈述和利益陈述之间的区别有些难，那也不要着急。许多人，包括有经验的销售人员，都有这种感觉。一个好消息是，这章的剩余部分将会弄清并解释这些区别的重要性。

特征、优点和利益陈述

纵观本书，我们已经着重强调了在介绍对策（解决方案）之前，通过提问难点问题和暗示问题开发买方需求的重要性和紧迫性。我们也已经向你展示了如何使用需求—效益问题来积聚买方对对策的需求。现在既然你准备实践证实提出对策的能力，最好的办法是什么？

特征陈述

能力证实的三个典型方法是运用特征、优点和利益陈述，但是，每一个的影响力都不相同，依赖于生意是大还是小以及它是在销售周期的哪个阶段引入的。在这章中，我们注重特征、优点和利益陈述在大订单销售和复杂销售中的影响，讲解如何最有效地使用它们。

特征陈述和大订单销售

定义：特征陈述是产品或服务的中性的事实、数据、信息或特点。

例子：我们有60个分公司。

X2型可以对照100多份复制件。

基本成本是42000美元。

这有5年的担保。

我们提供完全的保证支持。

影响：

- 在销售周期的早期——特征陈述对生意有消极影响。
- 在销售周期的末期——特征陈述对生意没有影响。
- 在销售周期的中期——在非常复杂的技术产品销售周期中，买方在这个阶段也许需要很多的产品细节。对这种买方兴趣做出反应。特征陈述有积极影响，尤其对技术专家、系统分析员和其他销售支持人员。
- 使用者对特征陈述的反应比决策者更令人满意。

图 19-1 特征陈述和大订单销售优点陈述

优点陈述

优点陈述是绝大部分有关销售的书和培训计划中所指的“利益”。如“SPIN® 销售”所解释的，在测试许多不同定义后，我们先给这些起绰号为“A类型利益”。在对一系列的实际销售会谈的研究过程中，我们注意到它们对买方的影响与“B 类型利益”，或者说是我们一直称的“利益”对买方的影响有极大的不同。

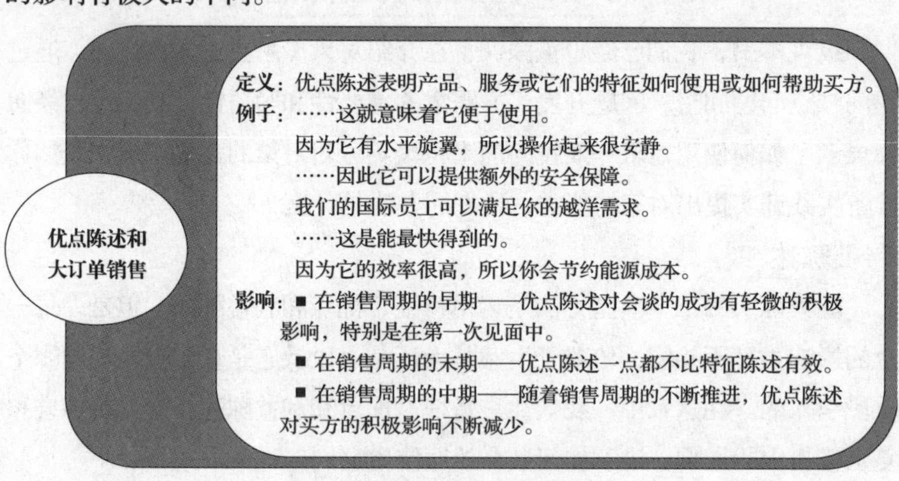

图 19-2　优点陈述和大订单销售

利益陈述

我们已经看到了定义特征相当容易，但是利益如何定义？人们经常以不同的方式定义“利益”。我们已经说过，大部分销售培训注重优点而不注重利益。一些人认为利益应该反映一种竞争优势，一些人强调利益应该表明能够节约成本，另一些人坚持利益对买方个人来说，还必须包括一个个人因素（“你渴望”），而不仅仅是针对买方的组织。

我们选择一个最严格的定义——利益满足由买方表达出来的明确需求。因为研究表明，这个定义是我们大订单销售测试的六个定义中，与成功联系最明显的。

我们不会在这儿重复我们得出这个结论的过程，这在本书上篇中有详细的叙述。但是了解优点和我们定义的利益之间的区别，以便于你能用利益陈述来增加对买方的影响，还是很有必要的。

为什么我们坚持认为，只有在它能满足买方表达出的明确需求时，才能称得上是利益？因为如果你用了这种类型的陈述，你的生意很有可能以订单成交或进展晋级为结局。是什么使利益陈述比其他描述你产品或服务的方法有力得多呢？

原因有二：

1. 通过把你提供的利益与买方表达的需求联系在一起，你可以证实能够在买方最关注的方面来帮他。在你能提供利益之前，你的买方应该首先表达出一种需求。如我们所见，你的产品或服务可以满足需求。对你来说，假设你的买方一定有需求，这并不足够。通过使买方表达出他的明确需求，你才能确定客户需求的重要性。

2. 以我们在这儿表达的定义为基础，普通销售人员趋向于用优点陈述，优点只强调隐含需求，而大多数成功的销售人员使用利益陈述，利益直接作用于明确需求。最为成功的销售人员首先使用暗示问题和需求—效益问题，把隐含需求开发成明确需求（明确的想法或愿望）。然后，一旦客户已经接受了明确需求，他们就提供对策，来显示他们如何能满足那些欲望或愿望。记住，普通销售人员一发现难题就马上提供对策，换句话说，他们提供的对策给了隐含需求。

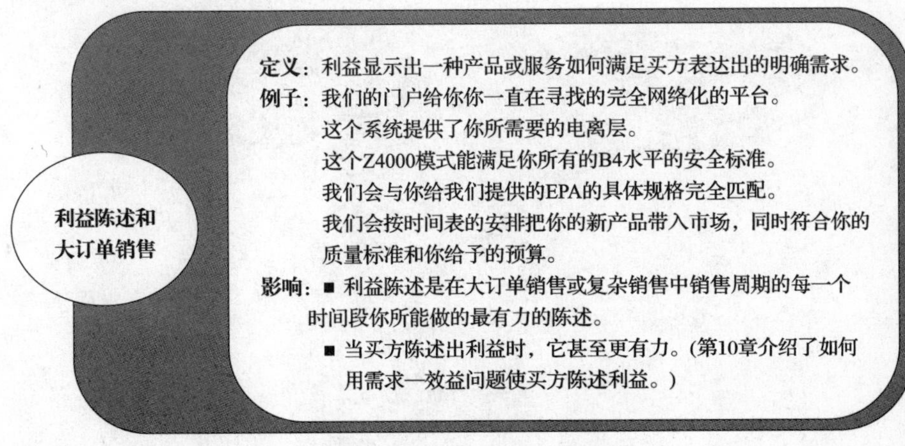

图 19-3 利益陈述和大订单销售

特征、优点和利益如何影响买方

特征、优点和利益中的每一个对买方都有不同的影响。例如，如果SUV汽车的一位销售人员滔滔不绝地说出一连串的特征，例如发动机特征、电路、气候控制功能的可选择性，哪些内容能够立刻塞满可能买主的头脑？没错，是迅速上升的美元符号：

在买方的头脑中，每一个特征都会使成本增加，因此，通过增加的这些东西，卖方说出的特征越多，买方预期的价格标签所示价格越高。

接下来，相同的汽车销售人员告诉买方，冬天为四轮驱动型安装内置的防滑链条是多么有帮助，而且又安全又方便。但是没有提问买方的需求，销售人员怎么知道买方计划在八月份驱车到冰天雪地的地方度假呢？买方会对四轮驱动定位感兴趣吗？绝对不会。他或她最可能做的是拒绝。

为什么？因为销售人员在买方没有表达出明确需求的地方提供了一个对策。当买方并没有考虑对你能提供的对策有需要时，最自然的反应就是拒绝。

我们在 SUV 展示厅看到的最后一幕是，销售人员正在花时间提问难点问题和暗示问题。这样做，卖方了解到买方在夜间要长途驾驶，并且忍受着眼部疲劳过度，以及来自现有车的座位不舒服和驾驶位置靠背太低的难题。

接下来，销售人员提问需求—效益问题，这样积聚了找到的对策的价值（腰部有支撑的座位以及特别亮的顶灯）。结果，买方表达了明确需求，也就是说，描述了他或她真正需要在一辆新车中包括的东西。

随着谈话的继续，销售人员确认具体的利益——表明一个新的 SUV 带座位矫正设计的车能如何提供买方长途驾驶需要的腰部支持，同时高强度的顶灯能防止眼部疲劳过度。因为这些是买方需要的，所以卖方不会收到异议。研究表明，提供利益陈述是能力证实最有效的方法，结果是：

异议防范与异议处理

让我们再仔细看一看优点使买方收到异议的问题。我们已经看到了，当卖方在建立起足够的需求之前提出一个对策（解决方案）时，就会出现那种情况。结果，买方感觉难题没有严重或紧急到需要一个昂贵的对策来解决的地步。

这使我们又回到了第 6 章中提出的价值等式。为了使买方同意购买，你必须积聚难题的价值或需要对策价值比对策的成本代价要高。价值等式同时也表明积聚买方的难题的价值在实际中可以防止异议。异议防范最初使卖方付出的成本比异议处理要付出的代价少，即更少的时间、精力和财力。

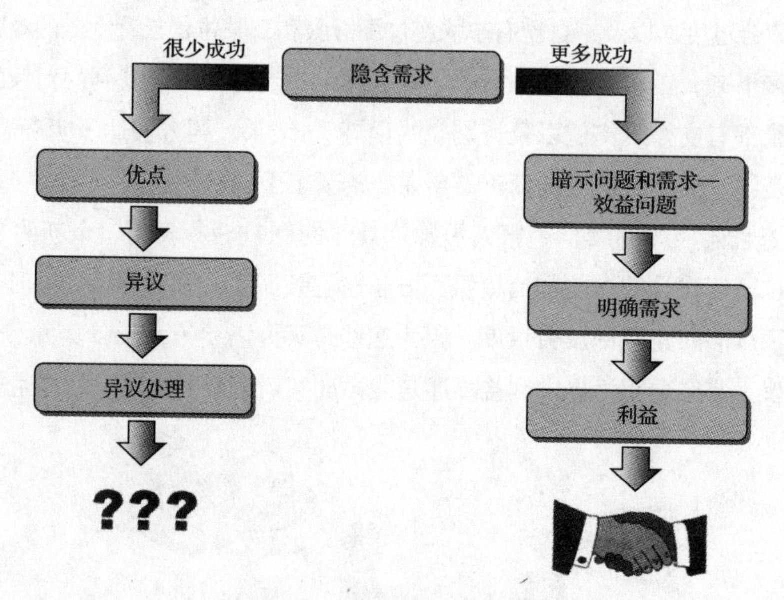

图 19-4　异议防范与异议处理

处理价值异议

当买方对于对策的价格、价值及用途产生怀疑时，价值异议就会出现。换句话说，对买方来说，困难并不正好与成本（价格、动力、时间、麻烦等）相对等。

价值异议，特别是那些包括价格的，对大部分销售人员来说通常都是最难处理的。不很成功的销售人员试图分析、分解产品或服务的成本，而我们研究过的很出色的销售人员使用的是另一种策略，他们提问暗示问题来积聚买方难题的严重性，从而增加对策（解决方案）的价值。

策划暗示问题来克服价值异议的第一步是思考：为什么难题已经严重到值得付出行动去购买一个昂贵的对策。

例子：

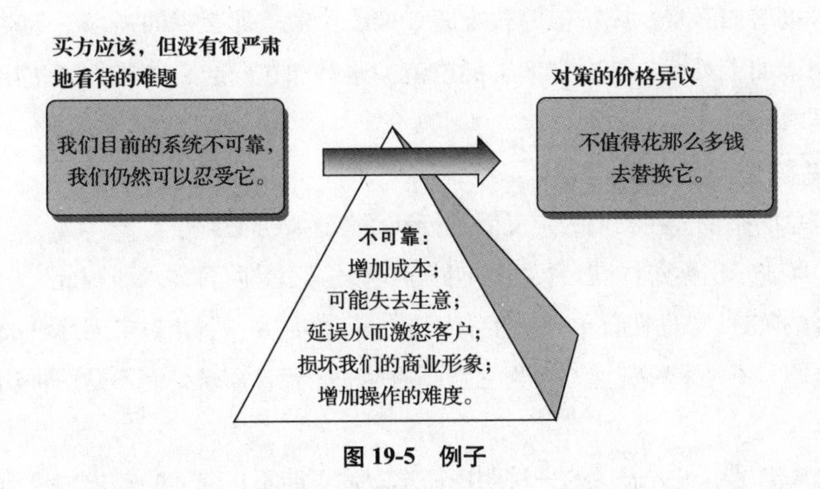

图19-5 例子

现在，试着处理一个你自己的买主的价格异议，我们的例子给你指示了方法……

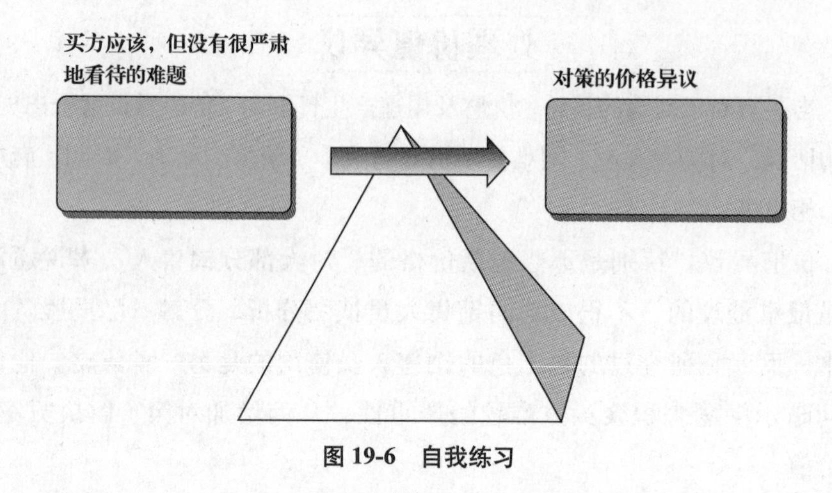

图 19-6　自我练习

使价值等式向买方决策方面倾斜

你注意到了吗，你遇到的“原因”也是在暗示问题上。提问暗示问题可以增加严重性或价值等式难题一端的价值。那么提问需求—效益问题则增加了对策（解决方案）的价值。这些加在一起，使买方表达出明确需求。

利益陈述满足明确需求

总的来说，在我们的定义下进行利益陈述，你必须：

■表示出你怎样满足买方的明确需求，而不是隐含需求。因此，例如这样的陈述，“你在订单项目上有困难，我能提供一个计划来为你解决那个难题”不是一种利益，因为它强调的是一个隐含需求，而不是一种明确需求。

■满足由买方表达的一种明确需求。你不能不用陈述的需求，反而用你假想的需求为基础制造一种利益陈述。如此来说，例如，“我假设你需要节约资金，这也正是我想要为你做的……”不算是一种利益陈述，因为客户并没表达出这点明确需求。

在大订单销售和复杂销售中，利益陈述是你对买方做的关于产品或服务陈述中最有效的。我们已经知道了在这些生意中，成功与否依赖于需求开发得如何。凭借提供一种利益陈述，你通过表示如何满足那些需求，把需求开发过程引向结束。在大订单销售和复杂销售中还有什么东西能使利益陈述如此有力？

■利益比特征和优点更值得纪念。

买方不记得你的产品或服务的特征和优点，但是他们却记得自己的明确需求。既然利益与那些明确需求相联系，买方当然会在特征和优点全被忘记之后，还记得利益。

■在生意的整个过程中，利益对买方有更大的影响。

特征在整个生意过程中有很小甚至消极的影响，优点随着生意的进程其影响渐渐消失，只有利益从始至终保持较高的积极影响。

■利益帮助客户内部人员为你销售。

在第 18 章你看到用需求来训练客户内部人员。他们是如何完成这一切的？卖方帮助负责人认清效益，而效益是利益的另一种形式，只要它们显示出对策是如何满足买方表达出来的明确需求即可。

利益陈述

这儿有一个练习，是用来实践利益陈述的。在我们的例子中，买方是一个医院的行政管理者，而销售人员销售的是扩音器系统，卖方通过开发买方的难题开始，使用暗示问题来积聚难题的严重性。卖方接下来提问需求—效益问题使买方陈述一种明确需求。然后卖方陈述利益，表明产品如何满足明确需求。

现在，用一个你自己的例子试一下。

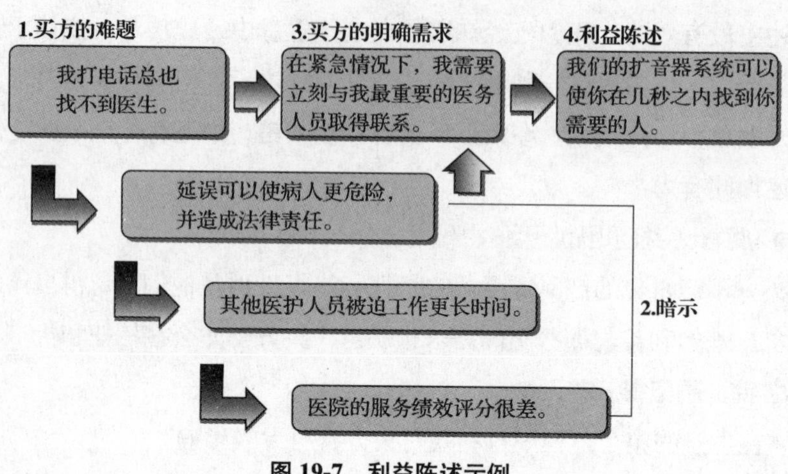

图 19-7　利益陈述示例

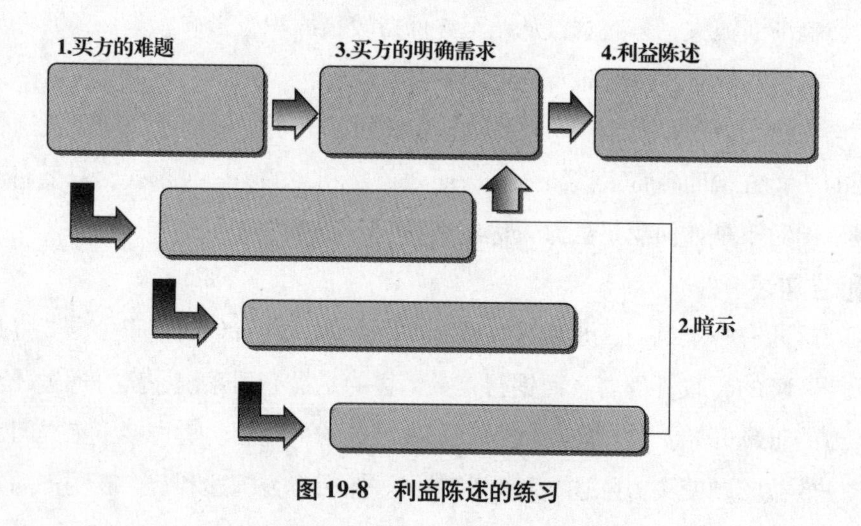

图 19-8　利益陈述的练习

超越基本的能力证实

关于异议处理的更多内容

异议防范比异议处理更令人满意。我们在研究中得到了一些有趣的发现：

■异议并不是购买信号。卖方接到更多的异议，并不会在销售中得到更多的成功。

■大部分异议都是由卖方造成的。

■许多异议的出现是由于卖方过早提供了对策（解决方案）。

SPIN® Tips

异议并不是购买信号，而且大多数异议是卖方造成的。

甚至在你使用 SPIN®问题开发买方的需求时，也会出现一些异议，因而，异议处理技能是很重要的。但是，小心不要掉进异议处理比异议防范更重要的陷阱中。

为什么会出现异议？通常，异议的出现是由于一些因素不受你的控制，例如买方产生疑问，拒绝变化，竞争，买方需求原本很小，或你的产品或服务不能满足他的需求。例如，你的买方需要双面复印，而你的复印机达不到。

异议主要包括：

1. 价格异议——买方对你销售的对策的价格、价值或用途提出异议，例如，"这对我来说没有什么用"，"太贵了"，"我不需要"。你在这章中已经了解到了价值异议。使用暗示问题和需求—效益问题来开发买方的需求，并建立对对策的渴求。关键是把买方的隐含需求转化为明确需求。

2. 能力异议——买方看到了对策的价值，但是对容量、能力或卖方的真实性、卖方的公司或正在销售的产品或服务持怀疑态度，例如，"我认为你不了解我们的业务"，"我确信它不像你说的那样简单"。

有两种能力异议。每一种都要求一种不同的策略：

1. 没有能力的异议——这种异议是在当你没有能力满足对可能买主来说极有价值的需求时出现的。

2. 有能力的异议——这种异议是当你的确有一种能力，但买方不认为你有这种能力时出现的。

处理没有能力的异议的策略

处理没有能力的异议的策略有两个步骤：

■承认你不能满足需求。

■增加你的确有的能力的价值。通过使用需求—效益问题和利益陈述来重新强调你能满足的需求的重要性。

这种战略的目标是推进。然而，既然你不能增加买方对你能力的认知，那么你就必须强调你有能力的其他方面的需求的价值。

例子：

卖方是一个会计公司的资深经理，正在与一家卡车公司的董事长杰克·贝克（Jack Beck）会谈：

买方：相信我，我了解你的时间表，但是我需要比这更快的进展。

卖方：好的，你也知道，我认为我们最终不能达到正在谈论的可以用较少的时间。但是让我们向回看，看一看我们在哪儿。(承认他没有特定的能力)

买方：好的。

卖方：杰克，我看得出来提前一周或两周会有什么样的好处。但是我猜想你一定要考虑妥协一下，因为你也说过，个性化的服务是很重要的，并认可我们的组织能提供最好的服务。

买方：是的……你说的个性化服务很重要，但是我关心的是在明年工作的一开始就能用，这对我来说很重要。

卖方：是的，我理解……但是你对明年个性化服务的需求也很重要，是吗？例如，你提到你已在策划对现金管理系统的分析。这个方面是不是说明我们的帮助特别重要？(增加你有的能力的价值)

买方：没错……在这方面我们需要许多专业支持。

卖方：那么，在许多领域，我们讨论过的个性化服务都很重要，是吗？(增加你有的能力的价值)

买方：没问题……事实上，如我们说过的，我想起了更多的事，让我们看一看还有什么其他方面，并且试图……

在这里，卖方通过提问需求—效益问题强调现有能力（个性化服务）的重要性，这就帮买方看到了它的价值。

处理有能力的异议的策略

处理有能力的异议的策略有三个步骤：

■ 承认买方所关注问题的合理性。展示给买方你理解它是一个合情合理的关注。

■ 证实你的能力，解释你能如何提供这种能力。

■ 在需要的地方展示证据。提供一种真实可靠的证据来证明你可以满足这种需求。

例子：

卖方是一个银行职员，正在与买方会谈，买方是一个正准备进入世界市场的小公司的总经理。

买方：在外汇兑换方面，对我来说似乎最好是中断与货币银行中心的联系。

卖方：嗯。

买方：既然货币银行中心在那方面的确有经验，我猜想他们能提供给我们的外汇兑换单更优惠。

卖方：你当然想要最好的汇率（承认异议的合理），但是今天你不必成为货币中心的一员在外汇兑换市场上竞争。

买方：嗯，那是为什么？

卖方：这关系到要有正确类型的信息服务。我们与欧洲市场直接联系，因此我们总是先一步注意到最好的汇率。（证实卖方公司的能力）

买方：我想我明白这一点，但这是我们第一次致力于进入欧洲市场，我们的确需要把第一步走对。

卖方：好的，我想我们应该做的是让你与鲍勃·汤森（Bob Townsend）谈谈。他恰恰也是强调相同的方面。我也送你一本刚刚由华尔街日报出版的杂志，我想也许它对你会有所帮助。（通过提供其他支持根据来证明）

买方：好吧……听起来不错。

有能力的异议处理的最有效的方式是使用一种简单、直接的战略。在处理这种类型的异议中出现的最主要的错误是，在承认买方的关注点的合理性方面的失败。

新产品或服务上市的能力证实

对于新产品或服务上市的能力证实来说，即使是最有经验的销售人员也会处理得很差。

我们研究过许多产品和服务的上市，并且发现，当一种供给是新的时，销售人员给出特征和优点陈述的次数是销售现有产品时的三倍，并且他们提问的水平富有戏剧性地下降。因为他们不提问，所以趋向在讨论的早期介绍新的产品对策，而这我们已经了解过了，这并不是一种有效的销售方式。

甚至更糟的是，对新产品的热情使他们是以产品为中心而不是以买方为中心。结果，他们谈论新产品或服务的细枝末节，而不是提问买方的需求。特别是如果你是以产品的特征和优点为基础来介绍产品或服务时，你会很容易以同样的方式与你的买方交流这些内容。不要让这种情况在你身上发生！

推介新产品或服务的最好的策略包括许多步骤，这些步骤与你在第5章、第8章和第9章中的实践有联系：

新的产品／服务上市策略

1. 弄清你的产品或服务可以解决的难题，或者它可以满足你的买方的需求。
2. 列出可能有这些难题或需求的客户类型。
3. 确认这些难题或需求可能存在的领域。
4. 开发你可以用来对这些难题提问的难点问题和暗示问题。
5. 当你与买方面对面会谈时，把你的重点放在买方的实际需求和难题上。用这种方法你可以展示你的新产品或服务的利益，并且避免陷入过多运用特征和优点陈述的陷阱。

能力证实——总结检查

练习

1. 下列陈述哪些是正确的？ **正确**？

a. 利益陈述是能力证实的最有效方法。 □

b. 在生意开始阶段最好先提出许多特征陈述。 □

c. 优点陈述的影响随着生意的进展而消失。 □

d. 优点陈述引出的最有可能的反应是异议。 □

2. 下列哪些由卖方做出的陈述是利益？ **利益**？

a. 我假设你需要节约资金，而我们的服务可以为你做到这一点。 □

b. 你说你想让这个部门有所变化。我们的生产率提高计划当然能带来这些变化。 □

c. 你说你需要高质量的听觉效果，这个系统中的噪声减少装置可以做到这一点。 □

d. 这种软件包装会让你受益匪浅。 □

3. 下列哪些是特征陈述，哪些是优点陈述，哪些是利益陈述？

特征？优点？利益？

a. 全部的装配尺寸只有 10×3×6 英寸。 □

b. 经营费用价值分析应该在所有阶段进行，而且都有效。 □

c. 因此你的办公室空间很快被用完，阿尔伯特先生。我的产品正好适合你。我们的最新台式复印机可以双面复印，这可以使文件所需的空间减半。 □

d. 在五月份进行这次休假的另一个原因是：这意味着你可以躲开夏季旅游高峰。 □

e. 我们提供大量的购买计划，正因如此，我们能提供给你一

个比较大的折扣。 □

答案

1. a、c和d是正确的。在生意的开始阶段，给出的特征陈述最好也只是中性的，否则常会带来价格异议，并且实际上会使生意陷入困境。

2. 只有c是一种利益。a不是一种利益，因为这种需求是假想的，而不是实际已表达出来的明确需求。b不是一种利益，因为要变化的需求太宽泛和普通，需求并不明确。c是一种利益，因为卖方把产品（减少噪声的装置）和买方表达的一种明确需求相联。d绝对不是一种利益，即使一些卖方试图用这样的陈述来说服买方。

3. 这些陈述都不是利益陈述。

a是一种特征陈述。尽管“仅仅”这个词很有诱惑力，但是卖方只是简单地提供了关于产品的数据。

b是一种特征陈述。卖方描述了经营费用价值分析的特点。

c是一种优点陈述。这是一个很难的例子。第一眼看上去是一种利益陈述，但是买方的需求仅仅是隐含需求，不是明确的。尽管买方提出了一个关于空间缺乏的难题，但是卖方迅速与双面复印联在一起，不可能对买方有积极影响，买方会觉得不切题。这种类型的陈述被看作是优点。如果买方在开始时用需求—效益问题开发需求如“那么你认为有一种减少你文件空间的方法对你有用吗？”就是一种利益陈述。

d是一种优点陈述。特征是五月，优点是避开人流。

e是一种优点陈述。大量购买计划的优点是折扣。因为是没有表达出来的明确需求，所以不是利益。

第20章

SPIN®技能锐化

SPIN®技能提升的三大基石

你希望通过开发你的 SPIN®技能得到的最低限度的提高是什么？我们培训的第一批 1000 个销售人员，在接受过这些技能培训后，销售业绩平均提高了 17%。这种事情在你身上也会发生吗？许多人在学习并实践了我们在这本实践手册中描述过的技能后，他们的销售额翻了一番还多。但是稍稍应用一点简单的数字知识，它便会警告你，以平均增长 17% 为基础，如果一些人使他们的生意翻了一番还多，那么一定也有一些人会在平均线以下或根本没有获利。你怎样确信你就是得到平均结果以上的那些人之中的一个呢？

最坏的消息是没有一个神奇的公式可以给你一定获得更好销售业绩的绝对保证。但是好消息是我们有强有力的证据表明，如果你恰恰能做对三件事，那么你就很有可能从这些方法中达到比较好的结果。这三件事没有一件是特别难的，尽管每一件都要求努力工作。这三件事是：

- 站在买方的立场上。
- 致力于策划。
- 定期检查。

让我们逐个看一下细节。

站在买方的立场上

对许多传统的销售人员来说，最难的转变就是改变他们原有的想法，让他们不再扮演一个销售人员的角色，相反，从买方的角度看世界。当我们谈到站在买方的立场上，我们并不是指通过伪装，站在买方的角度上看问题，然后操纵买方。我们正在谈论的是一种基本的正确方法。你必须摒弃古老的卖方与买方的心理状况，站在买方的立场上，你必须真正地分享他的观念，特别是它意味着你必须在两方面改变你的想法：

- 从说服转变为理解。

■ 从以产品为中心转变为以买方为中心。

从说服转变为理解

从传统角度来看，大部分销售人员把他们的基本职责看作是劝说。这就导致他们强调产品的优点，而且变得只主张他的公司和他们提供的服务。劝说或主张有什么错？简而言之，这不是世界上最成功销售人员的理念。

与各个领域成百上千名出色的销售人员一起工作时，我们发现他们的基本观点是理解而不是劝说。这些成功销售人员明白，他们最首要的责任是从买方的角度理解这个世界。这个观点对他们如何销售产生了神奇的影响。因为他们真的在乎他们的买方想什么，所以他们比传统的销售人员提问更多的问题。他们很少倾向不成熟地谈论产品（服务）和对策（解决方案），并且，因为他们试图忠实地了解买方的事情，所以与买方的这种交流以及他们自己本身看起来都显得很真诚。

这与提高你的 SPIN®技能有什么联系？太多了。如果你开始理解，你就会更多地提问，不可能热衷于特征和优点陈述，不可能太早涉足对策（解决方案）。同时，研究表明，你还会更好地去倾听买方的谈话并且更有可能听到买方的明确需求。

以上所说的这些在实践中有多正确，最好的例证来自世界上最大的通讯公司，他们的销售队伍从他们现存的客户中选出一个范例，然后去进行一项调查，来了解这些客户在做什么，他们的环境如何变化，以及他们面临什么困难。设计这项调查的顾问强调，为了提供客观数据，这些销售人员应该尽早更好地了解这些客户，并且切莫用这次调查过程去销售。

接下来的 3 个月，令这些顾问、公司管理人员、销售人员及所有人兴奋的是，对参与调查的客户的销售额与对所有其他客户的业绩相比提高了35%。原因很简单，因为调查使销售队伍真正注重了解他们的客户，他们发现新的需求，并且看到许多附加价值的机会。

甚至更好的是，客户对能被理解反应很积极，并且邀请销售人员回去再合作做更多的生意。

因此，来自出色的销售人员的启示是，既能提高销售技能又能提高销售业绩的方法是，把每一次会谈看成是一个理解的机会，而不是劝说的机会。

从以产品为中心转变为以买方为中心

销售人员的作用的一个暗喻是他们是产品和客户之间的一座桥。卖方是纽带，把买方和生产连接在一起。高效率的销售人员必须了解这座桥的任何一端——了解一端的买方的需求以及另一端产品和服务的能力。这座桥的哪一端对销售的成功更重要？证据似乎表明：

■ 大部分销售人员感觉了解他们的产品比了解他们的买方更舒服、更熟练。

■ 很成功的销售人员有足够的产品知识，但是客户知识更多。

■ 拥有最多产品知识的销售人员不是做成生意最多的那些销售人员。

■ 如果一定要做一个选择，买方更可能愿意与那些最了解他们需求的卖方接触，而不愿与最解产品或服务的人接触。

因此，如果你是一个典型的销售人员，此时正拼命地致力于这一端的产品和服务，那么现在有一个好机会，把你的注意力转向了解买方很可能回报你以结果。

这意味着像这样的事情：

■ 跟上能影响买方的商业和工业趋势。

■ 读时下的商业杂志，而不是读产品手册。

■ 对潜在买方的组织内部发生的事情有一种真正的好奇心，并且提问许多买方操作产生影响的变化方面的问题。

毫不放松对买方的商业条款的兴趣，已经给了那些以这种方式做生意的人许多回报了。我们曾经为 IBM 做过一次调查，为的是发现为什么一些销售人员学习如何销售比其他人快得多。我们发现，总的来说，那些有着广博计算机知识的人只有普通的学习曲线。

最快的学习者——成为 IBM 未来的走在前端的人，是那些注重买方需求的人，这使得他们对商务条款充满好奇。甚至在没经过培训时，那些学得很快的人也自然地提问 SPIN®问题。因为他们对买方的难题和在难题背后暗示的东西有真正的兴趣。结果，每一次他们做的会谈都给他们一个学习商务条款、行业趋向以及客户重要区域有关问题的机会。

相比之下，那些有着广博产品知识的人更有可能把会谈中的时间花费在谈论关于 IBM 和它的能力方面。他们对买方的情况了解很少，因此他们的业绩很差也就很容易理解了。因此一个既能提高销售业绩又能提高 SPIN®技能的方法是，确保把对产品的关注转移到对买方的关注上来。

致力于策划

建一座房子或工厂时，不会是突然就开始，然后随着工程继续再慢慢找机会策划，计算出你应该做什么。事实上，几乎不会有任何大企业的成功是一夜暴富。成功的执行依赖于成功的策划。其他行业更不必说。不幸的是，销售代表的是为数不多的几个策划被低估甚至被忽略的领域。我们继续惊讶于有多少销售人员并不策划会谈。

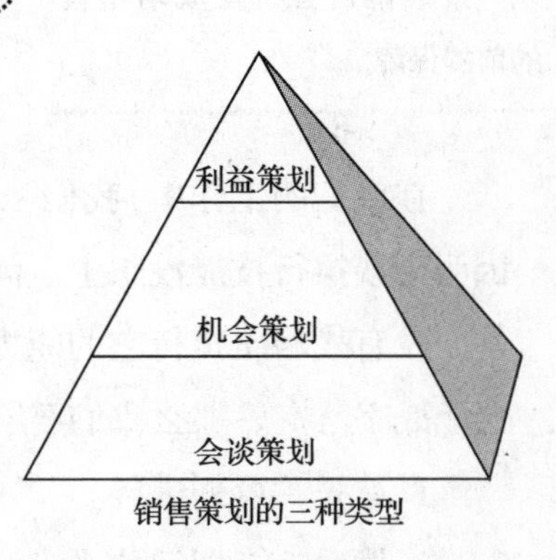

销售策划的三种类型

注意我们说“销售人员并不策划会谈”。许多大项目要求销售人员为每一个重要的项目都写出精致的利益计划。事实上，利益计划占用了大部分销售队伍的大量时间。

但是，为了达到你的重要利益策划，需要成功抓住许多机会。我们定义一系列能达到大订单销售终点的销售会谈为机会。策划机会用的时间比策划利益所用的时间少得多。然而，除非这些构成的机会成功，否则利益策划就会失败。

策划销售会谈

每个机会都是由许多销售会谈组成的，并且每一个销售会谈对要满足的机会必须是成功的。因此，单个的销售会谈是组成机会的每一块基石，一系列的机会必须为的是成功地执行一个利益计划。我们的关注点是很少有销售人员给这些平常的销售会谈以足够的重视，而这些会谈是组成生意成功的最基本单位。

如果只有一条建议可以提供给大家，提高销售业绩的建议，那就是策划会谈。策划你的会谈，少关注宏观的策略，多考虑每一次会谈的策略。想想一个你在近期策划的实际销售会谈。你对这次会谈的目的有多清楚？你知道你希望达到的确切结果是什么？你计划提问什么具体的问题？你使用的帮你策划的工具是什么？如果对这些问题你没有一个好的答案，那么你就没有策划好这次会谈。**会谈策划是建立销售策略的基石。**

SPIN® Tips

策划销售会谈是成功销售的前提保障。

在我们的工作中，我们一次又一次地看到精心策划的利益战略失败了，因为会谈执行技能没跟上。问题是，经过许多年的观察，我们得出的结论是，没有战略比执行它的能力更好。在一个单独的会谈中，执行通常都不会让战略落空。那么我们要给你什么建议来帮助你策划会谈？有三点：

1. 首先，策划进展。
2. 然后，策划问什么，而不是讲什么。
3. 最后，使用一个策划工具来帮你准备。

选一个你在近期要做的销售会谈，并且试一试我们给你的三点建议。

首先，策划进展

我们在第4章谈论过会谈结果以及进展晋级的重要性，我们解释了进展晋级与暂时中断之间的区别。

尽管这种区别很简单，但是它对成功策划极其重要，对销售成功也有举足轻重的作用。出色的销售人员与他们不很成功的同事的区别就是，前者清楚地知道进展晋级可能来自于每一次会谈，并且他们把会谈目标建立在他们能达到的最现实的进展晋级之上。

让我们用你打算做的一次销售会谈来试一下。

- 集中脑力，首先想出你可以从会谈中得到的至少5个可能的进展晋级。

■检查你列出的每一个进展晋级在实际中是否真实，并且是否真正能够推进销售。

■选择这些进展中最好的一个作为会谈目标。最好的进展晋级是最能使生意向前发展，同时也是真实及可达到的。

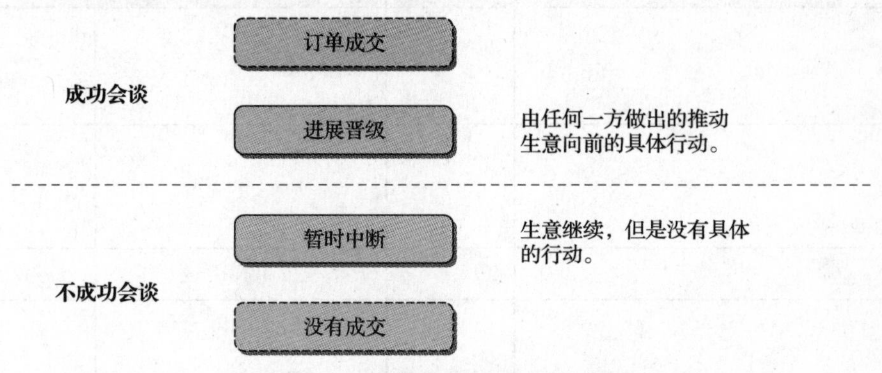

图 20-1 进展晋级和暂时中断的差别

选择一个候补目标，一个仍然可以使生意向前推进，但赋予的期望较少的进展晋级目标，不过你的第一个进展被证明是不可接受的，它比较容易达到。

表 20-1 会谈：关于一种的新材料的销售会谈

进展晋级：（一个具体的能使生意向前推进的行动）	推进生意发展了吗？	很容易达到？	第一选择和候补
与买方生产部的经理约定一次会谈。	许多	直到我们可以提出日期前，一直很难。	
与他们的技术人员开展一次新材料的讨论。	有点	很容易。这是他们的变通程序。	候补
劝说买方参观俄亥俄州的现场测试。	有点	很难。买方很少实地参观。	
使他们的技术小组评测新材料的实验室价值。	中庸的	中庸的。实验室去年还亏欠我们一次检测纯度的试验。	另一选择
我们接受他们的策略建造一个模型。	许多	很难。会花去我们 40000 美元，我们老板会疯的。	

现在，试着策划一下你自己的进展晋级：

表 20-2　进展晋级策划的练习

进展晋级：（一个具体的能使生意向前推进的行动）	推进生意发展了吗？	很容易达到？	第一选择和候补

成功销售人员的特点之一是，他们有思考范围很广的灵活进展的能力。不很成功的销售人员经常发现超越能使生意向前推进的最显而易见的方法是很困难的事情。用这个练习来加强你的思考，并且产生尽可能宽范围的进展晋级。在这儿我们只问了 5 个，但是如果你能想出 10 个，那就更好了。

策划问什么，而不是讲什么

一旦已经选择好了第一选择的进展和候补的进展晋级，那么接下来你要做什么？策划会谈本身。有些时候，在这儿我们会与和我们一起工作的销售人员开一个不怀好意的玩笑。在我们讨论策划之前，在没有任何警告的情况下，我们让他们拿出一张纸，并且匆匆记下一个他们打算在几周之内进行的一个销售会谈的计划。

然后我们问他们这个非常重要的问题："你是计划要讲什么事情还是

要问什么事情？”几乎 80% 我们的牺牲者都已经策划好了他们要讲述的东西。那 20% 策划好要问的内容的销售人员通常都是这组中最有经验以及最成功的人员。

如果你是他们中的一员，你会怎样打算？老实说，你会不会是策划问题的那 20% 的人中的一员呢？如果像大部分人一样，你策划了要讲述的内容，那么毫无疑问，在讲述的同时，你很难问出有效的问题。记住：

■ 策划好它，否则你根本无法做好它。

■ 如果想站在买方的立场上，你必须从说服转变为理解。提问是理解买方的最好方法。

有效提问的秘诀在于策划。这样做的方法之一是写一个问题清单。这也正是许多成功销售人员的策划方法，然而一个更好的方法是使用策划工具。

使用策划工具

会谈计划 会谈目标（要得到进展晋级，而不是暂时中断）
使当事人安排一个共同的预先提议策划会议，来重新审定他们的判断标准。

背景（我们需要的更进一步的事实）
■ 弄清现有员工的专业知识和技术能力。
■ 找出过去12个月中员工的变化情况。
■ 找出任何预算方面的限制。

难题（可能存在的我们能解决的难题）

暗示（使难题更严重紧迫）
O/T成本会影响边际利润；
缺少专业知识和技术可能会影响质量；
项目完成的延误会使你失去领先地位，使竞争对手占领市场；
可能导致员工更换；
雇用新的内部员工会增加成本，并且延长学习曲线；

员工会对竞争产生逆反心理；

客户信誉受损；

……

明确需求（我们希望开发的）	利益（然后我们可以提供的）
■项目按时完成，质量好并且在预算内； ■使现有员工适应现代潮流且感觉愉悦； ■其他项目也可以做。	■我们的技术专业知识能填补成本—效益的空白； ■能支持和培训现有员工； ■允许重要的员工做其他项目。

会谈计划 会谈目标（要得到进展，而不是暂时中断）

背景（我们需要的更进一步的事实）

难题（可能存在的我们能解决的难题）

暗示（使难题更严重紧迫）

明确需求（我们希望开发的）

利益（然后我们可以提供的）

如何使用 SPIN®会谈策划表格

SPIN®会谈策划表格是一种策划销售会谈既简单又直观的方法。本书的最后为你准备了让你使用的策划其他会谈的表格。下面是一些可以帮助你从中得到更多的关键点。

进展

如果你不知道你想把会谈引向何方，那么你很难策划出好的问题。因此，以策划进展为开始，它就会使生意向前推进。自信点，你总会有一个进展晋级的机会。选择一个能让你最好地把生意向前推进与容易达到目的的进展晋级。你以生意向前推进为条件的进展的雄心越大，策划一个万一你的第一进展晋级目标失败时的候补目标就越重要。

背景问题

只策划从其他来源得不到信息的基本背景问题。我们建议人们最后再策划背景问题。用这种方法，他们把更多精力集中于策划更多、更有效的问题。很容易遇到一长串你要问的背景问题，但是这么做不会帮助你销售。策划背景问题的技能在于减少你的问题清单。问一问你自己，想问的背景问题是否真的是必须的。如果不是，特别是如果你正在对高层管理人员进行销售，那么你最好把它放过去。

难点问题

至少策划三个你的产品和服务可以解决的难题。通过策划许多难题，如果首先开发出的难题已经被证实是无作用的，那么你就可以很灵活地进入下一个新的难题领域。如果通过确定你打算开发的难题领域，以及只在你选择好领域后再想问题为开始，那么你会发现策划难点问题要容易得多。因此，例如，你首先确定这位买方在可靠度和速度方面有困难。一旦你选择了这些领域，你可以策划例如，“你有没有发现你现在的系统速度太慢”或“你有多少次失败”等问题。

暗示问题

这是最难策划的问题，但是一旦策划好，就会得到最大的回报。一个既简单又好的暗示问题可以使生意成交。对于难点问题，你应该先确定暗示领域，然后给暗示问题描述一个框架。每一个难题领域有几个好问题通常就已经足够了。

明确需求和利益陈述

记住，一种利益总会满足一种明确需求。因此，当策划你想提供的利益陈述时，每一个首先都依赖于先开发的一种明确需求。把明确需求与利益陈述放在一起策划是一个很好的习惯，没有明确需求，就没有利益陈述。

没有好的会谈，你就不能有一个有效的销售策略。策划付出的努力是很值得的。系统的会谈策划对提高销售业绩所起的作用是任何其他简单的方法不可比拟的。把它变成你现实生活中的一种方法，并且看一看销售成果得到了怎样的提高。

定期检查

为什么需要定期自我检查

我们都是习惯的唯命是从者。甚至即使我们有正确的技能，即使我们知道正确的方法，坏习惯也会乘虚而入。我们变得懒惰了，我们接受缺点。不知不觉之中，我们就开发出了一种损害我们销售的习惯方式。让我给你一个我个人的例子。

发现 SPIN®模式之初，我意识到需要提高我自己的销售。我做销售做得已经太多了。我很快就发现，我的大部分问题都是背景问题。简而言之，SPIN®模式的发现者都是在从事销售的人。但是我决定改变一下，并且采纳我自己的处方。通过许多实践以及通过仔细策划我的销售会谈，我慢慢地提高了，直到已经很擅长它了。更好的事情是，销售业绩有了突飞猛进的提高，并且我为哈斯韦特公司做成了几笔大订单，我认为我的销售生涯已经全面开花了，有了可喜的收获。

然后，随着本书的成功，我不幸成为众所周知的人物。

我被邀请去世界各地讲演，包括外国的许多地方。我就被当作一个受尊敬的权威，往返于世界各地。我谈，我讲，我详细说明。换句话说，我做着许多讲述的工作，但没有探寻什么。但是，这就是这个故事的关键点，我并没有意识到坏习惯正在悄悄地潜进我的体内。在我自己的意识中，我仍然是用一个老的值得受用我的提问方式取得成功的 SPIN®销售人员。

一天，一个客户让我去参加一个关于 SPIN®模式的记录片拍摄。他们想让我做一次销售节目给他们的销售人员树立典范。我同意了。我们开始了节目录制，然后带着刻录完的录像带和拍摄人员一起回到买方的办公室。然而，看录像带时，我意识到我本想作为一个光辉例子的东西实际上却是一个可怕得要死的警告。我计算了问过的问题，一共有七个，其中的六个是威力很小的背景问题。令我恐怖的是，我通过 SPIN®模式发觉，这几个月的被尊为权威的巡回讲演中，我已经回到了一些坏习惯中。我正在讲述我的方法；我正在向买方讲述难题，而不是在提问难点问题；我正在解释隐含需求，而不是问它们。这是一次让人羞愧的展示，我惭愧得无地自容。

从那时起，我为了使自己保持诚实，就时不时地检查一下自己。我建议你也这样做。我在去会谈时带一个小录音机。在得到买方允许的前提下，我录下会谈并且在事后分析它。

当我又滑入到坏习惯时，这些检查帮我看清自己。它们也是我需要提高的最重要的领域，并且它们帮助我锐化我的 SPIN®技能。我从对自己销售进行分析的过程中看到了许多东西。

接下来的篇幅介绍了我用来帮助自己的工具。

这个例子来自我自检的一次会谈中。我问买方是否可以录下会谈。这么做时不用紧张，我与之工作过的几百名销售人员都用过 SPIN®检查工具，他们定期请求买方允许他们录制会谈。他们很少受到拒绝，并且在很多事例中，买方对做此工作以提高他们的技能的有职业精神的人都表示尊敬。

回到家，在放录音带之前，我重温事前设定好的 SPIN®会谈计划，以帮助我回忆起我在会谈中努力达到什么程度，并且我计划提问什么问题。然后我放一次录音带，从头到尾不停顿。

我问自己这些问题：

■会谈是否如我策划的那样进行了？尤其是，我是否达到了我希望的进展晋级？

■有什么做得很好的方面，我需要记住并在以后的会谈中使用？

■有什么比我希望的差？

例子：（如图 20-2）

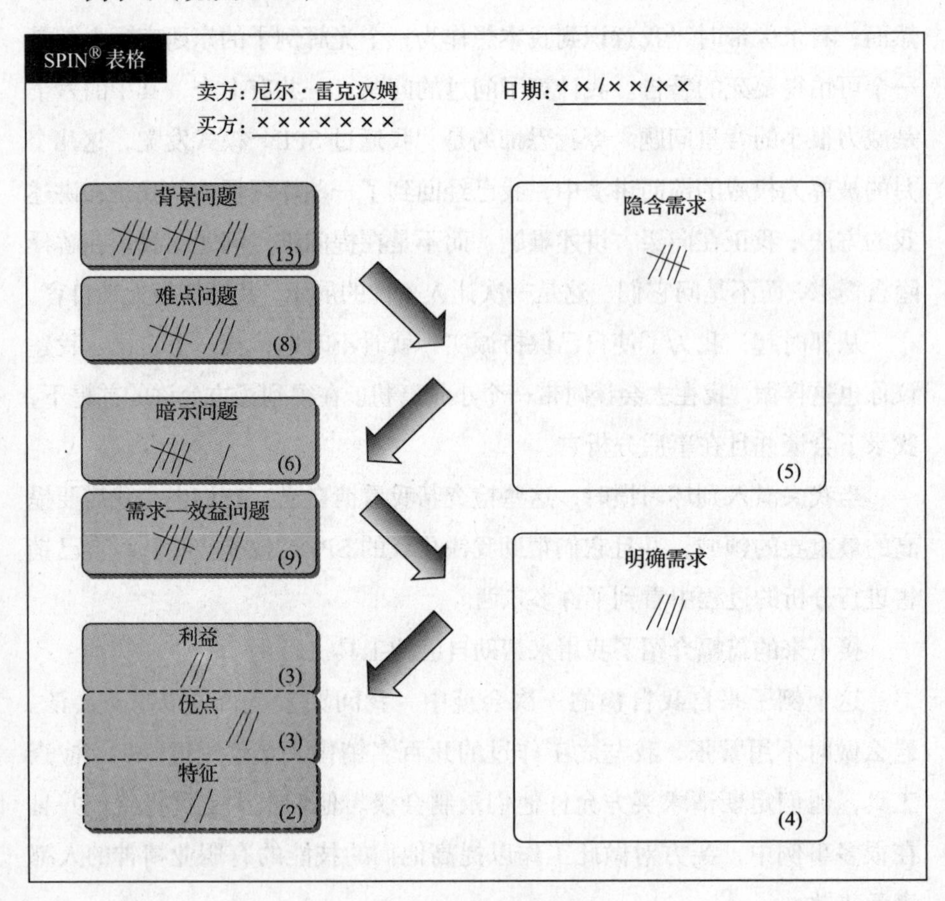

图 20-2　SPIN®表格

评估会谈

这里就是我对这些问题答案的实际笔记：

如你看到的，我有几个惊讶的地方。你也许可以发现，如我一样，你从录音带上听到的事情在会谈的过程中都完全漏掉了。幸运的是，你会发现一些对将来会谈来说值得记住的东西。

会谈按计划进行了吗？

成功地得到了策划的进展晋级（向在巴黎会议的总经理们发出建立伙伴关系的邀请），但是，客户对所提供的信件缺乏兴趣，这使我很惊讶。也许我应该尝试一个更有攻击性的进展晋级目标。

什么进展得好？

关于市场划分模型的有用的讨论。我必须记住在巴黎要使用“给发动机注入燃料”的例子。它为向全球性客户进行无效销售的后果问题提供了很好的解决之道。

什么没有影响？

没有好好听杰夫对销售成本减少的关注。在录音带上他提到三次，我没有注意到。当他开始有热情时，我仍然没有听。

最后，我重放这盘录音带，使用SPIN®表格分析我的问题。每一次我问一个问题，就在合适的条框中做一个记号。用这种方式可以看到在会谈中我提问的数量，并且看出在SPIN®范畴中它们是如何分配的。因为这样做许多次了，所以我能在分析会谈中用的行为的同时不停止录音带的播放。如果你在这之前没这样做过，那么当你决定你问的问题类型时或判断你正描述的是特征、优点还是利益时，在每一种行为后暂停播放录音带。

在这一页你会发现一个空白表格来分析你的会谈。你在这本书末尾还会发现另外一些同样的表格。

会谈分析表格

使用这种 SPIN®表格来分析一个你做过的会谈录音。如果你没有机会记录下一次真实的会谈，与你的朋友在会谈中分别扮演一个角色，为你的分析提供材料。

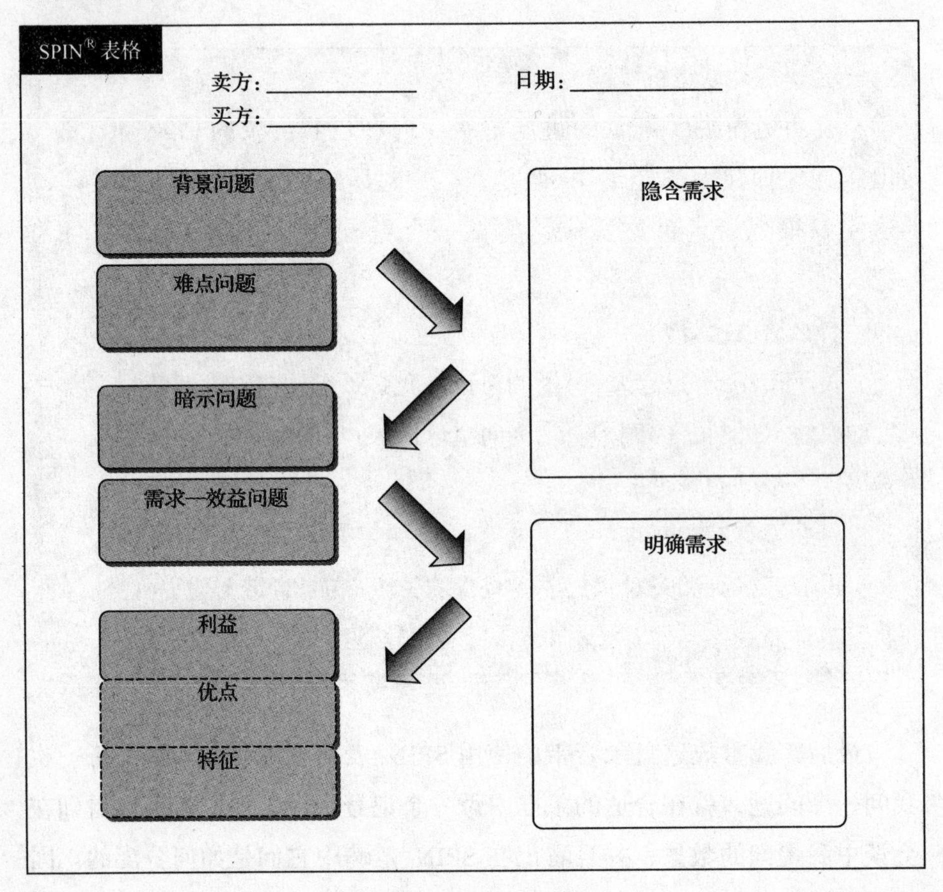

图 20-3 SPIN®分析表格

来自 SPIN®表格的数字都意味着什么？在我的事例中，我问了 13 个背景问题，这是太多了还是太少了？我问了 6 个暗示问题，这是好还是坏？答案是精确的数字，与整个的形式没什么关系。我问的背景问题比其他任何类型的问题都多，但是这很正常。整个形式很好。我问了8个难点问题，并用6个暗示问题和9个需求—效益问题开发了那些难题中的一些问题。

我想在哪方面有所提高？两方面可以更好。这是一个复杂的会谈，并且我想我能提问更多的暗示问题。另一个可以提高的方面是利益陈述。我提供了三个利益陈述，但是，听录音带后我发现我至少丢掉了一个机会。

为了帮你说明你自己的方式，这儿有四个典型的SPIN®素描：

素描1：絮叨专家

这是对过分热情的一种专家的典型素描。几乎没有问题——在这个事

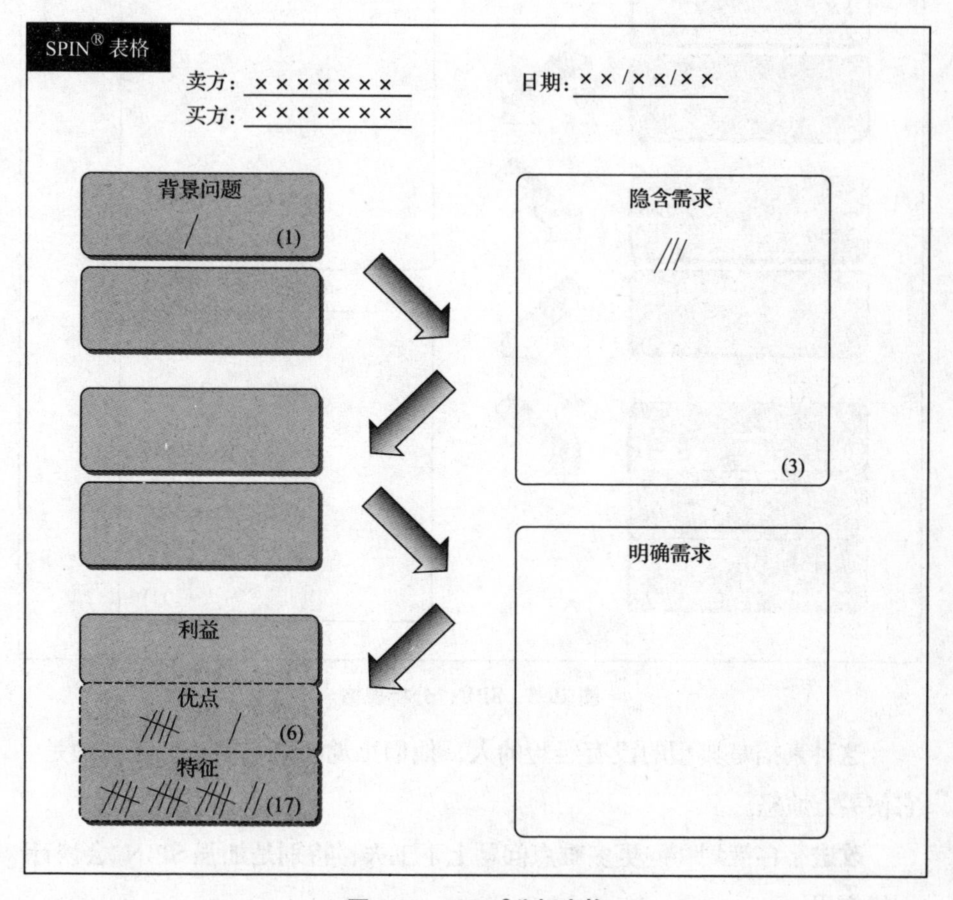

图 20-4 SPIN®分析表格

例中只有一个。一大堆特征陈述——讲述太多关于产品的事情，远远多于买方可能想知道的。

改进：提问，问任何问题。

素描 2：仅仅提问事实

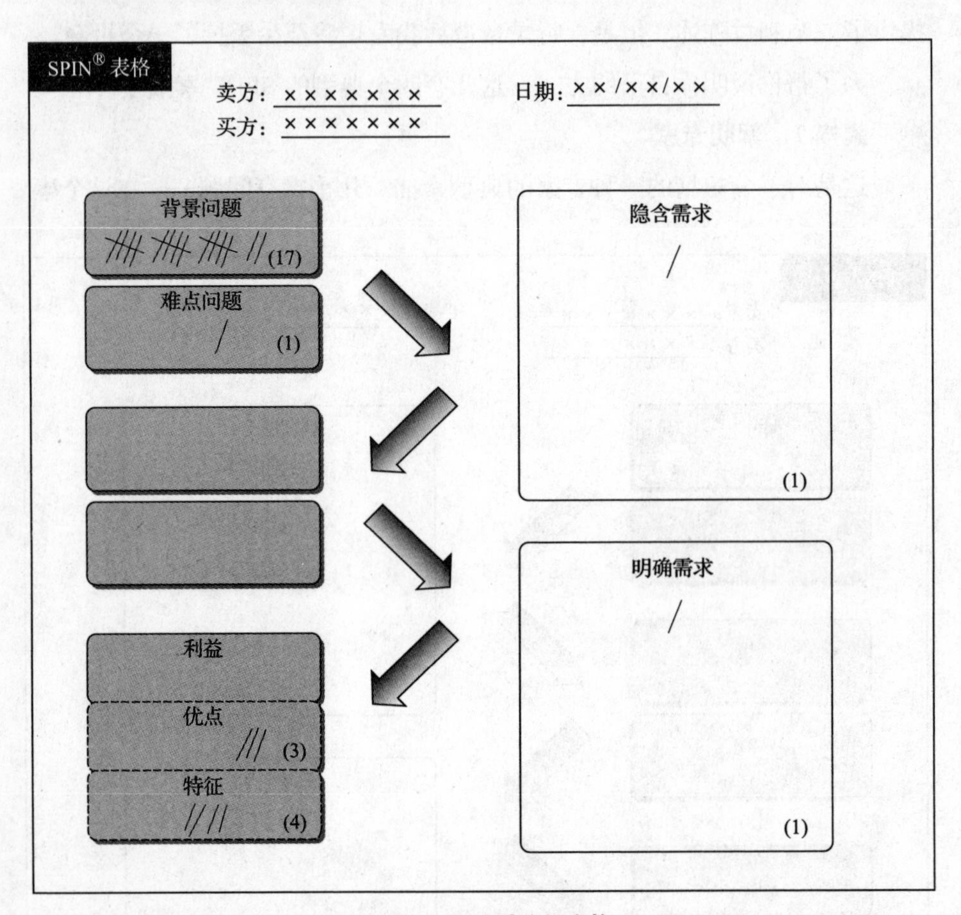

图 20-5　SPIN®分析表格

这种素描是典型的没有经验的人，他们感觉问事实安全。不幸的是，它使买方愤怒。

改进：在策划和问更多难点问题上下工夫，特别是加强 SPIN®会谈计划的应用。

素描 3：直捣黄龙

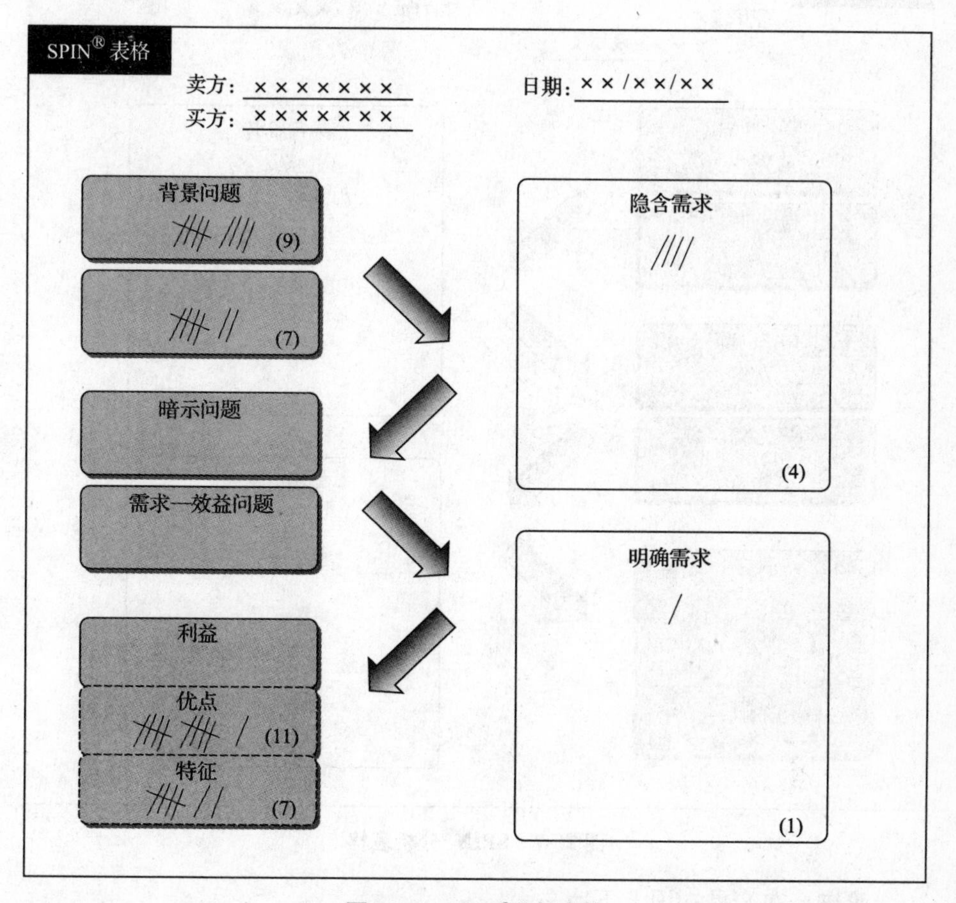

图 20-6 SPIN®分析表格

这是一些所谓有经验的人的经典写照，他们过早地介入了提出对策（解决方案）。

改进：停止提供对策（解决方案），相反，策划并使用暗示问题。

素描 4：缺少对策

这种类型比较少见，但是有些时候我们看到像这样的人：知道如何销售，但是对谈论他们的产品感到不舒服。他们问的问题很好，但不知道他们提供的特征、优点和利益。

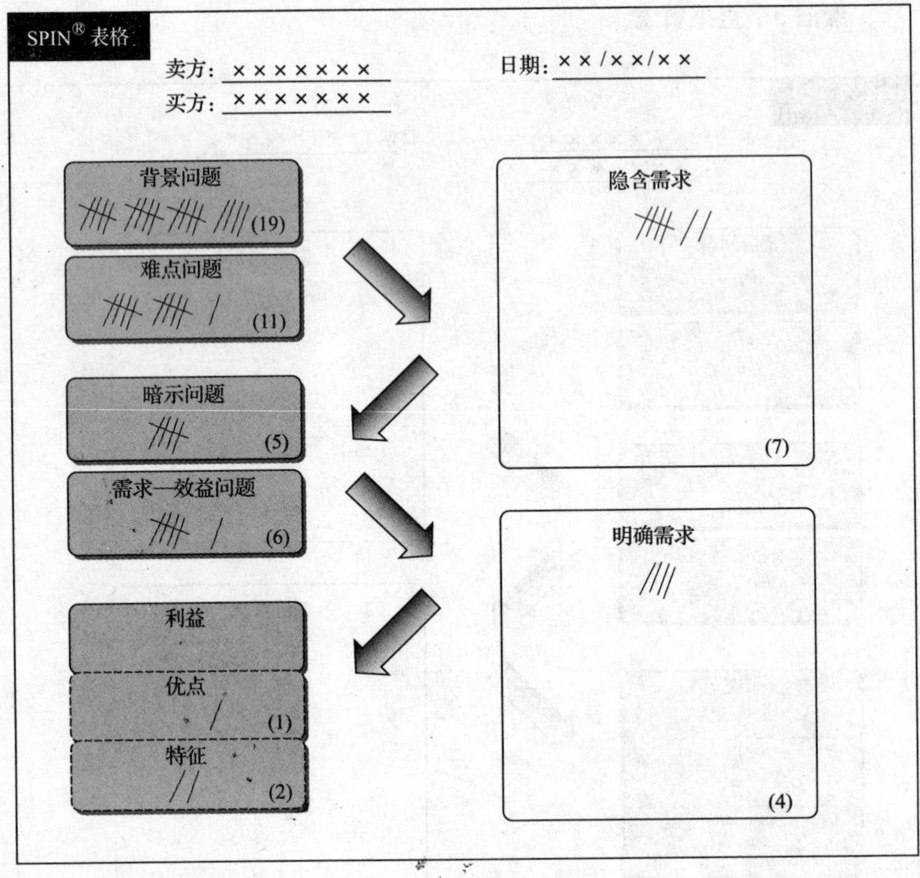

图 20-7　SPIN®分析表格

改进：在产品知识上下功夫。

你自己是哪种类型？也许与这些素描并不完全相像。然而，通过用这种方式分析你的销售，你会在你应用问题好坏程度如何和提高你的销售机会这两方面得到新的领悟。

本章中，我们为锐化你的销售技能提出了建议和工具，我们建议你：

■站在买方的立场上，从劝说转换到理解，并且从以产品或服务为中心转移到以买方为中心。

■在策划方面下工夫，使用像 SPIN®会谈策划这样的工具。

■定期给你自己一定的检查，比如通过记录和分析你的会谈。

使用会谈计划表格和SPIN®分析表格，这种方法已经被成千上万的销售人员亲自试验过了。它的确起作用，它要你付出一定的时间和精力，但是如果你能与用过这种方法的许多人谈一谈，他们会告诉你这些投入是多么得值得。